Gudrun Seidenauer
Hausroman

Gudrun Seidenauer

Hausroman

Residenz Verlag

Bibliografische Information der Deutschen Bibliothek
Die Deutsche Bibliothek verzeichnet diese Publikation in der Deutschen Nationalbibliografie; detaillierte bibliografische Daten sind im Internet über http://dnb.ddb.de abrufbar.

www.residenzverlag.at

Umschlaggestaltung: www.boutiquebrutal.com
Umschlagbild: plainpicture / Mia Takahara
Typografische Gestaltung, Satz: Ekke Wolf, typic.at
unter Verwendung der Schrift Minion Pro
Gesamtherstellung: CPI Moravia

ISBN 978-3-7017-1601-2

1

WO ABER GEFAHR IST, WÄCHST DIE GEFAHR

Er schreibt es in großzügig geschwungenen Buchstaben, Aufstrich, Abstrich, zweimal die üppige Rundung des G, die ihn an einen schwangeren Bauch erinnert, bläst auf das Papier und hält es gegen das Licht. In Spiegelschrift könnte er es auch schreiben, das würde Dora noch mehr ärgern. Darunter: *Gruß, Konrad.* Der bekannte Druck am Brustbein, unruhige Finger. Er schiebt den Umschlag in die Mitte des Tisches und taucht den Blick in die Farben der gegenüberliegenden Wand, bis sie verschwimmen. Helles Anthrazit und cremiges Smaragd. Die Farben retten immer für eine Weile. Glatte, kühle Flächen, aber nicht so glatt, dass ihre Perfektion einen zurückstößt. Er hat lange nach dem richtigen Anstrich für die Küchenwände gesucht, nach einem ganz speziellen, der mit der Farbe im Stiegenhaus korrespondiert, Mineralfarbe, die einen weicheren Ton ergibt, nicht das billige Zeug, das man in jedem Baumarkt bekommt. Die Jalousien sind zu drei Viertel geschlossen. An diesem Augusttag brüllt die Hitze und verschärft den Gegensatz zwischen drinnen und draußen bis ins Unwirkliche. Konrad löscht Doras Anruf aus dem Protokoll des Telefons. Zwei schmale Lichtstreifen fallen über die Knopfleiste seines weißen Hemdes und die Seitennaht seiner Hose und geben der ganz alltäglichen Kleidung einen Moment lang das Aussehen einer leicht futuristischen Uniform. Er schiebt die zwei Dokumente, die Dora haben wollte, in eine Klarsichthülle und legt das Blatt mit seinem Gruß in den Umschlag. Doris nennt sie sich jetzt. Kein Absender, wozu, sie kennt seine Schrift. Die immer wieder abblätternde Stelle in der linken Ecke über dem Fenster hat er in der Form eines Kometen ausgeritzt. *Das Perfekte ist das Tödliche* steht winzig mit Bleistift hingekritzelt darunter, nicht lesbar von hier aus. Solche Sätze liebt er, über so etwas redete er gern bei einer halb geleerten Flasche Wein, die Wärme des Essens, der zuhörenden Gäste und Doras um sich. Die Aufmerksamkeit seiner Ex-Frau hatte ihn immer beflügelt und weitergetrieben, wenn er ins Stocken geriet, sich in seinen Gedanken verhedderte und fürchtete, das Interesse der Gäste könnte in höflich maskierte Genervtheit kippen. Doras nachsichtiger und immer erhebender Blick ließ ihn dann meist eine elegante Kurve nehmen, machte eine selbstironische Bemerkung möglich, sodass er nicht allzu schrullig erschien.

Ich mochte ihn von Anfang an. Wer weiß warum, vielleicht nur wegen der Farbe der Küche, wegen des Kometen, wegen der Ernsthaftigkeit seiner Träumereien und der Risiken, die er einging. Sein Zwang, anders zu denken, anders zu sein, gegen einen manchmal imaginären Mainstream zu rudern, trieb ihn an. Auch dass seine Wagnisse letztlich theoretisch blieben, war mir bald klar. Schon damals, als Konrad und Dora einzogen, unschlagbar verliebt, Dora schwanger, wusste ich das. Trotzdem, ich mochte ihn, auch ich konnte nicht anders. In gewisser Hinsicht war und ist er ein Seelenverwandter. Lieber sehe ich mich als die Summe all meiner Bewohner und bin damit mehr als das. Aber Seele oder Zukunft, das richtige Leben, das Wahre: Ideen über Ideen. Wie viele davon allein in einem nicht allzu großen Haus ein und aus gehen, verzerrtes Geflüster und Gestammel, ein Rauschen aus Kindertagen, Mutter, Vater, die Geschichten Tausender Jahre. Ich horche und horche.

Von Glück können die reden, die im Laufe ihrer Jahre die Idee, als die sie einst in den Köpfen ihrer Eltern herumgeisterten, mit ihrem Leben auszuhöhlen verstehen, bis zumindest Teile davon abfallen. Oder die, zu denen ihren Eltern und Lehrern von vorneherein nicht viel eingefallen ist. Es sind ja die besten Ideen, die nicht selten die unglücklichsten Menschen hervorbringen. Warum das so ist, verstehe ich noch nicht. Doch seit ich Sprache habe, habe ich auch Hoffnung. Ich weiß, darin liegt eine nicht unbeträchtliche Gefahr. Es muss an der Sprache selbst liegen: Die Hoffnung, gehört zu werden, ist nun einmal in sie eingeschrieben, und ich gestehe: Ich werde geschwätzig. Mit den Jahren nehme ich immer mehr von den schlechten Gewohnheiten der Menschen an. Ablenkung ist eine davon und die Neigung zu bodenloser Abstraktion. Dabei habe ich Alter und Tod nicht zu fürchten. Wenigstens neige ich nicht auch noch dazu, meine Schwächen für Stärken zu halten.

Auch ich war einst eine Idee gewesen, die von der Zeit und ihren Ideen allmählich übertüncht wurde, und ich hielt stand. Meine Unbeweglichkeit geriert sich als Stärke. Auch das ist etwas, was mich mit Konrad verbindet. Zudem war auch er schon vor seiner Geburt als intensive, tief verborgene Idee vorhanden gewesen, ein Wunschkind. Seine Eltern waren Kriegsvertriebene aus dem Osten, alle beide mit fürchterlichen Geschichten im Gepäck. Sie: sehr zugreifend, immer eine Spur zu laut, an der Grenze zum Schrillen. Flinke Augen, ein ständiges Hin- und Herhuschen im Blick, das sie verriet. Geschichten von früher, anfallsartig ausgespuckt und mit einem Stehsatz abgeschnitten, bevor ihr jemand zuvorkommen konnte. Altmodisches, weich singendes Deutsch. Die verlorene Heimat als lebenslanger, wortloser Vorwurf an die, deren Kümmernisse, so ihre durch nichts zu erschütternde Überzeugung, nicht der Rede wert waren. Auch Konrads Trennung von Dora würde später für sie in diese Kategorie gehören. Große Ohrringe, getragen wie Orden, ansonsten unauffällig gekleidet, stets betont korrekt, um ja nicht einen Anschein von Dahergelaufensein zu erzeugen. *Wir haben es geschafft*. Was genau, das war keine Frage. Wenn sie Konrad und Dora besuchte, brachte sie neben dem Vater stets einen Korb mit Essen mit und hantierte sofort in der Küche herum, was Dora nicht zu Unrecht als Angriff auf ihre Fähigkeiten als Hausfrau interpretierte.

Er: ruhig, unendlich duldsam, stets in ihrem Windschatten, als wäre das ein geeignetes Versteck. Mit etwas weniger Bitterkeit um Mund und Augen hätte man ihn für einen Träumer gehalten. Es fiel ihm schwer, länger als unbedingt nötig Augenkontakt zu halten. Lieber stellte er sich an irgendein Fenster und sah nach draußen, während die Mutter plappernd herumhantierte und Konrad und Dora sich in ihrer eigenen Wohnung wie zu früh eingetroffene Gäste fühlten. Das Kind entschärfte die Situation, die sich etwa alle vier Wochen bei den samstäglichen Besuchen wiederholte. Auf den Vater wurde dennoch mehr gehört: Weil er der Mann war, gerade weil er wenig redete und weil er ziemlich sarkastisch sein konnte, wenn er irgendeines von den Büchern seines Sohnes aus dem Regal nahm, an einer beliebigen Stelle aufschlug, um ein Gespräch anzuzetteln, das seine erstaunliche Belesenheit unter Beweis stellte und das er meist abrupt beendete, um sich der Enkelin zuzuwenden. Von Doras Büchern nahm er nie eines, obwohl er Dora mochte, es herrschte eine Art wortloses Einverständnis zwischen ihnen. Dass sie ungeplant schwanger geworden war, war dem Vater im Stillen durchaus recht gewesen, weil es Konrad zwang, seine Träumereien hintanzustellen. Der war dem streng katholischen Vater für dessen scheinbare Großmut in dieser Sache dankbar, was ein lebenslanges Missverständnis zwischen den beiden blieb, eines von vielen.

Konrad war Architekt. Er liebte die Spannung zwischen der Vorstellung vom Raum als Ganzem und dem Blick aufs Detail. Und dass man immer auf die Gegebenheiten reagieren musste, auf die unausweichlichen Zwänge topografischer und finanzieller Natur. Aus dieser Beschränktheit heraus war es möglich, etwas Großes zu versuchen, zumindest etwas Gutes: mehr als Boden unter den Füßen, mehr als bloß ein Dach über dem Kopf.

Als er noch Kind war, hatte ihn die Mutter bei allen möglichen Gelegenheiten mit Geschichten von der verlorenen Heimat unterhalten. Konrad sah die Straßenzüge genau vor sich, die Fassaden, die Treppenhäuser, die Farben, die Korridore. Sie war eine begabte Erzählerin gewesen und Konrad ein begabter Zuhörer. Mit zwölf hätte er das Zentrum der kleinen Stadt, aus der die Mutter stammte und die er nie gesehen hatte, aus dem Kopf zeichnen können und das Haus seiner Großeltern, die er nicht mehr kennenlernen sollte, im Detail. In der Vorstellung von diesen Orten war etwas Rettendes gelegen, das alles, was sie nicht erzählte, aussperrte. Weil er höllisch aufpassen musste, sich nicht das Falsche vorzustellen, war das Zuhören schrecklich anstrengend, dennoch liebte er es. So hatte er es Dora erzählt, mit dem wunderbar erleichternden und zugleich etwas beängstigenden Gefühl, ein Geheimnis verraten zu haben. Niemand sollte Opfer von Architektur werden, diesen Satz eines Professors in einer der ersten Vorlesungen hatte er zu seinem

Leitspruch gemacht. Wenn er einen Plan fertig hatte, saß er oft mit halbgeschlossenen Augen davor und stellte sich die Bewegungen der Menschen in den Häusern vor, einfache, alltägliche Gesten, wie sie sich an die Tische setzten, Kinder zudeckten, von einem Zimmer, einem Stockwerk in das andere wechselten. Er zeichnete die Möglichkeiten als Linien und Schlingen in die Luft, verfolgte die entstehenden Muster. Manchmal ging er bedächtig und langsam wie ein alter Mensch in ihre gemeinsame Wohnung im dritten Stock hinauf und vergegenwärtigte sich Schritt für Schritt die Lage der Räume und ihre Beziehung zueinander im Gedächtnis, als Übung, als eine Form der Hingabe an mich. Er studierte mich. Ich muss zugeben, dass mich seine Wahrnehmungsfähigkeit anfällig dafür machte, wiederum ihn zu studieren. Gesehen zu werden, danach sehnen sich die Menschen ebenso, wie sie es fürchten, und auch diese menschliche Eigenart hat auf mich abgefärbt.

Als er und Dora einzogen, bewunderte sie Konrad, und ihre Bewunderung beflügelte ihn. Da sie glücklich waren, dachten sie nicht besonders viel übereinander nach. Beide hätten damals gesagt, dass es die große Liebe war. Ich würde sagen, sie hatte die zugreifende Tüchtigkeit seiner Mutter ohne deren Verbitterung und bedrängende Vehemenz, eine jüngere, sanftere Variante davon, plus eine lang währende Bereitschaft, seine Unklarheit und Melancholie für nichts anderes als Klugheit und eine gewisse Schüchternheit zu halten, zudem war ihr weicher, weiblicher Körper ein heimatlicher Hafen für ihn, den er jederzeit ansteuern konnte. Mit ihm hingegen bekam ihre seltsam inhaltsleere Lebenstüchtigkeit eine Aufgabe. Sie erfüllte Dora mit geliehenem Geist und geliehenen Zielen, sie half ihr, eine Wahl zu treffen, was Menschen schwerfällt, von denen man sagt, dass sie alles gut machen, was sie anpacken. Dora war eine, die auch die Liebe als etwas sah, das man anpacken musste.

Reduziere ich die großen Gefühle der Menschen auf simple und selbstsüchtige Motive? Das mag daran liegen, dass ich schon so viele Lieben kommen und gehen gesehen habe. Man könnte mir entgegenhalten, dass ich in meiner Andersartigkeit nichts von der Liebe verstehe, weil ich sie ja nicht fühle. Touché.

Ich kenne die beiden nun schon eine ganze Weile. Als sie einzogen, war Dora schwanger. Vor fünf Jahren verließ sie ihn, die elfjährige Tochter nahm sie mit. Das darauffolgende Jahr war er dauernd weg, das nächste ging er kaum vor die Tür und baute neben der Arbeit viele Stunden und Tage lang an seinem Modell der idealen Wohnanlage, das dann weitere Jahre in einem Kabinett verstaubte, bis er es um die Zeit, als Katharina zu ihm zog, schließlich wieder hervorholte. Vor allem aber sah er die Gespenster, zwei von ihnen sogar, in verschiedenen Nächten. Das geschieht natürlich sehr selten bei Menschen, die über zehn Jahre alt sind, ab zwanzig so gut wie nie. Konrad hat mich damals tatsächlich überrascht und mehr noch damit, dass er sich danach keineswegs für verrückt hielt. Doch davon später.

Eine Kopie des Meldezettels brauche sie, so Dora an jenem glühend heißen und trägen Augustvormittag am Telefon zu Konrad, und zwar am besten gestern, und die Schulbestätigung. »Wofür?«, fragt Konrad, überflüssigerweise, das ist ihm klar, aber darum geht es nicht. Dora redet und redet, er genießt die Kleinheit ihrer Stimme, die auf Abstand einer Armlänge aus dem Telefon quiekt, er genießt es, sie zum Reden zu bringen, nur das ist wichtig, nicht, was sie sagt. Das Bild, wie sie in einem ihm unbekannten Zimmer stehend redet, rote Wangen vor Ärger, sich fortwährend eine Haarsträhne aus der Stirn bläst und mit der anderen Hand Luft zufächelt. Wird heiß sein in diesem Fertigteilhaus aus dem Katalog, in dem sie jetzt lebt. Er geht ja nicht aus an Tagen wie heute. Herinnen ist es wunderbar kühl, der feine Geruch des Kalks, wenn man die Stirn daranlehnt. Er würde niemanden je verlassen, nicht einmal mich, schon gar nicht mich. Seine Frau redet immer noch. Falsch, seine Ex. Ex, Ex, Ex. Vielleicht lernt er es ja jetzt endlich, da Katharina zu ihm zieht. *Meine Ex.* Er konnte das nie. Dieses Saloppe. Ein Wort wie ein Achselzucken. Dieses So-ist-das-Leben-was-soll's-Getue, in das es dann mündet. Dora hat einen schönen Mund, den schönsten, den er je gesehen hat. Ja und. Und nichts mehr.

Immer hat sie im Stehen telefoniert und sich dabei die Haare aus der Stirn geblasen, er hat sie dabei gern angesehen und gar nicht bemerkt, dass ihr Lachen und ihre roten Wangen nichts mehr mit ihm zu tun hatten. So schnell ist dieses Bild da, dieser Gedanke und noch einer, viel zu schnell. Er weiß schon, wo das wieder endet, und wischt beides weg. Ihre Piepsstimme hilft ihm dabei. Sie hat in Wirklichkeit keine Piepsstimme, *in Wirklichkeit*, was für ein ungenauer, dummer Ausdruck. Sie ist weg, das ist die Wirklichkeit, ihre Scheißwirklichkeit, die sie gewollt hat, nicht er. Red nur, red nur weiter. Sie ist ein kleines, weinerlich quäkendes Geräusch. Ihre gemeinsame Tochter ist bald siebzehn und hält es nicht mehr aus mit ihr. Auch das ist die Wirklichkeit. Besser so. Er atmet auf, rückt den Sessel ein Stück zur Seite, zeichnet mit dem Daumen auf der Tischplatte herum.

Die Zwergenstimme seiner Frau bricht jäh ab. Er werde ihr die Unterlagen schicken, gleich morgen, sie könne sich auf ihn verlassen, das wisse sie doch. Warum muss er es so formulieren? Die Sachen, die Katharina noch brauche, schicke sie ihr aber nicht nach, meint sie, die könne sie sich schon selber holen. Er vergisst, das Telefon wieder auf Abstand zu halten, registriert ihr Zögern, dann sagt sie sehr unvermittelt, vielleicht wachse ja wirklich das Rettende, wo Gefahr sei, er kenne das Zitat ja, es gehe ihr oft durch den Kopf in letzter Zeit. Er hält die Luft an, zerkrümelt eine von Katharinas Zigaretten zwischen den Fingern. Den Satz hatte er irgendwann in ihren Anfangsjahren über den stets überquellenden Wäschekorb im Bad an die Wand geschrieben, Katharina war noch klein damals. Er sieht Dora vor sich, müde, jung, lächelnd, ihn küssend, mit dem halbangezogenen Kind auf dem Arm, das sogleich mitlacht, wenn die Mutter lacht. Jetzt könnte er fragen, was denn los sei und wie es ihr gehe. Könnte er. Dora sagt nichts. Wartet sie? Dass er. Wozu denn aber. Wo aber Gefahr ist. Das Rettende. Bloß für wen? Was meint sie überhaupt, ist das wieder ihr eruptiv auftretender Zynismus? Dabei war sie im Unterschied zu ihm früher nie zynisch gewesen. Auch das hat er geliebt, und wie ernst sie alles genommen hat. Ihn vor allem. Es hat ihn größer gemacht und sicherer. Zugegeben hätte er es nie. Jetzt gab sich manches von selbst zu, quasi ohne sein Zutun. Was hat er zu verlieren? Und mit jemandem darüber zu reden, kein Gedanke. So tief muss er dann doch nicht sinken. Nein, er geht ihr nicht in die Falle. Sie wollte es ja so, alles wollte sie so. »Gut«, sagt er in einem Tonfall, der sie erkennen lässt, dass das Gespräch jetzt beendet ist. »Wir hören uns.« Er lässt das Rollo hochrattern, macht sich ein Bier auf.

Katharina, wann kommt sie denn? Muss er eigentlich Regeln vereinbaren über Kommen, Gehen, Anrufen? Er blinzelt in die Helligkeit. Ausbleiben, wie lange? Sie abholen? Er wird das Handy nicht mehr ausschalten können. Freunde mitbringen, übernachten lassen, woanders nächtigen. Das darf sie, er wird sie nicht einsperren. Muss er die Eltern ihrer Freunde noch kennen? Smalltalk mit anderen Müttern und Vätern, Elternabende, das ganze langweilige Programm? Nein, nicht bei Katharina. Die Schule ist kein Problem, die schafft sie sehr gut. Immer mit Auszeichnung. Lernt sie viel? Kaum wahrscheinlich, bei ihrem Freizeitprogramm, den ständigen Tanzstunden und Workshops. Katharina braucht keine Kontrolle, davon hat sie die Schnauze voll. Wann hat Dora bloß diese Muttertier-Betulichkeit entwickelt? Es wird sich schon finden, alles.

Neben dem Telefon auf dem Tisch liegt das Zigarettenpäckchen, das gestern aus Katharinas Jackentasche gefallen ist. Blitzschnelles Bücken und ein Blick zwischen Vorsicht und Trotz hinter der schweren Haarmähne hervor, vorgeschobenes Kinn, Strichmund, wie macht sie das nur mit den schönen Lippen, die sie von Dora hat. »Leg sie doch einfach auf den Tisch.« Sonst nichts, sonst hat er nichts gesagt. Und schon löste sich Katharinas Blick aus der Trotzklammer. Nein, so schwer kann es nicht sein. Er würde das schon hinkriegen. Sie will zu ihm. Heiß wurde ihm, als sie es ihm sagte, erst vor einer Woche in dem kleinen Café an der Ecke. Sie sitzen unter blauweißen Sonnenschirmen. Er spürt die Röte vom Hals ins Gesicht wandern. Zum Glück sieht sie ihn nicht an, stochert in den Resten des Früchteeisbechers und kratzt mit dem Löffelstiel Wellenmuster in die Serviette.

»Ich will bei dir wohnen, ich halte es nicht mehr aus bei denen.«

Etwas in ihm könnte tanzen, schreien. Er rührt sich nicht. *Sag doch was*! Er möchte ja. Immer ist da etwas, das ist stärker als etwas. Das stärkere Etwas treibt ihn augenblicklich imaginär über die Sonnenschirme des Cafés auf die Höhe des ersten Stocks hinauf, von wo aus er die Szene beobachtet, Katharinas dunklen Haarschopf mit dem Zickzackscheitel, den schmalen Mädchenrücken, halb umwickelt von einem bunten Tuch, aufgerichtet und allmählich einsinkend, die Arme schützend um den Körper gelegt, er selbst gegenüber, im Sessel lümmelnd, den Kopf in die Rechte gestützt. Lange, scharfe Schatten schneiden über die Tischfläche, die Nebentische sind leer, ein paar Tassen und Gläser darauf verteilt. Gutes Bild. Eine Serie aus allen möglichen Blickwinkeln müsste man aufnehmen. Miniaturen, allmählich sich vergrößernde Ausschnitte, Füße, Hände, Oberkörper, Knie. Zuletzt die Augen, eines von ihm, eines von ihr, als Schlussbild. Sie hat ja seine Augen. Sein Herz klopft spürbar. Warum klappt das nie, wenn es ideal wäre, warum meint man immer, es wäre ideal, wenn es nicht geht? Der Blick, auf Katharina geheftet, straft seine lässige Körperhaltung Lügen. Sie nimmt die Füße vom Schirmständer.

»Jetzt sag doch endlich was!«

Unter dem Tisch picken Spatzen Brösel auf. »Schau mal!« Er deutet auf einen Vogel. Katharina schlägt mit der Hand auf den Tisch, dass die Gläser klirren.

»Beruhig dich«, sagt er schnell, »natürlich kannst du bei mir einziehen, jederzeit.«

Später bringt er sie zur U-Bahn, tätschelt unbeholfen ihren Rücken, wartet, bis sie zwischen den anderen Körpern verschwindet. Vom Einkaufen kehrt er mit ungewohnt vollen Taschen zurück. Was isst sie überhaupt gern? Wie schnell er ist, fast rennt er. Am Gang lächelt er der Ärztin aus dem Mezzanin zu, bleibt schwer atmend stehen, redet zehn Minuten über Wetter, Einkaufen und seine Tochter. Bald siebzehn, begabt, obwohl das Eltern ja grundsätzlich glauben, ja, und sie tanze. Modern Dance, in den Sommerferien dauernd in London, das koste, egal. Und sie ziehe zu ihm, bald, sofort, morgen, übermorgen. Schwierigkeiten, das Übliche, Mutter, Tochter. Er redet laut und schnell, als gäbe es keine Zweifel. Falsch, es gibt keinen. Er redet, lächelt und nickt, behält keinen Satz von dem, was die Frau sagt, seine Stimme hallt durchs Stiegenhaus, »und schönen Abend noch«, er registriert ihren weichen Blick, auch der beflügelt ihn. Alles, selbst das Gewicht der Einkaufstaschen, die voller guter Sachen sind für ihn und Katharina, es gibt nichts, was ihn heute nicht beflügeln könnte, er rennt hinauf in den dritten Stock, was redet er denn auf einmal so viel, er wundert sich einen Moment, aber auch das ist egal, er nimmt zwei Stufen auf einmal. Er lässt die Wohnungstür offen, räumt alles in den Kühlschrank, entwirft eine neue Anordnung für das Obst in der japanischen Keramikschale, schlägt die Wohnungstür zu, fällt in den Sessel und merkt nicht, dass er da draußen mit Katharina viel zu langsam war. Das Herz hämmert immer noch, ein leiser Druckschmerz zieht sich wieder den Arm hinunter. Vielleicht schaut er einmal vorbei bei der Ärztin im Mezzanin, Marie heißt sie.

Jetzt wird er es ihr zeigen, seiner Ex. Die ganze letzte Woche hat er mit dem Ausräumen eines Zimmers verbracht. Gestern ist Katharina angekommen, ein dringliches Klingeln an der Tür, als er gerade vor seinem Modell saß und in Gedanken durch den Bahnhof von Kyoto wanderte, Dora neben ihm. Er hat die Fotos wieder durchgeblättert.

Katharina kommt mit einem kleinen Rucksack und einer Pappschachtel, umwickelt mit Paketschnur. Sie hat Augenringe. Wahrscheinlich Streit zu Hause. Bloß keine Details.

»Wo sind deine Schulsachen?«

Sie zuckt mit den Schultern. »Hol ich noch. Kann ich bitte den Schlüssel haben?«

»Ja, mach das. Schau, der goldene ist für die Haustür.«

Er zögert.

»Magst du mit mir anstoßen?«, sagt er und greift nach der offenen Weinflasche auf der Anrichte.

»Danke, ich trinke keinen Alkohol.«

Ihre Stimme ist anders. Das Kindliche ist weg. Gut dass er Aufnahmen hat, Geplapper vom sechsten Geburtstag, Vorlesen, Gesungenes. Die müsste er gelegentlich digitalisieren. Schnell stellt er noch ein paar belanglose Fragen, damit er diese neue Stimme zu hören kriegt. Er wird sich schon daran gewöhnen. An ihre Anwesenheit und daran, dass sie kein Kind mehr ist.

»Viel redest du ja nicht gerade«, sagt er, leert sein Weinglas in einem Zug und ist dabei, sich nachzuschenken.

»Ja, Mama sagt, ich bin wie du, wenn sie sich darüber ärgert.« Blitzschnell kommt das, mit einem Blick – lauernd? In Gesichtern lesen ist anstrengend für ihn, es macht ihn unruhig. Dora redet also noch von ihm. Aber wie.

»Und, ärgert sie sich oft?«

War das zu viel? Zähe Luft. Er hat sich so darauf gefreut, dass sie kommt.

Katharina verdreht die Augen. »Ja, andauernd.« Aber sie lächelt, immerhin lächelt sie.

»Egal, jetzt wohn ich hier. Ist es dir wirklich recht?«

Die Unruhe, die ihn bei solchen Fragen ergreift, macht ihn starr. Er braucht dann immer eine Weile, bis er antworten, sich überhaupt wieder rühren will. Immer dieses Fragen, wo es nichts zu fragen gibt. Es sind immer die Frauen, die an der inneren Sicherheit rütteln. Katharinas Kindergesicht ist noch erahnbar. Ziemlich gewachsen ist sie, kaum kleiner als er und sehr schmal. Ihre Schlüsselbeine heben und senken sich deutlich über dem Ausschnitt des weiten roten Shirts mit dem unentzifferbaren Schriftzug, irgendwas mit *Girl.* Hat sie das Fragen von der Mutter? Wenn er an Dora als Katharinas Mutter denkt, dann ist es besser. Mütter sind eine unverzichtbare Gefahr. Irgendwann aber kann man gehen, und Katharina scheint das auch begriffen zu haben.

»Aber sicher«, sagt er mit allem Nachdruck.

Sie glaubt ihm nicht. Er hat einfach zu lange gebraucht mit der Antwort. Und ich, ich kann ja nichts tun, ihm keinen Schubs geben, rein gar nichts. Außer die Gespenster könnten es, aber die sind unbrauchbar und tun, was sie wollen, nehmen keine Aufträge entgegen, sind nur sie selbst, also reichlich dumm, und irren unrettbar und ausschließlich in ihrer eigenen Geschichte umher.

Dieses Lauern, dieses Beobachten, dieses Zögern. Und wieder zu spät.

Konrad nötigt Katharina dann doch zu einem Vitaminsaft. Sie besteht auf zwei Dritteln Wasser. Die Gläser klirren unschön aneinander. Er schiebt das Unbehagen schnell weg.

»Für wen ist das ganze Zeug da?«, fragt sie mit Blick in den offenen Kühlschrank.

»Na, für dich natürlich.« Sie verzieht das Gesicht, unbestimmbar.

Bloß kein Wort zu viel, das scheint ihm eine brauchbare Grundregel für den Anfang. Sie hat Doras Stimme. Doris' Stimme. Eine Doris kennt er nicht. Und der Schmerz vergeht nicht. Was soll's. Er könnte sich ruhig eine von Katharinas Zigaretten anzünden, er hat das im Griff, so etwas hatte er immer im Griff. Und mit Katharina, das wird schon werden, sie ist ihm ähnlich. Die Augen. Verbote haben auch bei ihr keinen Sinn. Sie redet nicht viel. Er beschließt, die Ähnlichkeit für einen Vorteil zu halten. Als sie klein war, verstanden sie einander. Sie störte nie, wenn er mit halbgeschlossenen Augen vor einem Modell saß und mit dem Finger die Bewegungsmuster der zukünftigen Bewohner in die Luft zeichnete. Nie fragte sie, was er denn da mache, und nie lachte sie, auch nicht, als sie schon größer war, nicht ein einziges Mal.

Sie war ein ruhiges Kind, das aufmerksam alles beobachtete und sich erstaunlich viel merkte. Ein hübsches Kind, mit langen dunklen Haaren und einer frühen Vorliebe für einfärbige Kleider. Die geblümten und getupften Kleidungsstücke, die sie von der Oma bekam, verweigerte sie entschieden, da half alles Zureden nichts. Ihm gefiel das, und er wurde den Verdacht nicht los, dass sie das gemerkt hat. Kindern muss man so etwas nicht erklären. Sie lieben, hassen und wissen. Geschlafen hat sie nicht gern. Er erinnert sich an eine anstrengende Zeit, als sie acht oder neun war, in der sie panische Angst vor dem Einschlafen hatte und davor, womöglich unbemerkt zu sterben. Er erinnert sich an das Ziehen und die Schwäche, die er im eigenen Körper nach den halbdurchwachten Nächten spürte, und an die Kopfschmerzen in der Arbeit. Wie lange ging das so? Sie war kein Baby mehr, und er fühlte sich erstmals alt. Er hört sie in ihrem Zimmer rumoren, klopft an. Der Kasten steht offen, sie schlichtet ihre Tanztrikots und Schuhe in ein Fach. »Morgen früh hab ich Training«, sagt sie.

»Jetzt im August?«

»Sommer-Kurs, Papa, du hast ihn bezahlt. Total anstrengend, aber echt großartig. Danke.« Er ist immer noch von ihrer neuen Stimme gebannt. Sie beugt sich nach vor, um ein paar Strumpfhosen zu entwirren, da fällt sein Blick in ihren Ausschnitt. Da ist der Ansatz eines ziemlich üppigen Busens. Er hat sie doch alle drei, vier Wochen gesehen in letzter Zeit. Im Juni holte er sie und ihre zwei kichernden Freundinnen vom Allee-Bad ab. Auf der Heimfahrt führten sie eine enervierende Diskussion über Nabelpiercing und Piercings im Allgemeinen. Sie behauptete, sie würde sich nie tätowieren oder piercen lassen, weil das die Aura verändere, und er mengte sich in das alberne Mädchengerede ein, weil er derlei esoterischen Unsinn verabscheut. Da ist kein solcher Busen gewesen, das wäre ihm aufgefallen. Dünn war sie, das schon, aber das war sie immer gewesen.

Er tritt einen Schritt zurück, lehnt sich in den Türrahmen, sie richtet sich auf. Eine schöne Frau. Noch nicht, aber bald. Eine, der Männer in den Ausschnitt schauen.

»Sag einmal, Papa« – auch dieser alberne Schmeichelton war falsch, genauso falsch wie die Stimme und der plötzliche Busen. Seine Tochter, die die Biografien von Martha Graham und Pina Bausch liest, aus dem Stand Kurzvorträge über die Geschichte des Tanzes im 20. Jahrhundert halten kann, deren Lehrer ihnen zweimal vorgeschlagen haben, sie eine Klasse überspringen zu lassen, weil sie unterfordert sei. Er und Dora entschieden sich dagegen, weil Katharina nicht wollte. »Ich kann doch so vieles nicht«, meinte sie nur. Dora verwickelte sie daraufhin in endlose Gespräche, um sie, wie sie meinte, von ihrem Wert und ihren Talenten zu überzeugen. Konrad hielt sich heraus, und ihm schien, dass Katharina darüber erleichtert war. Ihre Tochter sei begabt, hochbegabt, wie ihnen versichert wurde. Er nahm es zur Kenntnis, mit einer gewissen Genugtuung, aber im Grunde machte er sich nicht viel daraus.

»Was willst du denn?«, fragt er schroffer als beabsichtigt.

»Kann ich dich Konrad nennen?«

Auch das noch. Ihm ist unbehaglich zumute. Er zögert. »Das muss ich mir überlegen«, sagt er und setzt hinzu: »Nimm dir etwas zu essen aus dem Kühlschrank, wenn du Hunger hast. Es ist spät, ich gehe gleich ins Bett.«

So ist er eben. Ihre Enttäuschung steigt auf wie eine gewaltige Welle, sodass ich nicht anders kann als mich ihr zuzuwenden. Mit einem unerwartet schmerzhaften Ruck zieht es mich zu ihr, mühelos durchdringe ich ihre Poren, ein Gewebe aus Licht, Wärme, Geschwindigkeit, ein Dröhnen und sich Zusammenziehen, das Abbild ihrer Empfindungen. Doch Konrad gibt mich nicht frei. Ich bin sein Hort, sein Versteck, das bisschen Heimat, zu dem er fähig ist. Er ist fest entschlossen, nichts herzugeben, was er hat. Aus Dingen macht er sich kaum etwas. Es ist das Gesehenwerden, wonach er süchtig ist, der arme, scheue Konrad.

Auch Häuser können erschöpft sein. Gewiss, es sind Müdigkeit, Gleichgültigkeit, Armut der Menschen, die sich an ihnen quasi materialisieren, was den Menschen als Verfall erscheint. Ich habe alle Mühe, meinen analytischen Verstand als Bollwerk gegen Konrads Zugriff einzusetzen.

Konrad widersteht der Versuchung, sich noch einmal an das Modell seiner Siedlung zu setzen, obwohl ihm heute während des Wartens auf Katharina eine Lösung für das Lichtproblem im Innenhof der mittleren Atriumhäuser eingefallen ist. Beim Einschlafen taucht wieder der Bahnhof von Kyoto auf mit seinen Treppen, die in allen Richtungen ins Offene führen, ohne dass das Gebäude seine Kompaktheit verlöre. Dora neben ihm, Doras Busen, die schwarzrot lackierten Essstäbchen in ihrem Haarschopf. Katharina, der volle Kühlschrank. Er hört sie in die Küche gehen. Hat sie doch Hunger. Der schnell getrunkene Wein drückt ihn in den Schlaf, und er träumt einen Traum, an den sich zu erinnern ihm auch nicht helfen würde, wütende Neuronenstürme, nichts weiter.

Katharina setzt sich vor den Kühlschrank auf den Boden, mit dem Fuß lässt sie die Tür auf und zu wippen. Vollmilch, Fruchtjoghurt, Käse, Schokoladepudding, Milchschnitten. Will er sie mästen? Glaubt er, sie ist fünf? Ihr ist kalt. Schlafen kann sie noch nicht. Eine rauchen, das geht. Tolerant scheint er ja zu sein. Oder es ist ihm egal. Wahrscheinlich. So viel raucht sie ja nicht. Die Stiche in der Brust beim Training letzte Woche, das geht gar nicht. Sie lässt die Kühlschranktür zufallen, horcht in das Vorzimmer hinaus. Licht macht sie keines, es genügt das, was vom Gang hereinfällt. Hoffentlich schläft er schon. Hell und leer zugleich ist ihr Kopf. Sie legt die Fußsohlen aneinander, drückt die Oberschenkelaußenseiten nach unten, bis die Knie seitlich den Boden berühren. Heute hat sie nicht einmal gedehnt. Keine Sekunde Zeit, während sie gepackt hat, ist dann auch noch ihre Mutter früher als geplant zurückgekommen und hat fortwährend auf sie eingeredet, sodass sie sich kaum mehr konzentrieren konnte. Bis Katharina irgendwann brüllte. Sie weiß nicht mehr was. Schon in der U-Bahn, als sie sich zu erinnern versuchte, fiel es ihr nicht mehr ein. Vom angestrengten Nachdenken war dann das Zittern wiedergekommen. Das Schreien mit der Mutter hatte ihre ganze Energie aufgebraucht. Sie war dann einfach in der U-Bahn sitzen geblieben und bis zur Endstation gefahren, weit draußen am Stadtrand. Dort kaufte sie Pommes, ein Kebab, ein Cola. Nicht einmal light. Bestimmt mehr als tausend Kalorien, kein Wunder, dass sie jetzt einen Bauch hat. Wenigstens die Trainingssachen hat sie alle dabei, sodass sie in den nächsten Tagen nicht nach Hause zurückmuss. Diese Pappschachtel war nie ihr Zuhause, von Anfang an nicht. Sie weiß genau, sie wollte damals bleiben, unbedingt. Nicht bei Konrad, nicht bei Dora, aber hier, in der alten Wohnung. Sie liebte die türkise Küche, das breite Stiegenhaus, in dem die Stimmen so schön hallten, den Blick aus dem Fenster auf die Gasse, die verschiedenen Geräusche, die jede Tür machte. Die Stellen, wo der Parkettboden im Wohnzimmer knarrte, wenn man darüber hinwegtanzte. Die kühlen, schokoladebraun und vanillegelb glacierten Fliesen des nie geheizten alten Kachelofens, das kribbelnde Gefühl, wenn man mit den Fingernägeln über ihre leicht gewellte Oberfläche fuhr. Man konnte in die Zimmer der Häuser gegenüber sehen, warten, bis das Licht anging, und sich Geschichten über die Bewohner ausdenken. Man konnte die behäbigen Tauben und das Geflatter der Spatzen beobachten. Man konnte auf dem breiten Fensterbrett ein Schaufenster einrichten oder seinen Zeichenblock hinlegen und die Fassaden zeichnen, mit den Leuten dahinter. Man konnte die Wolken über der Gasse beobachten, ewig. Man konnte die roten Autos zählen und sich etwas wünschen, wenn es mehr als fünf in einer Minute waren. Das war Notprogramm, wenn sich Konrad und Dora stritten. Aber es funktionierte ganz gut. Sie funktionierte ganz gut, trotz allem. Aber die beiden! »Es funktioniert nicht mehr«, das waren Konrads Worte gewesen, und Katharina hatte sich immer eine riesige, komplizierte Maschine vorgestellt wie aus einem ihrer Bilderbücher, ein fauchendes, metallisch klapperndes und klirrendes Ungetüm mit ratternden Rädchen und Kolben, das sich ächzend in Bewegung setzte und mit einem hässlich schabenden Geräusch funkensprühend und krachend zum Stillstand kam. Oder hatte sie das damals geträumt? Sie war wütend gewesen, weil sie die Maschine nicht begriff, nicht wusste, wie man sie reparieren kann. Aber nur im Traum, in Wirklichkeit hielt sie still, war sie ein braves Kind: Man konnte irgendein Erwachsenenbuch aus dem Regal ziehen und lesen oder so tun, es machte nichts, dass man nichts verstand. Man verstand ohnehin das meiste nicht. Das war nicht schlimm, aber es war schlimm, das als Kind schon zu wissen.

Während Katharina auf dem Küchenboden sitzt, ohne sich zu bewegen, steigt mit all den erstaunlichen Einzelheiten, die sie wie Gespenster bedrängen, das elendige Grundgefühl von damals wieder in ihr auf: einfach nichts ändern zu können. Nichts tun zu können, was wirkte. Einmal in dieser Zeit bekam sie hohes Fieber. Die Eltern saßen besorgt und abwechselnd, manchmal sogar miteinander, an ihrem Bett. Aber auch das änderte gar nichts. Sie war schwach und schmal nach dieser Krankheit, die Röteln oder Masern waren es gewesen. Einmal machte sie Häkelblumen, Rosen aus Garnresten in sorgfältig abgestimmten Farben: *Wenn ich neunundachtzig habe, wird alles wieder gut.* Neunundachtzig war die Zahl ihrer Lebensjahre plus die der Eltern. Sie brauchte etwas mehr als eine Woche dafür, und als Konrad fragte, wieso sie genau neunundachtzig machen wolle, war sie so überrascht, dass sie es ihm verriet. Kurz darauf las sie in irgendeinem Kinderbuch, dass man Geheimnisse über große Wünsche keinesfalls verraten dürfe, weil sonst nichts mehr davon in Erfüllung gehe, und erschrak fürchterlich. Aber eine Weile danach vergaß sie es.

Während Katharina ihr milchig verschwommenes Spiegelbild in der Kühlschranktür mit dem Zeigefinger nachfährt, erinnert sie sich, dass es in der neuen Schule dann zum Glück cool war, geschiedene Eltern zu haben und sich über die mehr oder weniger unmöglichen neuen Partner und die komplizierten Alten lustig zu machen. Konrad redete in der Zeit der Trennung und danach wenig mit ihr. Spazieren gingen sie, das schon. Er nahm immer die Wege abseits der üblichen oder gar keine Wege, sie streiften stundenlang durch die Auen am Altwasser, sie zumeist ein paar Schritte hinter ihm. Katharina erinnert sich an die Geräusche der knackenden Zweige und das je nach Baum unterschiedliche Geraschel der Blätter, das ganz anders klang, wenn es gerade geregnet hatte. So etwas hörte auch er. Oder hatte sie es nicht vielmehr von ihm gelernt, genau so etwas zu bemerken? Die verschiedenen schönen Netzmuster, die das Gewirr aus Ästen und Laub ergab, wenn man nach oben sah. Konrad zeigte ihr, wie sich die verschiedenen Blattknospen aufdrehten, auffächerten oder aufrollten, sich bewegten wie unendlich langsame Tänzer. Als Kind mochte sie es auf diesen Spaziergängen immer am liebsten, wenn sie sich ein bisschen verirrten, denn sie wusste, dass sie fast sicher den Weg wieder finden würde. Sie passte immer gut auf und erntete so anerkennende Blicke von Konrad. Oft waren sie mehrere Stunden unterwegs. Konrad hatte sogar immer ein Jausenbrot und etwas zu trinken für Katharina mit. Selbst aß er nie etwas. Hatte sie ihn damals schon dafür bewundert, wie wenig er brauchte? Abends war sie dann immer todmüde und konnte leichter einschlafen als sonst. Alles andere blieb beim Alten: Es funktionierte nicht mehr. Die Maschine, die das ganze Leben regelte, die Alles-Maschine, wie sie sie bei sich nannte, war das Bild, an dem sie unglücklich hing, weil es das Geschehene sichtbar und hörbar machte. Sie zeichnete die Maschine, sie ahmte ihre Geräusche und Bewegungen nach, das Surren von Rädern, das Schlagen von Hämmern, ein leichtes Vibrieren, das Pfeifen und Zischen von Ventilen, der mäandernde, kurvende Verlauf von Fließbändern. Sie reparierte sie in Gedanken, wieder und wieder.

Fantasie ist oft genug Dummheit, weil man es nicht besser weiß, dachte sie jetzt, und dann kommen sie und bewundern einen auch noch und nennen einen wer weiß wie begabt. Der schlimmste Moment war der, als sie begriffen hatte, dass Konrad genauso hilflos war wie sie. Eine Weile dachte sie, ihre Mutter wäre schuld, und wenigstens sie hätte alles wieder in Gang bringen können. Dann zogen Dora und Katharina aus, sie kam in eine neue Schule, hatte zu tun, ging dreimal statt einmal in der Woche zum Tanzunterricht, verlor sich in den Anstrengungen der Pubertät. Der Akutschmerz verging. Aber auch im Vergessen sind die Menschen oft erbärmlich schlecht, nicht einmal das gelingt ihnen wirklich. In dieser Nacht denkt Katharina auf dem Küchenboden sitzend zum ersten Mal bewusst und intensiv an das Kind, das sie damals war. Man kann es anstarren, das innere Auge scharf stellen, die anderen und auch sich selbst in diesem Damals fokussieren, man kann erkennen. Und dennoch nichts ändern, nicht das Geringste. Die größte Täuschung liegt freilich darin zu glauben, in der unfreiwilligen Klarheit der Erinnerung und in der plötzlich möglichen Verknüpfung von Ursachen und Wirkungen sähe und begriffe man das Ganze, und ich sah, wie ihr auch Katharina zum Opfer fiel. Ich sah auch, wie sich etwas in ihrem Gesicht veränderte, etwas um ihre Augen, an ihrem Mund, eine feine Bewegung Richtung Erwachsensein, ein Erwachen, das nie freiwillig erfolgen würde. Hätten die Menschen die Wahl, wie viele würden darauf verzichten?

Damals wäre es Katharina am liebsten gewesen, Dora und Konrad wären für eine Weile verschwunden und sie hätte mit dem Großvater und der Großmutter hier wohnen können. Katharina erinnert sich, dass sie damals in ihr Tagebuch geschrieben hat: *Wenn ich dableiben kann, ziehe ich sogar die Pullover von der Oma an.* Dann hätten die Eltern zurückkommen sollen, und alles wäre gewesen wie früher. So hätte sie sich das gewünscht. Sie war halt ein blödes Kind damals. Nichts wird wie früher, niemals und nirgends. Stirn auf den Boden. Fingerspitzen nach vor, Handflächen, so weit wie möglich. Sie wirkt wie eine Gläubige ohne Altar. Ihre Finger ertasten Krümel und Staub unter dem Kühlschrank, sie zieht sie zurück, wischt die Hände an der Hose ab. Sie setzt sich auf die Unterschenkel, legt die Stirn wieder auf den Boden, zieht die Arme nach hinten und drückt sie in die Vertikale. Wenn sie länger als eine Minute durchhält, schießt das Blut danach so angenehm in den Nacken, dass es den Kopf wärmt und die Gedanken löscht. Ein Knacksen in der Halswirbelsäule. Sie tastet die Knochen entlang. Der Bauch verschwindet nicht. Sie zwickt sich. Solange das noch geht, solange ist es zu viel. Wenn ich noch etwas esse, könnte ich einschlafen. Eine rauchen. Sie macht das Fenster auf. Mal sehen, wie tolerant er morgen ist. Nichtraucher erschnüffeln ja jede Zigarette noch nach Tagen. Vielleicht war es eine miese Idee hierherzukommen. Sie hatte schon überlegt, einfach bei Jodie in London unterzutauchen, wo sie während der Workshops immer wohnte. Aber Jodie hätte sie wahrscheinlich ohne große Mühe überredet, sofort zu Hause anzurufen. Ihre Mutter wäre ihr glatt nachgeflogen. Immer sie, er nie. Katharina reißt die Kühlschranktür auf, starrt auf das bunte Durcheinander. Sie nimmt eine Packung mit Schokoladepudding heraus und stopft sie in das Gemüsefach ganz nach hinten. Dieses schlechte Gewissen immer, das bringt sie noch um.

Ich habe Katharina lange nicht gesehen, nach der Scheidung ist sie nicht mehr gekommen. Die zwei oder drei Male, die sie ihren Vater noch besuchte, gerieten zu einem sprachlosen Desaster. Konrad war wie versteinert, und Katharina sagte irgendwann, die Mama solle sie abholen. Auch die Telefonate wurden daraufhin immer kürzer. Mit Katharinas Zwitscherstimme konnte Konrad nichts anfangen. Die Geschichten, die sie erzählte, von Freundinnen, die er nicht kannte, von Spielen, die er sich nicht vorstellen konnte, von Ausflügen und Urlauben, die ohne ihn stattgefunden hatten. Paul, Doras damaligen Geliebten, erwähnte sie nie. Das passte ihm nicht, ebensowenig, wie wenn sie es getan hätte. In Katharinas Stimme am Telefon lag eine kindliche Aufgedrehtheit, die ihn durchtränkte und irritierte, die er aber nicht begriff. Also rief er eine Weile kaum mehr an. Später trafen sie einander dann immer in der Stadt, was zu Konrads Erleichterung ganz gut funktionierte. Am liebsten ging er in Ausstellungen mit ihr oder zu etwas, was einen Gesprächsstoff für ihn ergab. Er hatte nie den Eindruck, dass Katharina sich langweilte. Ich wusste es immer, wenn Konrad von einem Treffen mit Katharina nach Hause zurückkam. Er war dann weicher als sonst, belebter. Irgendetwas war da immer an ihr, was ihn entzückt hatte, irgendetwas, von dem sie nichts ahnen konnte. Sie musste sich angestrengt haben für ihn. Etwas von der Bewunderung, die Dora ihm entzogen hatte, gab ihm jetzt sie. Wenn er wieder allein war, setzte er sich dann oft vor das Modell der Wohnsiedlung und stellte sich seine Tochter vor, wie sie in einem Gemeinschaftsraum tanzte. Einmal baute er einen Tanzsaal mit Gartenzugang in das Modell ein, den er ihr nie zeigte.

Er ging immer zu Schulaufführungen und hin und wieder zu den Sprechstunden. Begegnete er Paul irgendwo mit Dora, wusste ich es auch: Konrad kam mit einer kalten Spannung zurück, die fast gleich stark war wie in den Tagen, nachdem Dora ihm gesagt hatte, dass sie ausziehen würde. Er tat dann das Naheliegendste und Gewöhnlichste, er trank. Die Gespenster gingen ein und aus bei ihm, streiften zwischen Küche und Schlafzimmer hin und her. Seine verzweifelte Leere zog sie an, aber er sah sie nicht, nicht ein einziges Mal.

Schon wieder spreche ich über ihn. Es fällt mir schwer, bei Katharina zu bleiben, Konrad drängt sich auf und mengt sich ein. Ich begreife Katharina, mehr noch vielleicht, ich bin Katharina, ich bin diese nur diffus bewusste Sehnsucht nach Konrad, von der sie nichts wissen darf, ich bin ihr Nichtwissen und ich bin die Kälte, mit der sie über sich urteilt und über Konrad, und ich bin derjenige, der diese Kälte betrachtet. Ich sehne mich nach Armen, nach einem Körper, um Katharina halten zu können, vielleicht liebe ich sie in diesem Moment sogar.

Es ist genug, ich bin zu weit gegangen. Ich verliere mich und das ist in meinem Plan nicht vorgesehen. Ich bin Behausung und Zeuge, nichts weiter habe ich zu sein. Müßig zu fragen, welche vermuteten Zusammenhänge zwischen Geist und Materie mich in diese Lage gebracht haben. Das Denken in kausalen Ketten ist ja längst überholt. Mit allem, was ich weiß, werfe ich bestenfalls einen dünnen Lichtstrahl in das unbegrenzte Terrain des Nichtwissens, wie ein Mensch, der mit Taschenlampe in meinem Keller herumirrt und plötzlich durch einen Verbindungsgang in den Souterrain und dann ins fremde Treppenhaus des benachbarten Hauses gerät, sich nicht mehr zurechtfindet und einen Moment lang meint, eine andere Welt betreten zu haben oder sich in einem unbekannten Labyrinth zu verlieren. Die Frage des Lebensfunkens bleibt ungelöst, ebenso wie die der Liebe. Aber ich rede mich in Rage. Fürs Erste genügt es, mich an Konrad zu halten. Er schläft in Rückenlage, die Arme angewinkelt rechts und links des Kopfes, eine Pose ungeahnter Kapitulation. Die Augäpfel zucken hinter den geschlossenen Lidern, die langen Wimpern zwei sichelförmige Schatten. Ich erinnere mich, wie verliebt Dora in seine Augen und in seine Stimme gewesen war, wie sie ihn beobachtete, wenn er es nicht zu bemerken schien, schrieb, las, an einem seiner Modelle baute. Im Vorbeigehen küsste sie ihn oft auf die geschlossenen Augen, auf die Stirn. Konrad träumt von einem Spiegel, in dem er sein heftig pumpendes Herz als vagen Umriss unter dem glatten Stoff eines weißen Krankenhausnachthemds sehen kann. Im Schlaf weiß er genau, dass das nicht in Ordnung ist. Wäre alles gut, bliebe das Herz unsichtbar. Eine vage Beunruhigung krampft die Hände zu Fäusten, er kreuzt die Arme vor der Brust und erwacht vom Kribbeln in den eingeschlafenen Gliedern. Das Licht unter dem Türspalt weckt ihn endgültig. Es ist lange nach Mitternacht. Als er die Füße auf den Boden setzt, fällt ihm Katharina ein. Leise tappt er zur Tür, öffnet sie einen Spalt, schaut Richtung Küche. Da sitzt sie, in einer ihrer Posen aus dem Training, auf dem Küchenfußboden, den Oberkörper seitlich weit über ein ausgestrecktes Bein gebeugt, ihre Hand umfasst die Außenkante eines Fußes. Ihre Schultern zittern, und er hört ihren stoßweisen Atem und ein langgezogenes Schniefen. Sanft schließt er die Tür, gleitet ins Bett zurück.

Morgen wird er kochen, Zitronenhuhn, das könnte sie mögen, das hat er früher sonntags manchmal gemacht. Erstaunlich, welche Beruhigung allein von der Vorstellung eines gedeckten Tisches ausgeht. Aber zum Einschlafen wird es nicht reichen, noch nicht. Es wäre gut, wenn sie zusammen äßen, jeden Tag, oder wenigstens fast jeden. Konrad geht nach der Arbeit oft spazieren, am liebsten in Gegenden, wo sich niemand nur zum Spazierengehen aufhält. Er fährt ein Stück mit der U-Bahn hinaus, steigt irgendwo an der Peripherie aus. Zügig geht er die soldatisch zu Mauern gestutzten Thujen um die lutschbonbonfarbenen Einfamilienhäuser und Wohnblöcke entlang, als hätte er ein Ziel. Würfeliges Wirrwarr, da und dort aufgebrochen von einem Kreisverkehr. Wo noch ein Stück Landschaft, ein Stück Au mit einem namenlosen Teich oder der Rest eines Wäldchens übrig geblieben ist, wird bald ein Lebensmittel- oder Bekleidungsmarkt mit Parkplatz hingeklatscht. Im Stillen liebt Konrad die berechenbare Melancholie dieser Spaziergänge, das so vertraute Verlorensein. Meist trinkt er dann irgendwo ein Bier, kauft in einem dieser Supermärkte ein paar Lebensmittel und gönnt sich einen die Fantasie anregenden Flirt mit einer Verkäuferin. Hin und wieder gibt es einen überraschenden Moment der Schönheit, ein farbiges Nylonsäckchen, das der Wind über den Asphalt tanzen lässt, ein paar auffliegende Vögel, egal. Auf diese Spaziergänge wird er jetzt verzichten müssen, da Katharina hier ist. Mitnehmen kann er sie wohl nicht mehr, das ist vorbei. Hat sie geweint vorhin da draußen? Weint sie noch? Konrad horcht ins Dunkel. Die Luft ist zu warm und zu wattig, mit dem Fuß angelt er nach dem angelehnten Fenster und schiebt es auf. Der Schwall kühler Luft tut gut, macht ihn aber noch wacher.

Das Regelmäßige ist wichtig, bei allem. Rituale sind wichtig. Wiederkehr ist wichtig. Hinausgehen, schauen. Dora hat das alles verstanden, und dann hat sie es vergessen. Nein, nicht vergessen, verleugnet. Plötzlich hat sie es verleugnet, dann bald verraten. Wann hat das angefangen? Diskussionen über Lächerliches, über Supermärkte und Parkplätze:

Meinst du, die Leute können zu Fuß mit dem Einkaufskorb nach der Arbeit? Meinst du vielleicht, früher sei etwas besser gewesen? Zunächst stritten sie über seine Ansichten, nein, eigentlich stritten sie nicht, vielmehr entzog sie ihm die Zustimmung, die sie ihm früher geschenkt hatte. Ein wortloses Einverständnis, das ihm anfangs natürlich und wunderbar, später dann selbstverständlich erschienen war, und gerade die Stille daran war für Konrad das Wertvolle gewesen. Dora fing an, ihn in Diskussionen zu verwickeln, die ihm durchaus manchmal Spaß machten, er hielt sie zunächst für ein Spiel, ein Sich-Messen, das ihn amüsieren könnte. Aber dann verbissen sich Dora und er zunehmend in bittere Wortgefechte, die auch bei Nebensächlichkeiten immer häufiger in einem kalten Ernst endeten. Er war beunruhigt, aber solange die Konflikte noch abflauten, vergaß er sie bald wie schlechtes Wetter. Er erinnert sich nicht mehr an Inhalte, jedoch an Doras kälter werdende Blicke. Die schlimmste Phase war die, als sie ständig über ihn, in Wahrheit aber über sich und seine angeblichen Defizite reden wollte: Seine Sprachlosigkeit, sein Starrsinn, sein elitäres Denken, seine schweigende Herrschsucht, sein verfluchtes Wie-sein-Vater-Sein. Dass er sie nicht sähe. Nicht begreife. Was das jetzt solle, dieses ständige Mit-ihr-Schlafen-Wollen. Seine Unfähigkeit, auf sie einzugehen, seine Unfähigkeit, aus sich herauszugehen. Wie ein Stein. Wie ein Toter, ein verdammter Toter. Aber nicht sie, nicht mit ihr. Sie sei nämlich eines nicht, tot. Konrad muss die Augen nicht schließen, um Dora vor sich zu sehen, die Enttäuschung in ihrem hässlich geröteten Gesicht, ihre verknoteten Gliedmaßen. Er fühlte sich von ihren Worten betatscht an Stellen, an denen er nicht berührt werden wollte, nicht berührt werden konnte. Sie tat es dennoch. Einmal, nur einmal schlug er ihr ins Gesicht.

Mein Gott, sie schlug ohnehin sofort zurück. Er rührte sich nicht, keinen Millimeter mehr. Und einmal schlief er mit ihr nach einem fürchterlichen Streit, nein, nach einer ihrer Suaden, denn er stritt ja nicht, in dieser Phase stritt er schon längst nicht mehr. Längst schon hatte er es sich zur rettenden Gewohnheit gemacht, ihre Reden und Vorwürfe einfach zu ertragen, dem Schwall so gut wie reglos standzuhalten und sie dabei anzusehen, damit sie den Eindruck hatte, er würde zuhören. Er wollte ja, er hatte durchaus zuhören wollen, aber allein den Anschein aufrechtzuerhalten, war so anstrengend gewesen, so erschöpfend, dass sie es sich gar nicht hätte vorstellen können. Und sie, sie war so weit weg von ihm, so fürchterlich weit weg, eingeschlossen in ihrer Rage, was hatte das nur mit ihm zu schaffen. Nichts, kein bisschen, ihre Wut hatte einfach nichts, aber auch gar nichts mit ihm zu tun.

Er hatte ihr damals nur zeigen wollen, welche Art der Berührung die einzig richtige, die einzig gute, die einzig angemessene zwischen ihnen wäre, widersetzt hatte sie sich zuerst und dann bald genossen, und wie. Genau das war es gewesen, was sie ihm nicht verziehen hatte, ihre eigene Lust, ihre Geilheit darauf, dass er sie zum Schweigen gebracht hatte, dass er es ihr gezeigt hatte und sie genau das gebraucht hatte und dass er es gewusst hatte, und dass sie wusste, dass er wusste. Er hätte durchgehalten, er schon, bis sie sich wieder gefunden hätte, bei ihm. Konrad knüllt das Leintuch am Fußende zusammen.

Er nimmt sich vor, für Katharina zu kochen: Sie, am Tisch lümmelnd, die Beine auf der Sitzfläche des Stuhls irgendwie verschlungen wie meist, mit irgendwelchen Hausaufgaben vor sich, die Wärme vom Herd, ein schönes Durcheinander aus Rot, Grün und Orange auf der Anrichte. Gewürze,

Gerüche, zwei Teller, zwei Gläser, eine unspektakuläre Miteinander-Melodie aus Geschirrgeklapper, Stimmen und anderem Beiwerk. Das Bild ist schnell da, verlockend, und sogleich schämt er sich. Dünn ist sie, aber sehnig, schmale Knochen. Sie kommt nach ihm, nicht nach Dora, an der alles zum Rundlichen tendiert. Doras Geruch und ihr träger, schlafender Körper. Es ist die Schlafende, die er immer noch am meisten vermisst. Von draußen Schritte und Knarren. Katharina schleicht aus der Küche in ihr Zimmer. Die Leuchtziffern auf dem Wecker zeigen genau drei. Hätte er hinausgehen sollen, nachschauen, wie es ihr geht? Er zieht am Federbett, klopft es flach. Immer Konjunktiv zwei. Vielleicht stimmt es, und er verpasst alles. Mach die Augen zu. Morgen um halb neun die Besprechung. Der Kunde mit dem Spitzbart ist ein zäher Verhandler, da muss er aufpassen. Dora. Immer noch drängt sie sich hinein, in alles, in Katharinas Leben, in sein leeres Bett, unter seine Haut. Oder lässt er sie nicht los? Wenn er weiß, dass er Recht hat, wird ihm manchmal schlecht. Wenn diese Erkenntnis sich am Bestreben, das Gleichgewicht zu halten, vorbeimogelt. Es passiert immer wieder. Aber es passiert auch, dass die Gedanken sich rasch weiterhangeln, er muss gar nichts dazu tun. *Der Geist ist ein Affe, der von Ast zu Ast springt.* Wie wahr, und den Göttern sei Dank dafür. Rioan-ji, der Tempel des zur Ruhe gekommenen Drachen im Nordwesten Kyotos. Er erinnert sich an die Busfahrt dahin, an das Kind, das vor ihm saß und fasziniert und reglos seinem Vanilleerdbeereis zusah, wie es tropfte, während die Mutter auf ihre Sitznachbarin einredete. Wie oft hat der freundliche Mönch diesen Satz schon ehrfürchtigen Touristen aufgesagt. Zen. Die konzentrischen Kreise im Kies. Der Raum zwischen den Pflanzen und Steinen, etwas perfekt Definiertes. Aber was.

Die Kraft des Unsagbaren. So etwas kann man nicht denken, ohne an einen raunenden Eso-Lebensratgeber erinnert zu sein. Doch. Es war perfekt. Dieses Schweigen dort, Doras giftige Stille, ausgesogen und neutralisiert für eine Weile. Er hat kaum etwas gegessen heute. Jetzt hilft nur noch Kyoto: Kennst du den Bahnhof noch, weißt du noch, wie die Kreuzungslinien der drei Ebenen aussehen?

Doras Schweigsamkeit wie ein sich allmählich beschleunigendes Ticken. Japan war ihre letzte gemeinsame Reise gewesen, Katharina hatte nicht mitkommen wollen und war mit der Familie einer Freundin ans Meer gefahren. Nach der Ankunft in Kyoto stehen sie auf dem Platz vor dem Bahnhof. Es ist heiß und es riecht aufdringlich nach Jasmin und ihm unbekannten kelchförmigen gelben Blüten einer Hecke, mit der eine ovale Grünfläche bepflanzt ist, rundherum kreist der Verkehr. Sie hatten vorgehabt, sich das Gebäude dann in Ruhe noch einmal anzusehen, aber es war unmöglich, sich abzuwenden. In seiner ganzen Länge ist der Komplex dennoch kompakt, die je nach Lichteinfall ins Blaue, Rötliche oder Grüne spielenden, spiegelnden Außenflächen geben ihm eine angenehme, nicht abweisende Geschlossenheit. Konrad zieht Dora zurück in den Eingangsbereich. Durch die gewölbte Glas- und Gitterstruktur des Daches leuchtet der Tag. Zu beiden Seiten der *Central area* führen Rolltreppen und Stiegen, immer nach oben führt die Bewegung, ins Erweiterte, auch wenn man von den Bahnsteigen nach unten in die Haupthalle fährt, wird die fiktive Verengung durch den Blick auf die gegenüberliegende Seite wunderbar aufgehoben, denn wieder führt alles nach oben und hinaus. Treppensysteme ins Offene. Auf der Dachfläche ein schlichter bambusbewachsener Terrassengarten, Kiesflächen. Sparsam gesetzte Rundungen, die Metall, Glas und Stein die Schärfe nehmen. Konrad atmet jetzt ruhiger. Die Bilder sind noch klar, nicht nur von Fotos unterstützt, auch sein Körper erinnert sich. Jede Richtung ein Versprechen auf Weite, nicht aus Gesten oder Worten, sondern aus Raum. Den folgenden Tag hatte Konrad vor dem PC verbracht und den Plan des Bahnhofs studiert. Schönheit gründet immer auf Geometrie, Proportion, Präzision. Er schrieb einen Essay über den Architekten Hiroshi Hara und ließ sich zu einem Vortrag in der Kammer überreden, obwohl er nicht gerne öffentlich sprach. Da war Dora schon nicht mehr dabei gewesen, und es war mühevoll, ihre Abwesenheit hatte ihm beinahe die Stimme verschlagen.

Die nächste Zeit verlief unspektakulär. Die Worte, mit denen Konrad die folgenden vier Monate mit Katharina beschreiben würde, blieben stets dieselben. Das ist vor mir noch jemandem aufgefallen, Marie, der Ärztin aus dem Mezzanin. Maries Aufmerksamkeit hatte mit ihren eigenen Interessen zu tun: Sie wollte nichts mehr von Konrad wissen und wusste zuviel.

Hin und wieder verwendete Konrad auch das Wort »unauffällig«, wenn es jemand genauer wissen wollte. Was passiert war, beunruhigte andere Eltern. Entweder fragten sie einem Löcher in den Bauch, sie verwickelten ihn in lange Gespräche über Anzeichen, Gewohnheiten, Verdachtsmomente, oder aber sie mieden einen. Versteht sich, dass Konrad Letzteres bevorzugte, obwohl sich pure irrationale Panik darin zeigte: Als hätte er als Vater etwas Ungutes und Ansteckendes an sich, womit sie sich infizieren könnten.

Nach Katharinas Einzug sitzt er wieder öfter vor dem Modell seiner idealen Siedlung. Um Katharinas Tanzsaal wuchert

Grün, dazwischen ein zufließender Wasserlauf, der sich in einen Schwimmteich ergießt. In der neuen Anordnung erhält der Raum Licht von drei Seiten, das wäre eine optimale Lösung: etwas Insulares, symbolisch geschützt und ins Zentrum gerückt zugleich. Konrad ist beinah zufrieden, verweilt ein wenig in der Vorstellung, schaukelt im Stuhl hin und her. Die doppelten Papierstreifen für die Seitenwände müssen ganz vorsichtig mit den Fingerkuppen an den Falzen geglättet werden.

Sie dürfe nicht zum Training, zumindest für drei oder vier Wochen nicht, wahrscheinlich länger. Soweit er sich erinnert, ist das das Erste, was Katharina im Krankenhaus zu ihm sagt. Ihre Augen dabei. *Drei oder vier Wochen, das überlebe ich nicht.* Er glaubt ihr. Natürlich nur in diesem Moment. Faktisch war es Unsinn, was sie redete.

Es sei zuallererst nötig, dass sie das exzessive Training aufgebe, ihr Körper wäre damit schlicht überfordert, das sei gerade offensichtlich geworden. Während der Arzt doziert, nickt Konrad die ganze Zeit, als könnte er damit den vorwurfsvollen Unterton zerstreuen, den er zu hören meint. Katharinas Werte seien beeinträchtigt. Der Body-Mass-Index liege unter 18, deutlicher Mineralstoffmangel, leichte mikrozytäre Anämie, Amenorrhoe.

Alle sind sehr, sehr nett hier. Den Satz hat sie ihm hingespuckt, den Arm am Tropf, bläulich schimmerndes Geäder, die schmale Silhouette unter dem Laken, alles in allem nur Augen. Noch nicht drastisch, aber doch massiv beunruhigend, so der Arzt. War denn etwas, was massiv beunruhigend war, etwa nicht drastisch?

Wie nun weiter? Gruppentherapie, Verhaltensmodifikation, wöchentliches Wiegen:

»Wie beim Einchecken am Flughafen«, sagt Katharina, »wenn du einmal in dem Prozedere drinnen bist, gibt es kein Entkommen mehr. Außer du machst ordentlich Radau. Oder du stirbst, dann fliegen sie ohne dich. Aber für das eine brauchst du sehr viel Kraft, außerdem ist das Risiko zu hoch, dass sie dich in eine noch miesere Maschine packen, in den Laderaum womöglich. Und totzukriegen ist man nicht so leicht, verstehst du?«

Er versteht ja. Sie weiß das, sie muss es wissen. Bevor er geht, kann er sie in den Arm nehmen, ohne das ewige Dazwischensein. Darum, vor allem darum wäre es gegangen, für einen Augenblick weiß er es, und gleich vergisst er es. Die feine Spur in seinem Gedächtnis, ich finde sie, aber wem hilft das?

Später sitzt er mit einer von Katharinas Zigaretten auf der Anrichte in der Küche, genau da, wo sie sonst oft ist, und denkt, er hätte sie fragen sollen, ob sie sterben wolle. Manchmal, hätte sie wohl geantwortet. Was hätte das gebracht, denkt Konrad. Er hätte nur wieder nicken können, nicken und verstehen. Manchmal sterben wollen, das ist etwas ziemlich Normales. Er zieht gierig an der Zigarette, der einsetzende Schwindel tut gut.

Die Umarmung Katharinas im Krankenhaus hat einen deutlichen Abdruck in seinem Körper hinterlassen. Dass er dabei das Gefühl hatte, sie halte ihn genauso wie er sie, ist wahrscheinlich wieder nicht das Richtige gewesen. Er kann die tadelnden Blicke und Gedanken förmlich spüren, Dora, der Arzt, er selber. Aber es ist wahr, und für eine kleine Weile hält die Maschine an, und es gibt Aufschub, eine Atempause. Eine kleine Weile Gnade. Was will man mehr. Natürlich will man mehr. Aber immerhin können er und Katharina einander zulächeln, und sie verspricht ihm, sich keine Kanülen herauszuziehen und nicht abzuhauen. Kein Aufstand, nichts dergleichen, bitte nicht jetzt. Sie nickt so ernsthaft, dass er ihr glaubt. »Kriege ich es?« Sie hebt den freien Arm ans Ohr. Striktes Handy-Verbot, hat er soeben vom Arzt erfahren. Konrad hat Katharinas Handy in der Tasche, sie hat ihn gebeten, es ihr mitzubringen. Die Frage kommt, als er schon in der Tür steht. Er gibt es ihr. Eine Dosis heilsamer Ungehorsam muss sein. Dann die Umarmung, vorsichtig und fest zugleich, ein perfekter Moment in all dem.

Das Perfekte ist das Tödliche, da steht es ja. Konrads Blick hält sich an der Zeile fest. Das schöne Türkis und das sanfte Anthrazit sind jetzt keine Hilfe mehr. Kein Auflösen der Gedankenspirale. Nur Augen. Sie starren ihn an, was sonst. Sie saugen ihn auf. Hätte er? Natürlich hätte er. Er hätte öfter, er hätte weniger, er hätte bestimmter, er hätte nachgiebiger, er hätte sich selbst mehr, er hätte weniger auf sich selbst – ist alles wahr. An allem, was er getan hat, hätte, insgesamt genommen, etwas anders sein müssen. Aber was? Die Proportionen stimmen nicht, die Verhältnisse sind diffus, zersetzend.

Hier das Zwischenergebnis: Katharina war gestern Abend zu Hause zusammengebrochen. Schwarz vor den Augen, Sterne, heiß und zittrig, kalter Schweiß, Übelkeit. Sie rief Marie an, die zum Glück noch hier war, nicht ihn, die wiederum Dora. Konrad war nicht erreichbar, bei seinen Spaziergängen nach der Arbeit schaltet er immer das Handy aus, eine alte Gewohnheit. Mein Gott, sie ist fast siebzehn.

Konrad hat Kopfweh. Hellwach macht das Rauchen und benommen zugleich. Er weiß nicht, wie er sich die Verschiebungen denken soll, die alles wieder ins Lot bringen, damit eine gewisse Schönheit entsteht. Es gibt kein gelingendes Leben ohne Schönheit, die in den einfachen Gesten liegt. Die Art von Schönheit, die er meint, hat doch nichts mit Dekor zu tun. Sie entsteht, indem man sie sein lässt, nicht, indem man alles zerredet. Es war doch gut, wie sie an den Abenden gemeinsam in der Küche gesessen sind. Als schriebe er sie auf eine imaginäre Tafel, denkt Konrad Satz für Satz, Wort für Wort: Es war doch gut gewesen, sie nach der Schule zu fragen, ihr zuzuhören, wenn sie dies und das erzählt hat. Kein Mädchenkram darunter, die üblichen Schwärmereien, Cliquenproblemchen oder derlei, auf solche Ideen kommt sie gar nicht. Musik, Texte. Bilder, Performances, viel Netzleben, das schon. Kochen, Gewürze. Sie interessiert sich für Rezepte, sehr sogar. Er erinnert sich an ein T-Shirt mit dem Aufdruck *Fuck mediocrity.* Und: *Sag alles ab.* Die Schule, kleine Anekdoten vom Fortgehen, Youtube. Es war doch gut, dieses Leichtfüßige ihrer Gespräche. Er freut sich an ihrem wachen Geist, weiß sie das denn nicht? Dreimal die Woche ungefähr haben sie den Abend miteinander verbracht, das ist oft, nachdem er sie jahrelang nur alle drei oder vier Wochen gesehen hat. Eine gute Zeit, ja, das war es doch. Es kann doch nicht an ihm liegen. Jetzt nicht.

Und dann waren da noch die Spaziergänge mit Marie, die Besuche. Ihm wurde in letzter Zeit alles etwas zu dicht. Manchmal wäre er lieber allein gewesen beim Heimkommen und war froh, wenn Katharina nicht da war und wenn Marie nichts auf der Mailbox hinterlassen hatte. Aber das war doch beileibe nicht gegen sie gerichtet. Das war nichts Persönliches. Konrad muss sich jetzt sehr anstrengen, damit seine Überzeugungen nicht zerbröseln. Er muss sich anstrengen, um sich überhaupt zu erinnern: Katharinas Umarmung war eine schöne Geste und steht doch zwischen ihm und dem, was er geglaubt hat.

Ich spüre Konrads Scham und den Kampf dagegen. Einmal verlieren, einmal aufgeben und davon wissen. Ich würde ihn nicht wiedererkennen, und er hat nicht die leiseste Ahnung, was für eine große Schönheit genau darin läge. Konrad strengt sich so an, er verwendet alle Kraft darauf, immer gleich zu bleiben. Ich möchte eingreifen, ich möchte ihn schütteln, es ist wieder nur ein Moment, ein gestochen scharfer, schmerzhafter Moment. Aber ich werde ihn nicht verleugnen. Ich weiß ja, Tausend Gefahren wuchern in diesem ungebetenen Am-Leben-Sein. Auch ich verstehe Katharina, auch ich würde gerne manchmal sterben. Diese fühllose, wunschlose Ruhe. Und das Leben denen überlassen, die nichts anderes haben.

Diese fühllose, wunschlose Ruhe, denkt Konrad. Und das Leben denen überlassen, die nichts anderes haben. Es macht so müde, beschuldigt zu werden, und sei es von sich selbst. Vor drei Tagen erst hat er Katharina auf der Bühne in ihrem Studio tanzen sehen, zu Hip-Hop und persischer Tar-Musik. Ein Instrument mit zweieinhalb Oktaven, Dutzenden Zwischentönen. Davon konnte Katharina schwärmen. Etwas über Mehrfach-Identitäten und die daraus erwachsenden Synergien stand im Programm, und etwas über den Zauber der Zwischentöne. Ein schöner Ansatz, der nicht ständig die Zerrissenheit des postmodernen Individuums beklagt. Er kann es nicht mehr hören. Was soll's, seid zerrissen und fröhlich! Aber geht nicht zugrunde daran. Nicht du, Katharina, doch nicht du. Sei von mir aus mehr wie sie, sei mehr wie Dora: ja oder nein, schwarz oder weiß, dies oder das. Seitdem Dora weiß, wo es langgeht, weiß sie nicht mehr viel. Dumpf ist sie ihm vorgekommen heute im Krankenhaus, dumpf und zornig. Katharinas Zusammenbruch hat sie allerdings in Schach gehalten.

Katharina war gut gewesen bei ihrem Auftritt, sehr gut sogar, zwar etwas verbissen dann und wann, was die Leichtigkeit störte, aber nur das Gesicht verriet sie. Ausgelassen spielende Kinder, brutal Kämpfende, Konkurrenten, nach einem imaginären Paradies Suchende, Bienenfleißige, unterworfene Streber, wieder Kinder, alles entstand in einer Gruppe von sieben Tänzern nur mit ein paar wenigen verschieden arrangierten Bewegungsmustern. Schwarze Flatterhosen, ein weißes Tuch um die Stirn. Was für eine nonnenhafte Strenge. Keine siebzehn, aber auf der Bühne hatte sie nichts Junges, eher etwas Altersloses, Entrücktes. Augenblicke wie dieser haben ihn immer interessiert: Die Ballerina verbeugt sich nach dem perfekten Pas de deux unter dem frenetischen Applaus des Publikums. In der tiefen Verneigung verzerrt sich ihr Gesicht zu einer schmerzvollen Grimasse. In welchem Film war das noch einmal?

Bleib bei Katharina, denk an sie! Konrad schaut auf, alarmiert, lauscht mit schief gelegtem Kopf wie ein Tier. Hat er mich am Ende gehört? Unmöglich.

Sie habe sich radikal überanstrengt, dabei wochen-, wahrscheinlich monatelang nicht mehr ausreichend gegessen. Dazu höchstwahrscheinlich Medikamentenabusus und zu viele Zigaretten, um den Hunger in Schach zu halten, soweit Maries Zusammenfassung. Von ihr kamen keine Vorwürfe. Sie sprach mit einer etwas fremden Sachlichkeit mit ihm, kühl, professionell. Er hat doch eingekauft und gekocht, beinah täglich. Sicher, Katharina hatte Ausreden: fast täglich Training zwischen sieben und neun. Zu kaputt, sie wolle gleich schlafen oder baden, müsse noch lernen. Sie könne nicht schneller essen. Sie habe schon. Ja, wirklich, furchtbar viel! Mit Freunden, in der Stadt, die Mutter ihrer Freundin habe sie eingeladen, ach, sie setze sich nur so zu ihm. Nur ein kleiner Teller. Nur probieren. Ihr sei schlecht. Kein Fleisch.

Bauchweh von zu viel Fett. Nein, keine Eier. Da habe sie sich einmal den Magen verdorben, seitdem nicht mehr. Zucker macht müde. Gesättigte Fettsäuren beschädigen die Arterien. So früh könne sie nichts essen. So spät könne sie nichts essen. Sie furchte selbstvergessen mit der Gabel Muster ins Püree. Sie ordnete die Erbsen am Tellerrand in einer Reihe. Wie ein Kind, nicht wie eine Kranke. Er hat alles gehört, alles gesehen. Und nichts.

Wenn er abends noch wegging, war der Topf, den er am Herd stehen gelassen hatte, meist leer, wenn er wieder kam. »Hat gut geschmeckt, prima, danke«, sagte sie, wenn er nachfragte, und er war damit zufrieden. Warum auch nicht? Er wollte ihr doch nicht zu nahe treten. Daran ist nichts falsch. »Du hast ja gesehen, wie sehr sie deine ständige Fragerei und Schnüffelei geschätzt hat«, sagte er zu Dora im Krankenhaus. »Also hältst du besser den Mund, bevor du mir irgendeinen Vorwurf machst.«

Sie hielt den Mund und blieb auch sonst auf Abstand, auch zu Katharina, die irgendwann nach ihrer Hand gegriffen hatte und dann nach seiner auf der anderen Seite. Ihm war klar, dass er das nicht lange durchhalten würde.

»Untersteht euch und haut euch gegenseitig irgendeine Schuld um die Ohren«, sagte Katharina, »untersteht euch und macht hier ein Drama!«

Er und Dora nickten wie Kinder, die versichern, ganz brav zu sein. Bevor Dora kam, hätte er Katharina beinah gefragt, was er falsch gemacht hat. Sie hätte ihn ausgelacht, zu Recht. Einen Moment lang schien ihm alles besser als ihr Nur-Augen-Gesicht und die Stille, die nach ihrem zerknirschten »Es tut mir so leid« noch peinigender wurde. Es gab noch etwas Schlimmeres als ausgelacht oder beschuldigt zu werden, und das war zuzuhören, wie sie sich selbst die Schuld gab. »Ich bin eine Idiotin, ich hab es übertrieben«, sagte sie, und er sagte schon wieder, sie solle sofort aufhören, obwohl sie Recht hatte: Sie war eine Idiotin, und sie hatte übertrieben. Konrad starrt auf Katharinas Laptop:

Zu oft verzogen, zu oft zurückgekehrt, Fragen gesucht, wo schon Antworten waren, hinter blauen Sonnen versteckt, gedreht und gedehnt, viel zu lange, Fotos zerschnitten, Gedanken verbrannt, immer die Sonnen gesehen, Wolken gemalt, der Stille zugehört, den Lärm verlacht, Seifenblasen steigen lassen, selbst viel höher geflogen, am Rand gestanden, nach hinten gefallen, die Füße vertreten, auf Händen spaziert, Hände machen lassen, zu weit gedacht, mit mir selbst geschimpft, um Schlafende geweint, Wachenden ins Gesicht gespuckt, Träumen Altäre gebaut, Träume verwünscht, tagelang nicht geatmet, Teddybären getötet, viel zu viel zu Tode geredet, mich von deinen Blicken ernährt, Nachtluft getrunken.

Eine Deutschaufgabe: literarisches Selbstporträt. Wessen Hände machen lassen? Von wessen Blicken hat sie sich ernährt? Schlecht ernährt hat sie sich jedenfalls. Auch die Seele ist hungrig, so der Arzt. Phrasen. Phrasen helfen keinem weiter. Oder doch? Phrasen sind Hängebrücken, Haltegriffe, Fallnetze. Zeit gewinnen, vielleicht braucht es nicht mehr. Er mag es, wie die Assoziationen in Katharinas Text verknüpft sind. Aber was soll er dort, mitten in ihren Worten über sich selbst? Er hat dort nichts verloren, vielmehr verliert er sich selber. Er fragt sich, wer mit dem Du gemeint ist. Es tut weh, wenn er es wäre, und es tut weh, wenn nicht. Er schließt das Dokument, klappt den Laptop zu.

Sie sollten über sich reden, nach und nach, heißt es, über das, was war. Aber Katharina will doch nicht reden, sie will ihre Ruhe. Ja, er gibt es zu, er ist froh darüber. Dora hat es aus ihm herausgekitzelt oder es ihm in den Mund gelegt, er weiß es nicht mehr. Wie Konrad die Nackenmuskeln anspannt. Wie die Kiefer aufeinander mahlen. Keine Dora, keine Marie, kein sanfter Kuss auf die gerunzelte Stirn. Weder Angriff noch Flucht. Was dann? Katatonische Starre als verbleibende Option. *Die Ruhe der Seele ist ein herrliches Ding.* Konrad hat den Ort gewechselt und steht unschlüssig in Katharinas Zimmer. Seitdem sie wieder bei ihm ist, hat er den Raum nicht oft betreten, schon gar nicht in ihrer Abwesenheit. Er soll ihr ein bestimmtes Stofftier, Wäsche und ein Buch mitbringen. Eine Wand ist seit Kurzem in einem knallenden Türkis gestrichen, das sich mit dem Smaragdgrün der Küche prügeln würde, würden sie einander begegnen. Ein Schreibtisch vom Sperrmüll aus irgendeinem Büro, ein Filmplakat von Pina Bausch, *Die Klage der Kaiserin.* Ein riesiges Gesicht, rot geschminkte, gesenkte Lider. Darunter hatte Katharina ein Zitat an die Wand geschrieben, mit Bleistift hingekritzelt, wie er es in Bad und Küche vor Jahrzehnten gemacht hatte: »Mich interessiert nicht so sehr, wie sich Menschen bewegen, als was sie bewegt.«

Er hat den Fuß auf einer halb offen stehenden Schublade abgestützt, zieht sie auf. Akkurat eingeordnete Schulhefte, gewissenhafte Mitschriften in einer schönen, etwas manierierten Schrift. Zierleisten und Kritzeleien zwischen der Kontinentalsperre von 1806 und Napoleons Angriff auf Russland, geflügelte Blumen, Ornamente, alles sehr sorgfältig und hermetisch, feine Schraffierungen, aus Punkten gebildete Muster, ganze Systeme aus Schlingen und Schlangenlinien, tropfenförmige Gebilde, die wie riesige Waben in die Zeilen hineinwachsen und sie umwuchern, ohne sie zu überdecken. Unter den Heften findet Konrad noch eine Reihe kleiner Notizhefte, sorgfältig in Stoff gebunden und beschriftet: *Tagebuch Jänner bis März, April bis Juni*. Konrad streichelt mechanisch über den Samteinband des Juli-August-Heftes. Wieder Katharinas regelmäßige und kunstvoll verschlungene Schrift. Wie ordentlich sie ist, eine Buchhalterin ihres Seelenlebens.

Ein paar Kleidungsstücke liegen zusammengeknüllt auf ihrem Bettsofa, im Kasten jedoch ist alles gefaltet und gestapelt oder aufgehängt, die T-Shirts und Pullover sind nach Farben geordnet. Konrad fliegt über die Zeilen von Katharinas Tagebuch, zu schnell, als dass er wirklich läse, tatsächlich, sein Herz klopft, er klappt es hastig zu, wirft es in die Lade und schlägt sie mit einem heftigen Stoß zu. Ja, Dora würde, er kennt sie. Außer sich vor Sorge und gierig, etwas zu erhaschen, was ihr nicht zusteht und was auch sie mit ihrem Arsenal an schönen angelernten Sätzen nicht begreifen würde. Gierig. Nein, er wird nicht. Nicht noch mehr. Natürlich wäre sie wütend. Er klappt auch das liegengebliebene Schulheft zu, bemerkt, dass es auch von der Rückseite her beschrieben ist. Es ist eine ziemlich lange Liste, der rätselhafte Titel lautet: *Regeln-DS*. Was heißt DS?

1. So oft und lange wie möglich wechselduschen!

2. Blaue Teller für weniger Appetit. Blaues Essen kommt in der Natur kaum vor.

Es dauert ein wenig, bis Konrad versteht. Ein bizarres Gesundheitsprogramm, so sein erster Gedanke.

Dreh dich im Kreis, bis dir übel wird. Nach jedem Bissen ein Schluck Wasser. Vor dem Essen einen Liter Wasser. Iss Watte. Kaue Papierstreifen und spuck sie aus. Vanilleöl auf der Glühbirne hilft gegen Appetit auf Süßes. Drehe im Winter die Heizung in deinem Zimmer zurück. Ein oder zwei Bissen von einer fettigen Pizza rechtfertigen keinen Fressanfall. Du kannst IMMER aufhören. »Immer« in Großbuchstaben, jeder einzelne verziert, nachgezogen, mit einem komplizierten Ornament versehen. Er erinnert sich, wie sie als Kind einmal stundenlang mit Hingabe irische Knoten abzeichnete und wie sie es hasste, wenn man sie aus einer Tätigkeit riss. Manchmal schlug sie dann nach einem. Konrad machte sich nicht viel daraus, er fand es gut, wenn sie nicht immer so gefügig war.

Iss nichts, was größer ist als deine Handfläche. Iss in Unterwäsche vor dem Spiegel. Reiche deinen Teller im Restaurant zum Probieren herum. Du tust es NUR für dich! Die anderen werden es auch überleben, wenn du dick wie eine Tonne durch die Gegend rollst. Der Mensch ist leidensfähig und kann sich an Kälte und Hunger gewöhnen. Nur die armen Kinder aus der Dritten Welt dürfen sich unterernährt fühlen und Selbstmitleid haben. Es beginnt immer heute und jetzt und nicht morgen oder nächste Woche.

Konrads Blick fliegt über die Seiten. Regeln und Anleitungen, um sich vom Essen abzulenken, Tipps, wie man seine Umgebung täuscht, Durchhalteparolen. Detailversessen und gnadenlos. Sehr wahrscheinlich wirkungsvoll. Die Sätze sind von eins bis hundert durchnummeriert und bilden ein engmaschiges Gitter auf fünf regelmäßig beschriebenen Seiten. *Dreh dich, bis dir übel wird. Du tust es nur für dich.* Die anderen werden es auch überleben, wenn du dabei zugrunde gehst. Schlimmer als Ordensregeln im strengsten Kloster, rigider als die Gewissenserforschungen zwanghaft Religiöser. *Der Mensch ist leidensfähig und kann sich an Kälte und Hunger gewöhnen.* Ihm ist kalt, furchtbar kalt. Hinter der Liste findet er noch etwas: Unter der Überschrift »Thinspiration« hat sie aus Zeitschriften ausgeschnittene Bilder junger Mädchen eingeklebt. Hagere Gestalten mit übergroßen Augen und flatternden Haaren und Kleidern, irgendwo allein in der Landschaft. Aufgeschminkte Gedankenschwere. Unter jedem Bild ein Kommentar von Katharina. Ein Traumgebilde möchte sie sein, leicht, aber unvergesslich, etwas, das nur vorbeiweht, eine Ahnung, die sich eingräbt, und dann – er schließt das Heft, legt es wieder in die Lade. Sein Mädchen. Er will ihre tastenden, pathetischen Worte nicht mehr lesen. Sein Mädchen, das auf ihren gemeinsamen Streifzügen durchs Gelände immer den Weg zurück fand, sich kaum je verirrt hätte. Ihr eifriger, immer neugieriger Kinderblick, die Pausbäckchen. Er erinnert sich, wie oft er ihr kaltes Gesicht in seine Hände genommen hat. Ihr Gewicht auf seinem Rücken, wenn sie müde wurde. Wie gut war es, dass sie da war. Wie hat er das vergessen können. Warum hat er sie in eine lebende Erinnerung an sein Scheitern mit Dora verwandelt und immer ein wenig gemieden, selbst wenn er Zeit mit ihr verbrachte. Er hat es geschehen lassen und nicht einmal bemerkt. Er weint, und er überlässt sich dem Schütteln und Zucken seines Körpers, er schluckt und schluchzt und ist doch ganz ruhig dabei. Sein Mädchen. Etwas in ihm gibt nach, löst sich, berührt eine Bruchlinie, der Schmerz schießt von der Stirn bis in die Lendenwirbel.

Inzwischen ist es dunkel geworden, Konrad knipst Katharinas Schreibtischlampe an. Er erinnert sich, dass sie als Kind die Spiegelung der erleuchteten Räume im Fenster liebte und sagte, dass das genauso aussähe wie in ihren Träumen. Er erinnert sich, dass er manchmal aus dem Fenster zeigte, in das Spiegelbild hinein, und sie fragte, was denn dort drüben gerade geschähe. Er erinnert sich, wie sie lange, absurde Geschichten von dort drüben erzählte. Er denkt so intensiv an sie, dass ich sie sehen kann. Sie ist da wie ein Gespenst, solange er weint und nicht in Sätzen denkt, bis er dafür endlich zu erschöpft ist.

Vielleicht muss er jetzt auch nur einfach fragen. Nicht zu viel erwarten, einfach fragen. Sie, niemanden sonst. Der Einfall kommt ihm zu simpel vor, als dass es funktionieren könnte. Aber er hat nichts anderes. Nein, er weiß nicht, wie er es anstellen soll. Aber er wird da sein. Er löscht das Licht, geht in sein Arbeitszimmer und packt das Modell der idealen Wohnsiedlung in einen Karton. Dann zieht er sich an, nimmt zusätzlich eine alte Decke, geht in den Hof hinunter, platziert sich damit hinter der Garage neben den alten Teppichstangen, wo er nur von wenigen Fenstern aus gesehen werden kann, und schichtet Zeitungspapier auf die Schachtel. Dann zündet er sie an. In der trockenen Luft lodern die Flammen hoch auf. Nach ein paar Minuten erstickt er sie mit der Decke, dann wartet er noch eine Weile, bis er die Reste in die Tonne drückt. Er ist sehr ruhig. Er sieht zu seiner Wohnung hinauf, wo er das Licht brennen gelassen hat.

2
NICHT JETZT

Er scheint sie nicht zu sehen. Das sieht nicht nach einem Anfang aus, doch es ist einer. Und sein Blick, ständig rutscht er weg, irgendwohin, durch die Wand, über die Stufen, auf der Suche nach irgendetwas, das nicht hier, nicht jetzt ist.

Manchmal, nach der Vormittagsordination oder in einer unerwarteten Pause, verlässt Marie die Praxis, um im Stiegenhaus verstohlen eine Zigarette zu rauchen und danach ein Pfefferminzbonbon zu lutschen. Sie liebt die kühle Weitläufigkeit des Raums, die kleine Illusion von etwas weit nach oben und ins Freie hinaus Führendem, wenn der Blick der sich verjüngenden Spiralform des Geländers folgt. Für ein paar Minuten keine aufgesperrten Mundhöhlen, krummen Rücken, Herztöne. Ein paar Minuten lang niemandem zuhören müssen.

Sie sieht ihn des Öfteren die Treppe herunterkommen, seltener hinaufgehen. Er trägt irgendeine Plastiktüte, die Henkel verdreht um das Handgelenk geschlungen, so dass sie eigentlich einschneiden müssen, oder eine unter den Arm geklemmte Mappe. Sehr aufrecht hält er sich, schon ein wenig steif. Wahrscheinlich ein sich ankündigendes Problem in der Halswirbelsäule zwischen C4 und C6. Eilig hat er es nie, bis auf dieses eine Mal eben. Vermutlich Freiberufler. Da eine eingerissene Jackentasche, dort ein fehlender Knopf, oder die Schuhe passen nicht recht zur Hose, insgesamt etwas dezent Abgetragenes, fast wie ein bewusst gesetzter Akzent.

Aber keine billigen Sachen, das sieht Marie. Da ist die angenehme Spur Gleichgültigkeit sich selbst gegenüber, findet sie. Zudem hat er das, was sie ein gutes Gesicht nennen würde: kein herausragendes Detail, vielmehr das Zusammenspiel des Ganzen. Die Augen, ja, sicher: Seit dem Medizinstudium hat sie eine nüchternere Auffassung von den Sehorganen. Sie stellen keinen Spiegel der Seele mehr dar oder derlei. Um des Überlebens willen liest man dennoch fortwährend in Gesichtern, reimt sich Geschichten zusammen. Man hat nichts Besseres. So jedenfalls sieht es Marie und lässt die Augen aus dem Spiel. Nein, natürlich stimmt das nicht. So vertritt sie es nur, wenn ihr wieder einmal die Schwärmerei einer ihrer Freundinnen auf die Nerven fällt. Und da ist ja Fabian, ihr bald fünfjähriger Sohn: Mein Gott, die ersten Tage und Wochen waren ein einziges Fest der Augen und Blicke.

Später wird Marie mehrere Versuche unternehmen, die Sache mit Konrad durchzudenken. Dazu notiert sie Stationen ihrer Geschichte in ein Heft. Es hilft nicht, egal wie detailliert sie sich erinnert. Sie starrt auf ihre ordentlichen Sätze mit den Ruf- und Fragezeichen. Konrad rutscht immerzu zwischen den Zeilen durch.

Bei ihren noch wortlosen Begegnungen im Stiegenhaus sieht Marie ihn immer allein, und etwas an ihm verdoppelt die Einsamkeit geradezu. Sie grübelt nach, was es sein könnte. Nein, eben nicht Perfektion, die hätte etwas Isoliertes und Totes, egal ob an einem Mann oder einer Frau. Trotzdem, die Farben, der flüchtende Blick oder was immer es ist, vielleicht selbstgewählt, vielleicht nicht. Ihre Unfähigkeit, es zu benennen, ärgert Marie. Sie macht jetzt öfter eine Zigarettenpause.

Menschen in Schuss zu halten ist doch eine ehrenwerte Sisyphosarbeit. Es ist dieser Satz aus dem Gespräch mit einer Kollegin, der Marie nach drei Wochen Urlaub einen angenehmen Hauch Ironie ermöglicht. Immer noch erschrickt sie vor der Zumutung des Wartezimmers voller grau- und gelbgesichtiger Menschen so früh am Morgen, wenn sie nach längerer Abwesenheit zurückkommt. Sie sperrt die Doppeltür der im Mezzanin gelegenen Praxis auf, und die Angst kribbelt in der Kehle. Als wäre es ganz und gar unmöglich, hierherzukommen. Als wäre sie ein Scharlatan, der nur durch glücklichen Zufall noch nicht aufgedeckt wurde. Aber dieses Gefühl dauert nie lange an. Es vertreibt immerhin die Schläfrigkeit, die von der U-Bahn-Station bis hierher wie ein unangenehmes Gewicht an ihr zerrte. Stethoskop und weißer Mantel, das sind die Zauberutensilien, die wiederum das Angstgespenst verjagen. Der Erste, der sie »Frau Doktor« nennt, verwendet damit die passende Zauberformel. Nur die Zumutung hilft gegen die Zumutung.

Klar, dass es Marie sein musste, keine andere. Sie war meine Möglichkeit, zu Konrad auf Distanz zu gehen und zugleich mit ihm verbunden zu bleiben. Eine andere Perspektive gab es nicht, wollte ich nicht zwischen ihm und Katharina hin- und hergerissen verharren, gebeutelt von unwürdiger Sehnsucht. Zudem liebte mich Marie auf den ersten Blick. Wo sie herkommt, sind die Häuser eng, die Räume niedrig und hellhörig. Man hört das Gras wachsen beim Nachbarn und hält alles kurz, was wächst. Seit sie zwölf war, wollte Marie in die Stadt, in ein Haus mit hohen, verschwiegenen Fenstern, einer schweren, zweiflügeligen Haustür und so vielen Namen an den Klingelschildern, dass man sich unmöglich alle merken könnte. Als sie vor der Übernahme die

Praxis besichtigte, meinte sie, bei einem Schulausflug genau hier an der Schwelle gestanden zu sein und sich hineingewünscht zu haben. Marie glaubt sogar, sich an das Türkis des Stiegenhauses zu erinnern, das sie durch die Milchglasscheibe der Haustür schimmern gesehen haben will, an den kühlen, dunklen Messingknauf mit dem kleinen Löwenkopf, der aussieht, als lächle er etwas schief, aber beides trügt.

Eine große Erzählerin ist Marie nicht, sie versteht sich weder auf dekorative Wortgirlanden noch auf sublimes Flirten und schwebendes Andeuten. Konrad würde von ihrer Geradlinigkeit beeindruckt sein. Trotz einer gewissen Zurückhaltung kein Geheimnis aus sich zu machen, war ihm das Geheimnisvollste und Fremdeste überhaupt. Gerne stünde ich ihr bei. Vielleicht lernt sie ja, dass ein scharfer Blick keineswegs ein Impfstoff ist. Und dass keiner so genau weiß, wer Konrad ist.

Immerhin hat sie mich überrascht, wofür ich dankbar bin. Marie war von Konrad – wie soll ich sagen? Berührt? Fasziniert? Nichts davon trifft es. War sie in ihn verliebt? Aber was heißt das schon. Äußerst eingenommen, das bezeichnet es am besten.

Auch nach diesem Urlaub läuft es natürlich wieder klaglos. Die Patienten kommen in gerade angenehmer Dichte. Heute zwischen neun und elf eine Combustio mit heißem Kaffee, Grad eins bis zwei, Angina mit gestippten Tonsillen, einige Fälle der gerade grassierenden Gastroenteritis, drei Mal Blutbild, ein Lumbago, Überweisungen an diverse Fachkollegen, das Übliche. Ein junger Inder mit leichten Abschürfungen, einer hartnäckigen Sinusitis und unklarer Krankenversicherung, was sie einige Zeit kostet. Zwei etwas mühsame Multimorbide über achtzig. Mit ihm redet Marie über seinen Hund, dessen möglicher Tod ihm die größte Sorge bereitet. Die Nebengeräusche seines Atmens alarmieren, etwas rhythmisch Klirrendes ist darin, was Aufmerksamkeit verlangt. Beim Abschied drückt der kleine, magere Mann ihre Hand, bis es wehtut. Wie immer gibt es zumindest einen Patienten, der zu lange sitzen bleibt, heute ist es eine aus der Form gequollene Frau, die die Henkel ihrer senffarbenen Handtasche knetet wie Teig, während sie in verschlungenen Satzkaskaden ihre an sich harmlosen Beschwerden vorbringt und dabei etwas ziellos Flehentliches in ihre Stimme legt. Ihre Probleme scheinen mit dem erheblich jüngeren, kompakt-kantigen Mann zu tun zu haben, der stets auf den Boden starrend im Wartezimmer sitzt, dann seine aus dem Behandlungszimmer kommende Frau wortlos am Ellenbogen fasst und wie eine Schwerkranke aus dem Raum schiebt. Marie schaut den beiden nach. Sie wüsste zu gern. Hinter ihr surrt die Zentrifuge des Blutlaborgeräts. Das Telefon, die Assistentin, der Drucker, Unterschriften. So schnell ist ein kleines bisschen Neugier zerrieben.

Sie lässt das Lächeln in den Mundwinkeln stehen, sieht ihren Händen zu, die ohne gestische Umwege das Richtige tun, effizient, aber nicht unsanft. Es läuft klaglos. Es läuft und läuft, es läuft ohne sie. Marie nickt der Sprechstundenhilfe zu, flieht für zwei Minuten auf die Toilette, hält sich selbst, drückt ihre Oberarme, massiert die Halsbeuge. Sie betrachtet ihre Hände wie die von jemand anderem. Das Kind fällt ihr ein. Undankbar ist sie. Kalte Haut, wie anästhesiert. Wenn das Kind an den zwei Nachmittagen, die es hier verbringt, im Wartezimmer und den beiden Behandlungsräumen herumwandert und eine Spur von Spielsachen und Malzeug auslegt, ist es gleich besser. Dann weiß sie wieder, wofür das Ganze. So einfach ist es. Und so reibungslos auch.

Als sie und Konrad nach einer Phase, in der sie einander stumm registrieren und grüßen, endlich ins Gespräch kommen, fühlt sie sich einen Moment lang ertappt und ist froh, dass es im Haus etwas düster ist. Sie traut ihm zu, dass er ihre Blicke schon ein paar Mal gespürt hat, ohne sich auch nur zu einem halben Lächeln gedrängt zu fühlen. Er könnte einer sein, der auf Zeit spielt, einer, der erst gründlich beobachtet, abwartet, bis die Blicke einladend genug sind. Sie findet, er passt gut in das Haus: eine Menge Vergangenheit, diffus, unentzifferbar, aber spürbar vorhanden, was im Gesamtbild eine gewisse schäbige Eleganz ergibt. Der frische Ton und die Stille des Stiegenhauses tun gut an diesen heißen Tagen, obwohl es heute nach feuchtem Papier und irgendeinem fettigen Kohl- oder Krautgericht riecht, das gar nicht zum Wetter passt.

»Riechen Sie das auch?«

Nein, sie hat keineswegs vorgehabt, ihn anzusprechen. Er ist ungewöhnlich schnell unterwegs heute, nimmt zwei Stufen auf einmal, obwohl er volle Einkaufstaschen schleppt. Also ist es nicht einmal Erfolg versprechend. Aber an Erfolg denkt Marie nicht, sie denkt überhaupt nicht. Sie ist einfach zu neugierig, um vorsichtig zu sein, und zu müde, um die Neugierde zu kontrollieren.

Was ist an ihm? Vielleicht nicht viel mehr als die Kontur, ein Körperschema, etwas Zartes, trotz seiner beachtlichen Größe, irgendeine Konstellation an sich bedeutungsloser Einzelheiten. Oder ist es nur ihre kalte Haut, das leichte Frösteln, das sie trotz der Hitze dieser Tage begleitet, das abflaut und immer wiederkommt? Nichts Rechtes zu wissen, gehört dazu. Nein, sie hat keinen Gedanken an einen Mann, woher denn. Sie habe ohnehin kaum mehr eine Vorstellung davon, wie sie es anstellen solle und was sie überhaupt von Männern wolle, jetzt jedenfalls nicht, sagt sie zu ihren Freundinnen. Seit Fabian da sei, habe sie es ohnehin so gut wie vergessen.

In dieser Überzeugung hat sich Marie im Allgemeinen gut eingerichtet. Und solche Tage wie heute gibt es immer wieder einmal, Kalte-Haut-Tage, Tage, an denen man das Gefühl hat, jeder, mit dem man es zu tun hat, raube einem etwas. Dann erreicht sie nicht einmal die übliche Genugtuung darüber, ihre Patienten nicht wie Nummern zu behandeln und die Arbeit gut zu machen. So ist es eben hin und wieder, sagt sich Marie, egal ob man jemanden hat oder nicht. *Jemanden haben.* Die Worte verraten immer alles. Aber was nützt das, wenn wir nicht mehr als ein Schulterzucken dafür erübrigen. *So sage man eben. So sei es eben.* Sätze, die vorgeben, Brücken über die Abgründe des Unabänderlichen zu schlagen, und die selber Abgründe sind.

Manchmal drängt sich noch so ein Gedanke vor, steht dann in ihrem Kopf herum und legt sich irgendwann quer.

Tun, was getan werden muss. Der Arzt bringt Heilung. Sich ein Selbstbild zu leihen, funktioniert ganz ordentlich, wenn man es ernst meint. Ein paar dazu passende Überzeugungen dienen zur Verstärkung, zudem eine leichte Überdosis an Arbeit, ansonsten viel Schlaf. Das ist leicht zu bekommen, Fabian ist bald fünf und kein anstrengendes, aber auch kein ruhiges Kind. Und Maries Selbstbild ist ein Vexierbild, von dem sie fast immer vor dem Einsetzen des Kippeffekts den Blick abzuwenden weiß. Sie ahnt es ja. Und vergisst es wieder.

Konrad setzt die Einkaufstaschen ab und hält für einen Moment prüfend die Nase in die Luft, als handle es sich bei Maries Bemerkung um eine überaus ernste und schwerwiegende Frage. Der Augenblick löst sich in ein breites Lächeln auf. Marie wird sich später an das Hin und Her ihrer beiden Stimmen und dann an die seine erinnern. Die siebzehnjährige Tochter ziehe morgen zu ihm, deshalb der Großeinkauf, erzählt er. Seine offensichtliche Freude kann nicht mich meinen, sagt sich Marie. Weil sie eben zufällig da war, das hämmert sie sich später ein, aus keinem anderen Grund. Während sie sich unterhalten, hat sie den Eindruck, er blicke eher durch sie hindurch, als dass er sie sehe, träume sich vielmehr schon irgendwohin, das neue Leben mit seiner Tochter ist es, in das er da hineinlächelt und hineinredet, während er sich bei Marie die Aufgeregtheit von der Seele schwätzt, wenn sie ihm schon Gelegenheit dazu bietet.

Die Tochter tanze, gehe aber noch zur Schule. Ursprünglich hätten sie alle zusammen hier gewohnt, er, seine Ex-Frau und das Kind. An der Art, wie er »Ex-Frau« sagt und »das Kind«, bemerkt Marie eine kleine Irritation, die flache Stimme, dann ein Zögern, akzentuierte Momente der Schwere, über die er dann hinwegscherzt, sodass man im Nachhinein nicht sicher sein kann, sie überhaupt wahrgenommen zu haben. Marie wirft einen Blick in die prall gefüllten Taschen, deren Inhalt eher an einen Kindergeburtstag denken lässt als an einen sorgfältig überlegten Küchenplan. Er müsse jetzt ja wieder regelmäßig kochen, das sei vorläufig das Einzige, was ihm klar sei. Er wisse ja gar nicht, wie man lebe mit einer Siebzehnjährigen.

»Genau das wird Ihnen gefallen«, sagt ihm Marie auf den Kopf zu, von seinem Beinahe-Übermut angesteckt, »endlich wieder etwas Unvorhersehbares, das kann Ihnen doch nur guttun.«

»Sie scheinen eine gute Diagnostikerin zu sein.« Jetzt gleitet sein Blick beim Reden nicht mehr so oft von ihr weg.

Marie hat Konrad, ohne sich darüber im Klaren zu sein, ein Angebot gemacht, eines, das er nicht ablehnen kann: Nichts ist unwiderstehlicher für ihn, als gesehen zu werden.

Der Mittagessengeruch aus einer der zwei Souterrainwohnungen hat sich verflüchtigt, so lange stehen sie da, er ans Stiegengeländer gelehnt, die Finger über den Handlauf auf und ab tanzend, sie neben der Eingangstür zur Praxis, reden über Kochrezepte und Küchengerüche aus der Kindheit, über Muskat, Kümmel, Maggikraut, Freitags- und Sonntagsessen, Resteküche, Schuljausen und Festmahle. Allzu viel hat Marie nicht beizutragen. Schon ihre Mutter war Ärztin und alleinerziehend. Was Marie getreu ihrer Herkunft praktiziert, ist eine etwas modernisierte Mischung aus Schnell- und Vernunftküche. Nach einigen Tagen packt sie dann das schlechte Gewissen, und sie schafft eine tendenziell zu große Menge an sogenanntem Gesundem nach Hause. Zum Glück liebt das Kind Nudeln in allen Varianten. Für einen halbwegs originellen Gesprächsbeitrag im Stiegenhaus reicht es allemal.

Exakt nach den Krautrouladen seiner Großmutter habe es hier gerochen, meint Konrad. Wie macht er das, dass es klingt, als verriete er ihr damit etwas ganz Besonderes?

Der in den Augen der etwas herrischen Großmutter neumodische E-Herd, Objekt steten Misstrauens, der rötliche, scharf riechende Fleischteig, die gestärkte Schürze, der Dampf, die auf weißes Leinen gestickten frommdummen Küchensprüche, die ganze voluminöse Großmütterlichkeit: Mit Worten und Händen zeichnet Konrad eine farbige Skizze in die Luft. Marie hört lieber zu. Das ist sicherer und zudem eine berufliche Gewohnheit.

Dann, sehr abrupt, entschuldigt er sich mit großer Geste dafür, sie aufgehalten zu haben, und verschwindet nach oben. Marie ist zumute, als hätte sich ihre Haut erwärmt und wäre dann ganz schnell wieder abgekühlt. Sie hofft, dass er noch einmal zurücklächelt oder ihr winkt, wenn er um die Ecke verschwindet. Wieso hat sie es nur verpasst, als Erste zu gehen? Bevor sie Fabian vom Kindergarten abholt, will sie noch Schuhe zur Reparatur bringen und ein paar andere Dinge erledigen, die ihr allmählich wieder in Erinnerung kommen. Sie steckt sich gewohnheitsmäßig das Zigarettenpäckchen hinten in den Hosenbund. Auch wenn das Wartezimmer schon leer ist und die Assistentin fort, ein Arzt mit Zigaretten ist eine peinliche Erscheinung, findet sie. Während sie ein paar Medikamenteneinträge in den Befunddaten korrigiert, wandelt sich das Surren der Geräte in das stete Hintergrundgeräusch ihres Alleinseins, schwillt an und drängt sich vor. Konrad, meint sie, ist einer, der genügend um sich selbst kreist, sodass sie ihn vielleicht doch gefahrlos aus der Nähe betrachten kann.

Marie schaltet den Computer ab, zieht den Vorhang auf. Vor dem Fenster bietet eine Eibe mindestens einem Dutzend Spatzen einen Landeplatz und ein sicheres Versteck. Man muss eine Weile hinsehen, bis man sie entdeckt. Immer wieder ein schönes Aufflattern graubrauner Federbällchen.

Marie ist geübt darin, sich selbst gut zuzureden. »Wir beide sind einander einstweilen genug«, sagt sie ihren Freundinnen. Nein, Fabian sei sicher kein Partnerersatz, mit noch nicht einmal fünf Jahren, was solle diese Idee. Eine männliche Bezugsperson habe er in ihrem Bruder, der sehr verlässlich sei. Der Name des Kindsvaters wird konsequent vermieden, ist aufgelöst im Begriff »Trennung«. Wenn ihr eine ihrer Freundinnen etwas zu sehr zusetzt, fügt Marie in schärferem Ton hinzu, dass sie auch sonst für alles sorge, was Fabian und sie betreffe, genauso wie Millionen anderer Frauen auch. Die Hartnäckigen, die das Thema wiederholt anschneiden, lässt sie an den Rand ihrer Bekanntschaften rutschen. Sie könne zurzeit nichts gebrauchen, was sie aus der Fassung bringe. Eine Frau ohne Mann sei zwar kein Fisch ohne Fahrrad, aber. Es gehe ihr doch wieder gut. Später, wenn Fabian größer ist. Später, wenn sie einmal nicht mehr zusammenzuckt, wenn der relativ häufige Nachname des Kindsvaters irgendwo auftaucht, in einer Zeitung oder als Firmenname auf einem Lastauto. Später, nicht jetzt.

Jetzt streift ihr Blick in der Eibe umher wie in einem Suchbild. In der schwachen Spiegelung des Fensterglases nimmt sie ihren eigenen Umriss wahr, eine große, schlanke Gestalt, das Gesicht ohne Alter. Ihr rötliches Haar leuchtet. Kann schon noch einer seine Einkaufstaschen absetzen ihretwegen.

Wie er »meine Ex-Frau« gesagt hat, was war da? Hat sie ihm immer weitere Fragen gestellt, damit er noch ein wenig bleibt? Wenn er es gemerkt hat. Mein Gott, dann wird es ihm egal sein. Was interessiert es sie denn, was für ein Abendbrot er als Zwölfjähriger am Donnerstagabend bei seiner Großmutter bekommen hat. Krautrouladen, Großmütter, Blicke, die sich zwischen den Sätzen breit machen, wieder entgleiten. Wie er sich an die Wand neben den Postkästen gelehnt hat, als ließe er sich nicht ungern betrachten. Ein kleines Stück sehr heller Haut, wo das Hemd aus der Hose gerutscht ist. Im Nacken ist sie dunkler und für sein Alter überraschend glatt. Wie viele Bäuche und wie viel Haut sieht Marie wohl pro Woche? Sie ist doch schon immun gegen Haut, sagt sie sich. Wer spricht denn über so etwas wie Maggikraut? Eine volle Stunde im Stiegenhaus, vier Zigaretten. Er wird sie für eine Kettenraucherin halten. Hätte es im Parterre nach etwas anderem gerochen als nach Kraut und Kohl, wäre das Gespräch ganz anders gelaufen. So lächerlich das alles, dass es schon wieder leicht ist, leicht und lächerlich. Alles Zufall, wunderbar, sicher. Warum war es so schön, mit ihm da draußen zu stehen und über diese Unsinnigkeiten zu reden? Warum hat es sich so richtig angefühlt, so voller grundlosem Sinn? Marie mag es nicht, wenn sie keinen greifbaren Grund für etwas erkennen kann. Er ist ein gewandter Erzähler mit etwas skurrilen Gedankengängen, dem gerade die Taschen zu schwer geworden sind, und weil ihm das Herz voll war wegen der Tochter, lief ihm eben der Mund über. Unattraktiv ist auch sie nicht. Das war es, beschließt Marie. Warum aus der Summe der Einzelheiten immer mehr machen wollen, die ganz große Gestalt, das Versprechen, das Wer-weiß-was? Auch es zu benennen, hilft in gewisser Weise: Denn augenblicklich schämt man sich. Das Alter verzeihlicher Naivität liegt doch hinter ihr. Aber Marie schämt sich nicht, stattdessen wird ihr übel von ihren vernünftigen Gedanken.

Vor ein paar Tagen ist die gesamte Augusthitze in einem fulminanten Gewitter verdampft, nun macht sich nieselnde Herbststimmung breit, was Maries Laune drückt. Die Praxis ist seit Beginn der Woche voll, gut fürs Geschäft, meint die Assistentin munter. Fünf Tage lang hat Marie Konrad nicht gesehen, fünf Tage, während derer sich die Geschichten über ihn verdichten und immer mehr den Charakter von zusammenhanglosen Filmszenen annehmen, in denen sie selbst als Hauptdarstellerin in wechselnden Kameraeinstellungen sichtbar ist, von der Totalen bis hin zu Detailaufnahmen von flatternden Lidern, Fingerspitzen und Lippen. Der zweite Hauptdarsteller verharrt jedoch im Halbdunkel, was Marie zwingt, die Augen angestrengt offen zu halten, denn jeder folgende Moment könnte genau derjenige sein, der die fehlende Gestalt endlich offenbart.

Sie schlüpft aus der Praxis, wann immer sie kann, um im Treppenhaus zu rauchen und zu lauschen, oder sie macht ein Blutbild nach dem anderen, verliert sich in der Betrachtung von Leukozyten- und Thrombozytenzahlen. Sie bleibt nach Ordinationsschluss zu lange im Haus, aktualisiert Daten, blättert in alten Akten. Wenn sie richtig müde ist, vergisst sie Konrad für eine Weile. Das Einsetzen der Erinnerung ist immer ein winziger Schlag. Sie sucht nach Konkretem, nach tatsächlich gewechselten Sätzen, Augenfarbe, Hemdmuster, meint sich einmal an diese, einmal an jene Einzelheit zu erinnern, Details, die einander manchmal ausschließen, nichts, worauf man sich verlassen könnte. Vielleicht existiert er ja gar nicht, schießt ihr durch den Kopf, als sie gerade einer Patientin die Infusionsnadel setzt, eine ältere, freundliche Frau, die Maries Lächeln auf sich bezieht und dankbar aufsaugt. Beim Verlassen des Hauses wirft Marie dann doch einen schnellen Blick auf die Namensschilder neben den Klingeln.

»Ich weiß, das ist eigentlich zu banal, um ein Rendezvous anzubahnen«, sagt Konrad. Er würde ihr dennoch gerne etwas zeigen, keine Sammlung, sondern eine Idee, das Modell einer Wohnsiedlung, das er gebaut habe und an dem er immer wieder arbeite. Falls sie sich für so etwas interessiere, setzt er ein wenig förmlich hinzu, tritt einen Schritt beiseite, um das entgegenkommende ältere Paar aus dem zweiten Stock vorbeizulassen. Sein Bedürfnis, sich vor einer ablehnenden Antwort zu schützen, ist für einen Moment zu spüren und kommt als kleine Wohltat bei Marie an.

Sein Modell sei im Grunde aber auch eine Art von Sammlung, gewissermaßen die Sammlung seiner Vorstellungen. Die Schönheit des Möglichen. »Wie man leben könnte«, sagt Konrad, setzt eine Pause. »Wenn man es könnte.« Im Andeuten ist er gut, denkt Marie, oder ich bin so schlecht darin.

Ob sie vielleicht schon heute Abend Zeit habe? Sein Blick hält sie fest. Wenn er sie in der Praxis besucht oder wenigstens angerufen hätte. Nun aber, nach den vielen Zigarettenlängen, die Marie, nur halb eingestanden, wartend im Stiegenhaus verbrachte, bekommt die Einladung etwas Beiläufiges und Zufälliges. Es kommt selten vor, dass sie die Freude und das, was sie dämpft, fast schon gleichzeitig fühlt, das ist interessant, denkt Marie. Offensichtlich, dass sie besser Nein sagen sollte.

Marie bemerkt das Türkis in Konrads Küche und die Blumentöpfe auf der Anrichte. Er folgt ihren Blicken. Die ersten Minuten sind holprig. Ihr Gespräch letzte Woche habe ihn auf die Idee gebracht, frische Kräuter zu besorgen. Auch wegen seiner Tochter, er führe jetzt quasi einen richtigen Haushalt. Ja, es laufe gut mit ihr.

Sein Terrain also: kaum Bilder, viel Zwischenraum und entschiedene Farben. Keine Zufälle, kein herumliegender Krimskrams, weniger ist mehr. Oder er hat sehr gründlich aufgeräumt, was Marie nicht glaubt. Sogar einen Kuchen mit kandierten Früchten und Ingwer hat er gebacken, der unpassend weihnachtlich riecht. Marie verlegt sich zunächst auf die einfachen Themen. Sie weiß bereits, was genau er beruflich macht, wo er arbeitet, wie alt er ist, und fühlt sich bei ihren Fragen unangenehm verlogen. Er hingegen fragt sie nichts. Vielleicht hat er sie auch gegoogelt.

Sie kennt die Beschreibungen seiner Projekte von der

Website seiner Firma und ist sich fast sicher, dass er sie selbst verfasst hat. Nachdem sie das Kind ins Bett gebracht hatte, las sie sie sich laut vor, mit einem Glas Wein in der Hand. Der hohe Ton gefiel ihr nicht besonders. Aber so schöne Absichten, dass sie ihm über den Kopf streichen wollte.

Er trägt einen mintgrünen Pullover, und als er sich mit dem Rücken zur Wand an den Küchentisch setzt, sieht es ein wenig so aus, als schwebe sein lächelnder Kopf körperlos und von seinen Händen umtanzt vor der monochromen Fläche. Sie hätte gern etwas Schöneres an als Jeans und die gestreifte Bluse, aber die Einladung wollte spontan angenommen werden. Außerdem würde er es merken, wenn sie sich für ihn schick gemacht hätte, da ist es ihr so lieber.

Das sei Katharinas Zimmer, ruft er, als Marie auf der Suche nach dem Badezimmer beim Öffnen der Tür einen Blick in eine chaotische Gegenwelt aus Kleidern, Büchern, großblättrigen Pflanzen und Stofftieren erhascht. Er könne es noch immer nicht fassen, dass seine Tochter wieder bei ihm lebe. So viel Neues trete zurzeit in sein Leben, er verliere allmählich die Übersicht. Aber sei das nicht das Beste, was einem passieren könne? Noch bleiben die Blicke vorsichtig, ziehen sich rasch wieder zurück. Er verschafft sich gerade Übersicht, denkt Marie.

Nein, antwortet sie auf seine Frage, die gar nicht nach Antwort, sondern nur nach Bestätigung verlangt hat, sie finde das keineswegs. Aber das sei sicher eine Berufskrankheit, ihren Beruf könne man nicht ausüben ohne Überblick und Kontrolle. Das Schlimme sei, es könne gar nicht genug Überblick und Kontrolle geben in ihrem Beruf, schrecklich, aber so sei es eben. Was rede ich da, denkt Marie, wieso Krankheit, wieso schrecklich. Wenn es tatsächlich ich bin, die das denkt, dann erfahre ich gerade einiges Neue über mich. Aber da sind sie schon beim zweiten Martini oder beim ersten Glas Rotwein, während das Boeuf Bourguignon vor sich hin köchelt, während Konrad aus der türkisen Wand herauslächelt, während die Pausen zwischen den Sätzen sich mit längeren Blicken füllen, und Marie nimmt es nicht mehr so genau. Unter der Oberfläche der Worte wird längst eine andere schöne Geschichte erzählt, sie hört es genau.

Nach dem Essen fällt es gar nicht leicht, Interesse für den ursprünglichen Anlass des Besuchs zu bekunden, der zumindest bei Marie schon ganz in Vergessenheit geraten ist. Er schiebt Marie mitsamt dem Dessertteller vor sich her ins Kabinett in den schmalen Durchlass zwischen Tischkante und Wand und zieht das Leintuch vom Tisch. Das Modell füllt einen großen Teil des kleinen Raumes aus. Es riecht ein wenig staubig. Das schmale Fenster geht auf einen Lichthof hinaus, den Marie gar nicht kennt. Sie versucht sich zu orientieren, in welcher Richtung ihre Praxisräume liegen, aber es gelingt ihr nicht. Tauben fliegen mit einem knatternden Geräusch vom Fensterbrett auf. Konrad steht nah neben ihr, sie spürt seine Körperwärme, aber die Beengtheit macht es weniger angenehm als erhofft.

Bedürfnisse und Möglichkeiten in ein lebbares Verhältnis bringen, das sei sein tägliches Geschäft, schön und gut, aber – er unterbricht sich mit einem kleinen unfrohen Lächeln, betrachtet Marie, als wäre es eine hochinteressante Angelegenheit, wie sie ein zu groß geratenes Stück Kuchen auf der Gabel Richtung Mund balanciert. Aber wie wäre es denn, wenn einmal ausschließlich die Bedürfnisse im Mittelpunkt stünden? Und zwar nicht diejenigen weniger Gutgestellter, die sich den vulgären Schnickschnack und die avancierten

Projekte leisten könnten, die die Architektur hervorbringe. Marie schaut auf das Wirrwarr der durch Gänge, Terrassen und Treppen verbundenen Häuschen aus Papier. Die Wege sind mit winzigen Kieselsteinchen ausgelegt, die Grünflächen sorgfältig koloriert. Was er sage, klinge vielleicht zu sehr nach vorgestern, nach Dreißigerjahren, wie ihm ein Kollege vorgehalten habe. Die Frage sei deswegen aber keineswegs unberechtigt, nur weil sie sich zwei, drei Generationen vor ihnen auch gestellt habe. Nicht das Alter einer Frage könne das Thema sein, das Alter der Antworten sei doch das Entscheidende. Konrad redet sich mächtig in Fahrt, lehnt sich nach vor, fixiert einen Punkt irgendwo hinter Marie, spricht von möglichen Bewegungsmustern zwischen den Räumen, von Transparenzen, Synergien, variablen Wänden, Mehrfachfunktionen, Energiekreisläufen. Die sensible Balance zwischen Stabilität und Mobilität. Die heikle Statik der Bedürfnisse. Mittels Solarmodulen sei es beispielsweise heute kein Problem mehr, ein Haus zu bauen, das mehr Energie produziere, als es verbrauche. Marie starrt auf dieses Zuviel, auf diesen konzentrierten, seltsam disziplinierten Überfluss an Emotion, der sich völlig von ihr wegbewegt und sich auf dieses nicht greifbare Sehnsuchtsmoment im Inneren richtet. Sie sieht Konrad an, als wäre das ein Mittel, seine Aufmerksamkeit wieder auf sich zu ziehen. Wo ist der Sitz seiner Sehnsucht, in den Mundwinkeln, in den Augen, im Druck auf den Kiefer, im Zusammenziehen der Stirnmuskeln? Da ist dieses Sich-Verirren und Sich-Verlieren in etwas, das einen vor allem treibt, aber doch auch trägt, über die Mühen der Ebene, über dieses tägliche Einerlei hinaus. Ja, warum es nicht endlich als das bezeichnen, was es ist, Routine ist auch Elend, ein ganz unspektakuläres, aber sehr besonderes Elend. Und warum nicht endlich undankbar sein, fordernd und bis zum Hals voll mit Vorstellungen, wie es sein könnte und sollte?

Bloß kein Martini mehr. Marie bemerkt, dass sie schon eine ganze Weile abwechselnd am Martini und am Rotwein nippt. Der Kuchen ist köstlich, aber schwer. Im Bad spritzt sie sich kaltes Wasser ins Gesicht. Es hat keinen Sinn, er wird nicht viel an ihr finden. Sie hat zu diesem Thema nichts zu sagen. Gerade einmal zwei bedeutende Architekten des 20. Jahrhunderts fallen ihr auf die Schnelle ein. Er wird sie langweilig finden, eine dümmliche Zuhörerin, nicht einmal besonders großäugig, in Jeans und einer biederen Streifenbluse. Und er? Vielleicht ist er doch nichts als ein monomanischer Träumer. Hat er irgendeinen Erfolg, irgendetwas Vorzeigbares? Was hat er denn schon umgesetzt von seinen grandiosen Vorhaben? Wenn Marie zu viel getrunken hat oder sich in die Enge getrieben fühlt, wird sie manchmal ziemlich grausam zu sich und anderen. Aber ihre zerstörerischen Sätze bleiben heute folgenlos, sind nur eine schlechte Gewohnheit. Ihr Herz klopft, und sie gleitet wieder auf ihren Platz neben Konrad. Es fühlt sich richtig an.

Sie müsse verzeihen, es sei wieder einmal mit ihm durchgegangen, bestimmt langweile er sie zu Tode, elender Schwätzer, der er sei. Marie fühlt sich ertappt. Es war nicht unangenehm, aus dem Blickfeld zu geraten. Sie lügt nicht, wenn sie sagt, dass sie gerne zugehört hat. Sie verstehe nichts von Synergien und Statik und habe deswegen vielleicht nicht genug auf das geachtet, was er gesagt habe, vielmehr auf das Wie. Jetzt wäre es gut, sich mit einem kleinen ironischen Gedanken zu behelfen, einem schnellen Hakenschlagen, um aus dem Gebanntsein zu entkommen, aber nichts will sich einstellen.

»Dein Zuhören hat mich beflügelt«, sagt er. Marie hat keine Lust, das Missverständnis aufzuklären, er würde sie nur für kompliziert oder ignorant halten. Seine Verlegenheit rührt sie. Was würde dich jetzt nicht rühren, denkt die Beobachterin in ihr. Marie zuckt mit den Schultern. Tatsächlich, ihr Herz klopft noch immer oder schon wieder, jedenfalls ist sie hellwach.

Zeigt er sich, fragt die Beobachterin, oder zeigt er etwas, das ihm vorzeigbar erscheint, schöne Kleider aus schönen Gedanken, ehrenvolle Absichten, hehre Ziele? Sorgt er sich, sie zu langweilen oder einzuschüchtern, oder sorgt er sich, dass sie nicht genügend Interesse an ihm haben könnte? Pass auf, sagt die Beobachterin in Marie, das sieht doch immer alles so täuschend ähnlich aus. Halt's Maul, denkt Marie. Beobachten kann sie ja auch, ohne sich einzumengen.

»Alle großen Fragen sind alte Fragen«, sagt sie.

Gewöhnlich verlangt Marie von sich, Menschen genau anzusehen, sich aber mit Deutungen zurückzuhalten. Mit den Jahren hat sie es in dieser Haltung ziemlich weit gebracht. Die Vorteile überwiegen ganz einfach. Konrad gegenüber setzt sich aber ein ungewohntes Muster durch, eines, das Marie selbst überrascht: Unaufhaltsam wird alles an ihm schön: die Eindringlichkeit seiner Stimme, die Spannung der Augenbrauen und des Mundes, das monomanische Reden ebenso wie das kokett oder ehrlich (auch darüber ist sich Marie nicht sicher) erschrockene Auftauchen daraus. Konrads Augenringe sind kein Makel mehr, sondern etwas, das Marie einfach in Kauf nimmt, weil sie ja selber nicht mehr den Marktwert einer Fünfundzwanzigjährigen hat, signalisieren Verletzlichkeit und eine gewisse Erschöpfung. Die Ordnung der Wohnung ist nicht steril oder pedantisch, sondern drückt Sorgfalt aus und Sinn fürs Wesentliche. Die Art, wie er von Katharina spricht, ist nicht distanziert, sondern feinfühlig und diskret. Irgendwann um diese Zeit, kurz nach Mitternacht, gibt die Beobachterin auf und räumt das Feld. Sollte Konrads Melancholie eine Pose sein, dann habe er sie jedenfalls sehr gut eingeübt, ruft sie Marie noch zu. Marie hört gar nicht mehr hin.

Konrads Haar sieht drahtig aus, steht streichholzkurz in einigen Braun- und Graunuancen vom Kopf ab. Während er redet, verliert sich Marie immer wieder in der Vorstellung, ihn zu berühren, über seine Schläfen und den Hinterkopf zu streichen, halb Liebende, halb Trösterin. In der Lässigkeit seiner Körperhaltung liegt etwas Erzwungenes, das die Nervosität dahinter durchschimmern lässt. Mit den Jahren wird es nicht besser. Da sind rasche Kontrollblicke aus den Augenwinkeln, unruhige Finger, ein winziges Zittern der Gabel. Als sie es bemerkt, entspannt sie sich. Also ist er mindestens so sehr aus der Übung wie sie. Er macht keinerlei Anstalten, sie zu berühren. Marie beugt sich über das Modell der Siedlung aus weißem und hellgrauem Karton. Japanisches Transparentpapier bedeckt die winzigen, exakt ausgeschnittenen Fenster. Lichthöfe, offene Treppen, ein Ineinander von geraden und geschwungenen Linien, begrünte Dächer, Wasserflächen aus hauchdünnem Zellophan. Vielleicht versteht sie ja, was er meint. Vielleicht ließe es sich gut leben an einem solchen Ort. Zurück in der Küche, setzt er sich neben sie. Er riecht gut. Maries Interesse für Wohnfragen ging bis jetzt noch nie über das Bestreben hinaus, aus dem Gegebenen unaufwendig das Beste zu machen. Marie begreift, dass das Modell für Konrad eine Art Möglichkeit ist, der Gegenwart zu entkommen, und dass er eigentlich dessen einziger Bewohner ist, obwohl die Siedlung Platz für tausend Menschen bieten soll.

Es sei im Prinzip etwas ganz Einfaches, und Licht sei dabei das Wichtigste überhaupt. Er danke ihr, dass sie sich das angehört und angesehen habe, obwohl –

Sie schüttelt den Kopf, seine Entschuldigungen bereiten ihr Unbehagen. Sie würde gerne etwas sagen, um ihn davon abzubringen, aber die Klarheit, die sie bräuchte, stellt sich nicht ein.

Falsch, würde sie sagen, wenn sie wüsste, was gerade vorgeht, *deine Stimme ist wichtig und deine befremdliche, magnetische Sehnsucht, deine nächte- und jahrelange Bastelei an diesem Ding, das wohl kaum je Wirklichkeit werden wird, all das ist wichtig, deine Beharrlichkeit gegenüber etwas, von dem nur du weißt und für das du keinerlei Applaus erwartest, ist wichtig, und weißt du warum? Weil ich – und ich bin, wie viele sind – so lange schon nur das tue, was ohne lange Überlegungen machbar und möglich scheint. Weil ich mir gar nicht erlaube, anderes auch nur in Betracht zu ziehen, während du in Unmögliches verliebt bist, weil du hast, was ich nicht habe, so einfach ist das, und weil ich habe, was du nicht hast, Boden unter den Füßen, und zwar Boden für mehr als für mich allein.*

Aber Marie weiß eben nicht genau genug, was vorgeht, und gut, dass dies meistens der Fall ist, sonst geschähe fast überhaupt nichts mehr. Die Kenntnis der wahren Motive wäre der wirkungsvollste Bremsklotz für die meisten Handlungen. Man könnte mir hier entgegenhalten, ich rede wie ein Buddhist oder ein Freudianer. Aber wie wäre es schade, wenn infolge größerer Erkenntnis weniger gehandelt würde! Wie würde mir langweilig! Wenn. Ja, dann. Nur einen winzigen Dreh weit weg, beinah greifbar: Die Schönheit des Möglichen. Gar nicht schlecht, wie Konrad es formuliert hat.

Marie streichelt Konrads Handrücken schon eine ganze Weile, als sie es bemerkt. Der Freundin, die auf Fabian aufpasst, hat sie versprochen, spätestens um eins zu Hause zu sein, das macht es einfacher. Marie registriert zu ihrem Unbehagen, dass sie nicht gehen will. Sie mag es nicht, sich so aufgelöst zu fühlen, voller sprachloser Hoffnungen, die ihr peinlich sind, wenn sie sie in Worte zu fassen versucht. Sie mag es auch nicht, dass sich alles, vor allem sie selbst, so täuschend neu anfühlt. Wenigstens ist das doch etwas, was sie wiedererkennt, auch wenn es lange her ist.

Darüber, was in den folgenden zwei Monaten geschah, kann ich nur Ungesichertes berichten. Von Konrads Version halte ich mich vorläufig fern. Etwas von Maries Vorsicht und Scheu hat wohl auf mich abgefärbt. Wenn ich nicht alles erzähle, tue ich es auch ihnen beiden zuliebe. Altmodische Scham, ich weiß.

Wann Marie beschlossen habe, Ärztin zu werden? Mit siebzehn, an einem tiefen, dunkelgrünen See mitten in der Schweiz, am ersten freien Tag nach Wochen eines absolut indiskutablen Sommerjobs als Kellnerin. Sie sehe noch ihre weißen Mädchenbeine mit den spitzen Knien, die sie immer verabscheut habe, auf einer blauweiß karierten Decke, sie habe beim Nachdenken wohl fast die ganze Zeit darauf gestarrt, um nicht abgelenkt zu werden. Im sogenannten Familienbereich, wo Kofferradios verboten waren, sei sie möglichst unauffällig als Eindringling im Halbschatten unter würzig duftenden Nadelbäumen gesessen, habe sich dorthin geflüchtet, weil es ruhig war und sie so unsagbar müde. Sie sehe den Sommerhimmel noch genau vor sich, ein für die Alpen selten blasses, transparentes Blau mit ausgefransten

Federwolken, stundenlang nur schauen, außerhalb der Arbeitszeit habe sie fast nur geschlafen und niemanden um sich haben können, keinen Menschen ertragen. An jenem Nachmittag im Freibad jedenfalls habe sie beschlossen, sie werde Ärztin, der Gedanke sei klar gewesen wie die Headline des noch nicht geschriebenen Leitartikels ihres Lebens, so sei es ihr damals erschienen. Und dann sei sie eingeschlafen wie wunderbar getröstet, sie habe gewusst, mehr müsse sie jetzt nicht tun, die Überschrift sei gesetzt, und alles Weitere würde folgen, egal, was die Eltern oder andere sagen würden, es gebe keinen anderen Weg hinaus aus dem Dorf, und ein einziger Weg genüge ja. So habe sie geschlafen wie eine Tote, Stunden später habe der Bademeister sie geweckt, ihr sei kalt gewesen und die Sonne schon am Untergehen, an Beinen und Brust einen Sonnenbrand, aber nichts konnte ihr noch etwas anhaben, weder die abendliche Kühle noch die paar Wochen unter diesen gleichgültigen, gefräßigen Brüllaffen. Sie erinnere sich an nichts sonst, der Rest der Zeit müsse vergangen sein wie im Flug. Was solle man schon sagen? Das Dorf, ihr Zuhause in den frühen Achtzigerjahren, wohlstandselend und wohlstandseng, mit Kirche, Wirtshaus, Feuerwehr, die Schule staubig und fad, aber kein nennenswerter Aufwand, und sie so jung. Sie habe einfach getan, was andere auch taten: die Gelegenheit beim Schopf ergriffen. Mehr sei dazu nicht zu sagen.

Es ist beim zweiten oder dritten Treffen, als Konrad beginnt, Marie Fragen zu stellen. Im Gegensatz zu ihm bringe sie die Dinge wunderbar auf den Punkt, sagt er, worauf sie ihm eine ganze Reihe kleiner, handlicher Szenen aus ihrem Leben schildert, weder erfunden noch wahr, und selbst Marie mit ihrer naturwissenschaftlich geprägten Skepsis gegenüber

Ambivalenzen würde dem zustimmen. Sie gibt beim Erzählen kleinen Einfällen nach, etwas zu glätten oder eine Spur drastischer zu zeichnen, die eine oder andere Wendung an eine passende Stelle zu verschieben. Sie sucht die schöneren Wörter für ihn, nein, keineswegs Lügen, nur ein wenig Farbe an die richtigen Stellen, ein wenig mehr Ebenmaß in das Ganze, ohne sich selbst wesentlich besser oder größer zu machen. Marie tut nur, was Liebende anfangs eben tun, den Widerspruch zwischen dem Gefühl überwältigender Nähe und dem Mangel an Wissen über den anderen durch Erzählen entschärfen. Sich anvertrauen und nebenbei sich frei assoziierend mehr oder weniger neu erfinden. Sich an der Quadratur des Kreises versuchen.

Wenn Marie Konrad von mühsamen Patienten erzählt, zeigt sich plötzlich etwas liebenswert Schrulliges oder rührend Unangepasstes an ihnen, das sie über die Dauer des Erzählens hinaus in eine großzügigere Stimmung ihnen gegenüber versetzt. Selbst traurige oder peinliche Geschichten aus Kinder- oder Jugendtagen bekommen allein deshalb eine versöhnliche Note, weil sie als Anekdote mit dem anderen teilbar werden. Je mehr Marie über sich redet, desto unbekannter wird sie sich selbst. Die Neugierde für Konrad bezieht sie selbst immer mehr mit ein. Wer wären sie miteinander?

»Wie schön es sein kann, sich selber wieder fremder zu werden«, sagt Konrad einmal, als sie umschlungen miteinander die Treppe zu seiner Wohnung hinaufgehen. Gedanken lesen ist leicht.

Auch miteinander schlafen ist so leicht, eine Fortsetzung des Redens, die wieder ins Reden zurückführt, ins Stillsein und einander wieder Berühren. Marie ist bemüht, Konrads Blick einzufangen, und oft gelingt es ihr auch.

Die Frage nach der Berufswahl ist eine der ersten, die Konrad ihr stellt, und Marie ist unzufrieden mit ihrer Antwort. »Ich hatte gar keinen richtigen Grund«, sagt sie, »nicht so wie du. Im Endeffekt wolltest du deiner Mutter ein Haus bauen, nachdem sie alles verloren hatte. Du wolltest ihr Held sein, ihr Retter.«

»Im Leben gibt es keinen Endeffekt«, sagt Konrad. Jede psychologische Zuschreibung weckt seinen Widerspruch. Marie bemerkt es, lässt es aber sein, eine Diskussion darüber vom Zaun zu brechen. Sie hat sich gemerkt, was er über Dora gesagt hat. Zudem war sie lange genug allein, um im Stillen ihre Schlüsse zu ziehen.

Der Abend ist von rosafarbener Kühle. Konrad und Marie lehnen Hüfte an Hüfte am Fenster und blättern in einem Fotobuch, reden über Gesichter und Körperhaltungen. Marie tastet sich durch ein Denken und Sehen, das ihr wie eine lange nicht gesprochene Sprache erst nach und nach wieder geläufiger wird. Der leichte Druck seines Oberarms und des Hüftknochens. Warum es auch verderben? Konrads Logik ist dem bloß Kausalen gegenüber skeptisch. Leicht, denkt Marie, viel weniger streng, und warum nicht, mein Gott. Konrads Logik ist luftig, mit ausgefransten Federwolken, unhaltbar, aber so überzeugend leicht.

Jeder Beruf bringe bestimmte Deformationen hervor. »Vielleicht wählt man den Beruf auch nach der eigenen Deformation«, sagt Marie. »Ursachen, Gründe, Folgen und Wirkungen, je klarer, desto besser, das übe ich tagtäglich, das brauche ich, das brauchen meine Patienten, verstehst du das? So denke ich nun einmal.«

Noch sind sie in der Phase, in der beide Recht haben dürfen.

»Und Fabian?«, fragt Konrad.

Der Kleine nimmt Anlauf zwischen ihnen, lässt sich kreischend durch die Luft ziehen. Manches funktioniert eben nur zu dritt. Das schöne alte Bild: Vater, Mutter, Kind. Ein Bündnis gegen die Welt. Ach ja, da ist noch Katharina, die in der Küche auftaucht wie ein Schatten, sich zu ihnen setzt, eine halbe Stunde an einem Becher Joghurt löffelt. Sehr sanfte Stimme, sehr scharfe Blicke. Na ja, das wird schon, meint Konrad. Es ist ein unerwartet warmer Tag, als kehre der Sommer zurück, aber das Rascheln des trockenen Laubs unter den Sohlen macht diese Illusion gleich wieder zunichte. Wenigstens der Fluss täuscht einen nicht: Das Wasser ist lehmfarben, träge und riecht nach Schwefel. Zu Mittag berichten die Nachrichten von einem geborstenen Rohr an der zentralen Kläranlage. Fabian läuft hin und her, will getragen, gehoben, abgesetzt werden. Die Stille zwischen ihnen fühlt sich heimatlich an.

Falls sie Lust habe, wieder einmal in die Wolken zu schauen, der Himmel halte sich bereit, schreibt er. Wenn sie allein ist, kommt sie sich manchmal wieder wie eine Betrügerin vor, wie jemand, der nur vorgibt, zu verstehen. Der Betrug wirke auf beiden Seiten, denkt Marie, natürlich auf den Betrogenen, aber auch auf die Betrügerin, die wieder für eine gewisse Weile fest daran glaubt, was sie sagt. Warum auch nicht.

Gemeinsames Einkaufen wird gemieden. Darüber brauchen sie nicht zu reden.

»Katharina ist kein Problem«, sagt Konrad. Kopfhörer, Fingerschnippen und angedeutete Tanzbewegungen, dazu lesen im Gehen, Gemurmel, mitgesungene Zeilen. Immer liegt irgendein Schulbuch oder -heft auf dem Küchentisch. Eine regelmäßige Schnörkelschrift, ausgedehnte Kritzeleien aus winzigen, kompliziert verschlungenen, paisleyartigen Mustern an den Seitenrändern. Sie sei sehr zart, bemerkt Marie zu Konrad. Das sei sie immer schon gewesen, erwidert er, aber auch sehr zäh. Schon als kleines Mädchen sei sie, ohne zu jammern, stundenlang mit ihm durch die Vorstädte und Auen gelaufen. Als Marie anbietet, beim Kochen zu helfen, trifft sie ein langer, böser Blick, ansonsten ist Katharina ein geschmeidiges Wesen, das höflich Fragen stellt und ein wenig abwesend vor sich hinlächelt. Wenn Konrad und Marie vor der Nachmittagsordination in der Küche Kaffee trinken, setzt sich Katharina manchmal schweigend dazu, die langen Gliedmaßen verknotet, und schneidet einen halben Apfel in hauchdünne Scheiben. Familiär anmutende Szenen machen alle drei nicht gesprächig.

Katharina legt Konrad die Beine auf die Oberschenkel, während sie im Mathematikbuch blättert, und Konrad sitzt noch ein wenig aufrechter als sonst. Sie erzählt von einer nächtlichen Fahrt zu einem Konzert und ihrer Müdigkeit, die sie deshalb schon seit Tagen mitschleppt, und schaufelt sich dabei ständig Haarsträhnen hinter die Ohren. Da ist ein winziger Moment, in dem Marie wahrnimmt, wie Katharina sich über die flatternden Augenlider mit der dramatisch verwischten Schminke streicht. An den Kinderhänden sind die Fingernägel bis zum Nagelbett abgekaut. Ein Mädchen, das Frau spielt, eine Frau, die wieder Kind sein will, denkt Marie, die es bis jetzt vermieden hat, viel über Katharina nachzudenken. Wenn sie ehrlich ist, mag sie Konrads Tochter nicht besonders, sie spürt etwas versteckt Lauerndes, Skeptisches, dem man mit Reden nicht beikommen kann, das weiß sie und bleibt deshalb lieber in sicherer Distanz. Was immer Katharina da erzählt in ihren klugen und gewandten Vorzugsschülerinnenworten, keine besondere, auch keine traurige Szene, im Nachhinein wird Marie nicht mehr wissen, was es war, denn jedes Detail konnte für sich betrachtet ohne Weiteres als harmlos und jedenfalls keineswegs besorgniserregend abgehakt werden. Aber etwas war da im Zusammenspiel des Ganzen, Millimeter unter der Haut, zum Zerreißen gespannt, und Konrad sitzt da und blättert in der Zeitung, und er blickt nicht auf und nichts, gar nichts, Ruhe in seinen Mundwinkeln, in seinen Augen auch.

»Meinst du wirklich, dass es ihr gut geht?«

»Sie hat schon eine Mutter.«

Mehr nicht. Marie beschließt trotzdem, die Augen offen zu halten, obwohl sie es lieber bleiben ließe, wie sie sich mit Unbehagen eingesteht.

Wenn Marie zu Konrad hinaufgeht, steht sie für eine halbe Minute einfach noch vor der Tür, um ein wenig zu verschnaufen, bevor sie läutet. Sie schafft es einfach nicht, die beiden Etagen nicht zu laufen. Meistens ist er zu Hause, sie hat sich schon gut in seinen Rhythmus eingefügt. Ein oder zweimal öffnet Katharina die Tür, Sekunden bevor Marie den Finger auf den Klingelknopf legt. Sie meint, eine Spur Bedauern in ihrem Blick zu erkennen, schüttelt den Eindruck unwillig wieder ab. Konrad sei nicht da, aber sie könne doch hier warten, kein Problem. Katharina macht Kaffee, Marie Konversation, es ist nicht einmal schwierig, weil Katharina heute ganz auf schwer zu deutende Seitenblicke verzichtet. Als sie sich streckt, um die Zuckerdose aus dem Küchenregal zu hangeln, fällt Maries Blick auf ihren knabenhaften Hintern. Ihre Bewegungen sind anmutig, selbst beim Kaffeekochen.

»Du musst wirklich kein Programm abspulen«, sagt Katharina, dreht sich um und sieht ihr direkt in die Augen. Als einziges Zeichen möglicher Nervosität spielt sie mit dem Deckel der Zuckerdose, klappt ihn rhythmisch auf und zu. »Bemüh dich nicht, das tust du in deiner Arbeit sicher ohnehin andauernd. Ich mag dich nämlich, weißt du. Und jetzt staunst du, nicht wahr, du hast nämlich vermutet, ich nähme dich halt in Kauf, kann dich aber nicht ausstehen, aber das stimmt nicht. Ich mag dich wirklich.« An dieser Stelle macht sie eine Pause, scannt Maries Gesicht nach abwehrenden Signalen ab, findet offenbar keine: »Du mischst dich nicht in mein Leben ein. Und du tust meinem Vater gut.«

»Findest du?« hakt Marie sogleich ein. »Wie kommst du denn darauf?«

Was ist mit der Absicht, sich nicht derart bedürftig zu zeigen? Was ist mit Stolz und Autonomie, mit dem Vorhaben, das zu genießen, was sich ergibt, und nicht gierig nach Konrads Zuneigung zu werden? Marie könnte sich auf die Zunge beißen. Sie sieht in Katharinas heute lila umrahmte Augen und befürchtet zu Recht, durchschaut zu werden.

»Er wartet doch die ganze Zeit auf dich«, antwortet Katharina sehr sanft, »und er ist viel mehr zu Hause als sonst. Warum denn wohl? Ich bin da ganz sicher«, fügt sie hinzu, bevor sich Marie ein weiteres Mal entblößen kann. »Ich kenne ihn, glaub mir.«

»Er würde nie zugeben, dass er wartet.«

»Nein«, sagt Katharina und lacht, »das würde er nicht.«

»Aber dich liebt er. Er hat sich so unsagbar gefreut, dass du zu ihm ziehst, ich habe es genau gesehen.«

»*Unsagbar*, das ist der perfekte Ausdruck«, sagt Katharina wegwerfend. »Er hat tatsächlich keinen Ton gesagt. Wahrscheinlich konnte er einfach nicht Nein sagen, das hätte sein väterliches Gewissen zu sehr belastet. Keine neue Frau, kein neues Kind, genug Platz in der Wohnung, also kein überzeugendes Argument für eine Abfuhr. Damit hat es sich, denke ich.«

Marie bringt das Gespräch erfolgreich auf anderes, aber als sie nebenher einwirft, dass Katharina bei so viel Training und Schule doch sicherlich einiges an Energie brauche und ziemlich blass sei, taucht Katharina augenblicklich wieder hinter ihre höflich-ironische Maske ab. »Du willst mir hoffentlich keine Eisentabletten und Spaziergänge in frischer Luft verordnen, oder?«

Marie bleibt nicht hartnäckig, sie wird sich wenig später daran erinnern. *Sie ist weder meine Patientin noch meine Tochter.*

Katharina glättet das kleine Papier, in das die Zuckerstücke eingewickelt waren, und faltet konzentriert daran herum. Nach einer Weile setzt sie einen winzigen Papiervogel behutsam auf Maries Untertasse.

»Arbeitest du in letzter Zeit mehr von zu Hause aus?« Marie gewöhnt es sich an, in den Mittagspausen oder vor Ordinationsbeginn bei Konrad vorbeizuschauen.

»Kann schon sein«, mehr ist ihm tatsächlich nicht zu entlocken. Wegen des Gesprächs mit seiner Tochter hat Marie kein gutes Gefühl. Etwas Grundfalsches war in der Komplizenschaft, die sich für einen Moment ergab. Außerdem hatte das Mädchen die Situation voll in der Hand. Kein Wunder, wenn du dastehst und die Wohnungstür ihres Vaters anhimmelst, beschimpft sie sich in Gedanken.

Von Konrad kommen selten Vorschläge für die nächsten Tage, kaum Pläne. Spontan aber ist alles möglich: Aus dem Kühlschrank heraus improvisierte Menüs, das schier endlose, geduldige Suchen einer Textstelle, eine Bildes, eines Zitats, ein Drei-Stunden-Marsch unter Mond und Sternen über die Hügelkämme, die man vom Arbeitszimmer aus bei klarem Wetter am Horizont sehen kann. Sich Verlieren in Küssen und Liebkosungen. Reden. Dora, seine Eltern, Dora. Katharina mit zwei, mit fünf, mit elf. Es gibt keine Zeit in seinen Geschichten, alles darin ist, als sei es gerade eben geschehen. Das macht seine Erzählungen stark, nicht aber den Erzähler. Er verweigert sich der Ernüchterung durch Reflexion, wann immer er kann. Aber Marie begreift den Unterschied nicht. Manchmal bereitet Marie die Gegenwart des Vergangenen in Konrads Geschichten ein leises Unbehagen, das sie schnell beiseiteschiebt. Konrad erzählt gut, von vergangenem Glück, vergangenem Schmerz. Es ist leicht wie atmen oder gehen, seinen Bildern zu folgen, während sie ausgedehnte Spaziergänge unternehmen. Marie kommt in Gegenden der Stadt, in denen sie noch nie war, und über die Stadtränder hinaus. »Du könntest Taxi fahren, so gut kennst du dich aus.«

Auch in Konrads Leben meint sie sich allmählich orientieren zu können. Noch hegt sie die Vorstellung, irgendwo in seinen Erzählungen liege ein Schlüssel zu Konrad versteckt, und sie sei es, die den Zugang finden werde. Die Vorstellung ist verlockend: Der Arzt bringt Heilung, selbst wenn er die Geliebte ist. Eine Weile meint sie, neben ihrem Hingezogensein sei ein gewisses psychologisches Interesse für ihre Konzentration auf ihn ausschlaggebend. Sie vertiefe sich eben überhaupt gerne in Menschen, wolle sie begreifen mit Leib und Seele. Sicher. Marie ist eine, die sich mit Halbwahrheiten ziemlich lange über Wasser zu halten versteht.

»Es gibt doch nichts anderes als jetzt«, sagt er und küsst sie auf den Scheitel, genau in dem Moment, in dem sie denkt, dass ein Teil von ihm immer längst Vergangenem verhaftet bleiben wird. »Glaubst du mir? Weißt du, es ist wichtig, dass du mir glaubst.« Spiel, Ernst, wer weiß das schon und wer will es wissen. *Wenn ich Nein sage, hasst er mich.* Marie trifft eine falsche Entscheidung, ohne auch nur zu zögern. »Außerdem bin ich schon so oft verplant worden in meinem Leben, ich mag nicht mehr. Sag mir nicht, wann du wiederkommst. Wenn du kommst, bist du da.« Das ist vage, klingt aber wahr und schön. Maries Leben, so viel ist ihr klar, krankt an einem Übermaß an Planung. Nie hat sie einen Ausweg daraus gesehen, eigentlich schon gar keinen mehr gesucht.

Wenn sie allein ist, denkt sie über ihn nach, sie versucht es.

Seine Finger, die ihre Wirbelsäule entlangtasten.

Ihre Schritte, die sich auf dem Weg nach oben wie von selbst beschleunigen, das Klappern der Sohlen, der tiefe Atem, der Moment, in dem er die Tür öffnet, nein, der Moment davor.

An den Orten, die er sich ausdenkt, könnte man gut leben.

Wozu gemeinsam einkaufen? Man weiß doch, wie das endet.

Seine Regeln, es sind immer seine Regeln, die gelten.

Wenn sie doch nicht weiß, was sie will. Jedenfalls keinen Allzweckmann und keinen Vater für Fabian.

Im Halbdunkel seine Lippen.

Die Fähigkeit, schüchternes Zögern in Spannung zu verwandeln.

Das Rattern der Straßenbahn, gedämpft durch den Vorhang. Schiffssirenen. Noch nie zuvor gehört.

Einmal klettern sie aufs Dach. Das Netzwerk der Straßen unter ihnen ergibt ein Muster, das man lesen lernen könnte wie eine Schrift.

Seine Stimme, wenn er sie vertraulich senkt. Sprüche: *Nur das Erfundene ist wahr.*

Küssen. Sich an das Küssen erinnern und sonst: vergessen.

Er riecht gut. Wie für sie gemacht. Ihr Gegenspruch: *Alles Leben ist Chemie.*

Beides ist zum Lachen.

Oxytocin. Serotonin. Endorphine sonder Zahl. Ja, eben.

Das Lachen sitzt derart locker im Hals. Unglaublich.

Konrad lässt sie vergessen, woran sie glaubt.

Es wird mich zerreißen.

Wer sagt denn so etwas?

Da ist so ein Schmerz in ihm. Er wird zuschlagen, wenn du nicht in Deckung gehst, das weißt du. Und dass es dafür nicht einmal eine böse Absicht braucht, das weißt du auch.

Weiß ich das?

Du verrätst also, was du weißt, stellst dich dumm, damit du ihm und dir hübsche Illusionen erhältst.

Aber er mag mich, das ist doch keine Illusion.

Sicher mag er dich. Sehr sogar. So sehr, dass er Angst kriegt.

Er hat gesagt, dass ich –

Sei doch still. Erinnerst du dich, was du deinen Freundinnen immer rätst? *Es zählt, was jemand tut, nicht was jemand sagt.*

Das gilt nur für Menschen, die nicht begreifen, was Sprache ist.

Mag sein. Das sind allerdings die meisten.

Außerdem hast du dir geschworen, über keinen mehr so lange nachzudenken. Noch dazu so fruchtlos. Du verlierst dich. Du denkst ja gar nicht.

Na und. Na und. Na und.

»Weißt du noch, wie es war, als wir noch nichts voneinander wussten? Als wir einander so hin und wieder im Stiegenhaus getroffen haben, ohne miteinander zu sprechen?

Marie ist sofort auf der Hut.

»Ich habe keine Ahnung«, sagt sie. »Jetzt bist du ja wirklich. Das ist so ähnlich wie mit der Vorstellung, die man von einer unbekannten Stadt hat, bevor man hinfährt. Sobald die Wirklichkeit greifbar ist, verschwindet die Idee.«

Das stimmt zwar häufig, aber was Konrad angeht, lügt Marie.

»Wie hast du mich gesehen? Was hast du über mich gedacht?«

Marie schüttelt den Kopf. »Das ist doch nicht mehr wichtig.«

»Doch, es ist sogar sehr wichtig. Ich weiß noch genau, was ich über dich dachte.«

»Ich dachte jedenfalls, du denkst keine Sekunde lang an mich und du siehst mich überhaupt nicht.« Sie ärgert sich über ihr patziges Geständnis. Was treibt er sie auch derart in die Enge?

Er legt den Arm um sie. »Komm, jetzt erzähle ich dir, was ich über dich dachte. Es ist eine schöne Geschichte.«

»Nein, bitte nicht. Auf keinen Fall.«

»Aber das war das Allerschönste, wirklich.«

Seine Hand zwischen ihren Schulterblättern macht es nicht mehr gut.

Die Nummer am Display ist ihr unbekannt, Marie hat nicht Dienst und sie soll Fabian von einem Kindergeburtstag abholen, zu dem sie das versprochene Knabbergebäck mitzubringen vergessen hat. Die Blicke waren unangenehm, aber auch nicht mehr als ein kühler Windstoß. Sollen sie doch, diese

Hausfrauen mit ihren Vormittagsterminen im Kosmetikstudio. Die Welle hat die Richtung gewechselt, denkt Marie, während sie Befunde durchsieht, ich mag nicht mehr jeden, das ist wahrscheinlich kein schlechtes Zeichen.« Aber immerhin sitzt sie zweieinhalb Stunden nach Dienstschluss noch in der Praxis und raucht wieder drei Zigaretten im Stiegenhaus.

Das Handy klingelt noch einmal, dieselbe Nummer. Es ist Katharina: Ob Marie bitte hinaufkommen könne, gleich. Ihr sei so schlecht, und sie sehe nicht gut. Sie habe sich den Kopf angeschlagen. Glaube sie. Ihre Stimme klingt flach und leise. Marie packt die Notfalltasche und rennt.

Die Wohnungstür ist angelehnt. Katharina sitzt mit weit von sich gestreckten Beinen am Boden, lehnt mit halbgeschlossenen Augen und farblosem Gesicht an der Wand. »Ich habe die Nummer aus Papas Handy, entschuldige.« Es dauert eine Weile, bis Marie Katharina überhaupt versteht. Die Beule am Kopf ist nicht das Schlimmste. Ihr sei im Vorzimmer schwarz vor Augen geworden, als sie gerade vom Training heimkam. Der Blutdruck ist niedrig, der Puls flattert, die Haut im Gesicht und am Hals ist klebrig feucht und kalt. Vogelknochen. Zwei Shirts und zwei Pullover übereinander. Graue Lippen.

Ich hätte es früher sehen müssen. Marie schwitzt vor Aufregung, sie sieht ihren rot glänzenden Kopf im Garderobenspiegel. »Du hast in den letzten zwei Wochen mindestens noch zwei, drei Kilo abgenommen, oder?«

Katharina zuckt mit den Schultern. »Wenn du es sagst.« Das Stärkste an ihr ist im Moment ihre Wut, aber auch davon ist nicht viel zu bemerken. Maries Handgriffe sind entschieden und präzise. Einen Moment überlegt sie. Doch, das Krankenhaus ist sicherer. Das wird Konrad akzeptieren müssen.

Als Marie die Notaufnahme verständigt, kippt Katharinas Stimmung abrupt. »Es tut mir leid, es tut mir leid, es tut mir so leid.« Sie zieht den Rotz hoch, schnüffelt und schluchzt wie ein Kind, murmelt und flüstert sich in ein zunehmend heftiges Weinen hinein, das sie schüttelt. Marie schreit sie beinahe an, bis sie damit aufhört. Danach nimmt sie sie in den Arm und wiegt sie sanft, bis der Sanitäter und der Zivildiener mit der Trage vor der Tür stehen. Nein, sie habe keine Tabletten genommen, auch sonst nichts. Das Zittern bleibt. Es ist Marie noch nie schwergefallen zu tun, was getan werden muss. Diesmal ist es anders.

Vor ungefähr zehn Tagen, als sie bei Konrad übernachtete, sah sie nachts Licht in Katharinas Zimmer, als sie ins Bad ging. In eine Decke gewickelt tapste Katharina mit einem Buch und einem Heft unter dem Arm Richtung Küche.

»Was machst du denn um diese Zeit?«

»Du erinnerst dich vielleicht, ich wohne hier.« Dann, eine Spur freundlicher: »Matheschularbeit morgen, Biologieprüfung übermorgen. Ich muss lernen, brauche noch Kaffee. Bitte, sag Papa nichts.«

Deshalb also der moderate Ton.

»Bitte.«

»Es ist halb vier. Hast du überhaupt schon geschlafen?«

»Mach dir keine Gedanken. Es ist nur jetzt ein bisschen stressig. In einer Woche ist alles vorbei. Sag nichts. Bitte.«

So etwas hat Marie doch auch gemacht, während des Studiums ständig. Unmengen Kaffee und Zigaretten zu ziegeldicken Manuskripten. Das ist normal. Und bloß keine Übergriffe, kein ungefragtes Bemuttern. »Nichts hasst sie mehr«, sagte Konrad mit einer Inbrunst, die Marie von ihm sonst nur kennt, wenn er über seine architektonischen Ideen spricht, »und das verstehe ich.«

Die Vorwürfe bohren. Das hätte nicht passieren müssen. Es tut weh, dass ihr beinahe die Luft wegbleibt. Irgendetwas stimmt nicht. Sie und Katharina stehen einander doch nicht so nahe. Wieso hat er es nicht gesehen?

Sie kramt in der Tasche nach ihrem Telefon, hat es aber wohl unten in der Praxis liegen gelassen.

»Du kommst doch mit?« Katharina greift nach Maries Unterarm, hält ihn mit überraschender Kraft fest.

Konrads Handy liegt auf dem Bord neben der Zeitung. Katharina weiß nicht, wo er ist. Dann also Dora, die Marie von Katharinas Handy aus erreicht: eine warme, leicht raue Stimme, nicht jung. Erschrocken, aber nicht über die Maßen aufgeregt. Sie trifft kurz nach Marie und Katharina im Krankenhaus ein. Marie hat sie sich anders vorgestellt, zumindest in irgendeiner Weise spektakulär. Doch, eine sympathische Frau: weder füllig noch schlank, weder groß noch klein, alles angenehmer Durchschnitt. Sie verhält sich genau so, wie man sich eine Mutter in einer solchen Situation vorstellt. Vielleicht ein paar zu eindringliche Fragen, eine zu lange Umarmung, aus der sich Katharina schnell losmacht, aber auch das ist zu erwarten. Und die übliche Reaktion: »Mama, bitte. Lass mich. So schlimm ist es schon nicht.«

Konrad lenkt Doras Aufmerksamkeit weg von Katharina, die sich wieder beruhigt oder ins Unvermeidliche ergeben hat. Er nickt den beiden Frauen zu, als wären sie entfernte Bekannte. Marie wundert sich nicht darüber, was sie wiederum seltsam findet, eine Verschränkung der Wahrnehmung, die sie für einen Moment zum Lächeln bringt.

Der diensthabende Arzt eilt auf Konrad zu. Der versteift sich, während der Arzt einredet. Marie sieht die feine Veränderung der Rückenlinie, die Hände, die sich am Rücken verschränken, die sich unruhig drehenden Daumen, wie eine schnelle Folge von Standbildern. Sie ist übermüdet. Fabian hat letzte Nacht schlecht geträumt und sie zwei Mal geweckt, der Tag war mit Arbeit voll, und sie gleitet allmählich in einen Zustand, den sie für sich *Aquariumgefühl* nennt, eine Erschöpfung, in der man immer noch gut funktioniert. Ihre Aufmerksamkeit gleitet dann an die Peripherien des Wahrnehmbaren ab und heftet sich an irgendwelche Details, die sie sich für lange Zeit merkt, die Farbe einer Krawatte oder die Schuhe von irgendwem, ein Füllwort, das einer marottenhaft häufig gebraucht, oder die genaue Abfahrtszeit eines Zuges auf einer x-beliebigen, längst vergangenen Reise.

»Sie sagte, dass sie mich einfach nicht mehr aushält, nichts mehr an mir.« Dora spricht mit einer Abgeklärtheit, die Marie von sich selber kennt, es ist die Ruhe, die eintreten kann, nachdem das Befürchtete geschehen ist. »Ein paar Jahre waren wir wahrscheinlich einfach zu eng. Ich musste mich bis jetzt noch nie um sie sorgen, sie war immer so problemlos. Ich habe noch gar keine Übung darin.«

Marie erwähnt nichts von ihrer Bekanntschaft mit Konrad. Falls Dora Ecken und Kanten hat, sind sie nach außen hin nicht einmal zu ahnen. Wäre sie nicht Konrads Ex-Frau, würde sich Marie ihr Gesicht nicht merken. Alles an ihr ist angenehm gerundet und widerstandslos. Sie und Konrad, das erzeugt kein Bild in Marie, obwohl sie es versucht. Marie kann sich vorstellen, dass Dora einen komfortablen Hintergrund abgibt, ein behaglicher Schallraum für Konrads Eigenarten, weiblich, heimatlich, vorbehaltlos. Das ist nicht fair, denkt Marie, aber vielleicht wahr. Diese Frau hat ihn immerhin verlassen. Auch wenn es lange her ist. Marie fühlt sich unaufrichtig, wüsste aber auch nicht, als was sie sich Dora vorstellen sollte: *Ich bin die Ärztin aus dem Mezzanin und schlafe gelegentlich mit Ihrem Ex-Mann, der mich seit ein paar Wochen über Gebühr beschäftigt.* Kein Thema also.

Aus Erfahrung weiß sie, dass es auch in Akutsituationen nicht mehr braucht, als ein paar Minuten zuzuhören, um dem Gegenüber ein Gefühl von Grundsicherheit wiederzugeben. Dora neigt wohl ohnehin nicht zu Gefühlsausbrüchen. Es muss nicht einmal echtes Zuhören sein. So zu tun als ob hat die gleiche Wirkung: hin und wieder nicken, den Blick nicht abwenden. In der Sicherheit, die ihr die Rolle bietet, ist noch ein kurzer Aufenthalt möglich. Aber Marie ist kalt, ihre Knie beginnen weich zu werden. Sie muss hier raus. Konrad sitzt an Katharinas Bett, die jetzt ganz ruhig, malerisch wie eine erschöpfte Prinzessin, auf dem hochgestellten Kopfteil lehnt, den freien Arm hebt, Marie zuwinkt und mit den Lippen ein Danke formt.

Mehr ist nicht zu machen, denkt Marie und weiß selbst noch nicht recht, was der Satz bedeuten soll, aber er setzt sich fest, spielt sich wie von selbst immer wieder ab. Dass er eine weiter reichende Gültigkeit hat, spürt sie aber. Trotz ihrer Müdigkeit will Marie noch nicht nach Hause. Das Aquariumgefühl ließe ohnehin keinen Schlaf zu, also geht sie zu Fuß zur Praxis zurück. Die Straßen glänzen noch nass vom Nachmittagsregen. Es ist dunkel geworden, und die Lichter ziehen schön verschwommene Farbschlieren über die Fahrbahnen. Marie mag zum Nachdenken keine Natur, auch kein Tageslicht. Die sogenannte Natur macht sie stumpf, hungrig und gedankenlos wie ein Tier, während sie das stete, sich unregelmäßig verdichtende und nachlassende Strömen von Lärm, Licht und Körpern hellwach macht.

Sie hat oft genug zu hören bekommen, dass Frauen viel zu viel erklären. Tatsächlich hat sie es oft genug versucht, um ihr Leben geredet, sich das Leben zurechtgeredet, etwas Kaputtes mit Reden wieder kleben wollen, alles Mögliche. Es ist egal, ob man den treffenden Ausdruck dafür findet, denkt Marie, meistens funktioniert das alles ohnehin nicht. Sprache wird gemeinhin überschätzt, besonders von denen, die gut mit ihr umgehen können. Auf hinterhältige Weise erzeugt sie eine Wirklichkeit mit Falltüren ins Bodenlose. Die Sprache ist aber doch immer nur genauso hinterhältig, wie wir es sind. Kein Verlass, niemals. Die Liebe jedenfalls lässt sich nicht zurechtreden. Überhaupt überschätzt man die eigene Macht über andere. Sie fühlen, was sie fühlen, sie tun, was sie tun. Wie könnte man annehmen, auf dieses Geflecht aus Vergangenem, Erhofftem und Möglichem, das undurchschaubar in jedem Einzelnen von uns wuchert, Einfluss nehmen zu können. Als Ärztin erlebt sie es täglich, wie wenig Appelle selbst in vordergründigen Dingen bewirken. Was will sie denn nur? Konrad aus sich herauslocken? Aus seiner Wohleingerichtetheit im Abseitsstehen? Aus seinem alten Zorn, seiner alten Blindheit? Konrad retten? Wie kann sie glauben, das wäre machbar? Vielleicht ist es nicht einmal richtig. Es gibt so viele Möglichkeiten, sich zu irren.

Aber nicht der Irrtum ist das Schlimmste. Es macht sie krank.

Wäre er es nicht wert? Jeder wäre es. Marie hört ihre eigene Antwort, die nach einer Weile völlig klar aus ihrem Inneren aufsteigt, mit Staunen, als sie schon knapp vor der Haustür ist, beinahe stolpernd vor Müdigkeit: *Jeder wäre es wert, auch Konrad, natürlich. Aber ich kann es nicht. Und wer bin ich, dass. Ich kann es nicht.*

Am Ende des nächtlichen Spaziergangs stehen ein paar Sätze, zwischen denen sich Marie nun hin und her bewegt, die vorläufigen Wahrheiten des Augenblicks. Jedenfalls ist etwas geschehen in den drei Stunden, in denen Marie durch die Stadt gelaufen ist: Sie ist wieder kompakter geworden und entschlossen. Die große Anstrengung erzeugt ein Echo in ihrem angespannten Körper und presst die Traurigkeit noch zusammen. Die Knochen schmerzen von der Schlaflosigkeit, aber die stechende Klarheit darf noch nicht nachlassen.

Marie sieht Konrad um die Mittagszeit des folgenden Tages knapp vor Ordinationsschluss nach Hause kommen und beschließt, noch einen Sprung zu Katharina ins Krankenhaus zu fahren, bevor sie zu ihm geht. In der Zwischenzeit hat er zweimal angerufen und eine Nachricht hinterlassen. Später. Er wird es nicht verstehen. Sie versteht es selber ja kaum. Viel wird sie ihm nicht sagen.

Als Katharina sieht, dass es Marie ist, die die Tür zum Krankenzimmer öffnet, legt sie das Handy mit erleichtertem Seufzen wieder auf die Bettdecke zurück. In ihrem linken Handgelenk steckt eine Infusionsnadel. Ohne ihr dramatisches Augen-Make-up sieht sie noch mädchenhafter aus. Außerdem sitzt ein kleiner Stoffbär auf dem Nachtkästchen.

»Die päppeln mich schon wieder auf«, meint sie fast vergnügt. »Schau mal, meine Vormittagsbeschäftigung.« Sie weist auf einen Stapel Frauenzeitschriften. »Ich habe gerade Lust, ein bisschen zu verblöden. Und außerdem hat mir Konrad das Handy gebracht, obwohl es nicht erlaubt ist. Du kannst dir ja denken, dass er für so etwas zu haben ist.«

Marie hat nichts mitgebracht, sie hätte nicht gewusst was. Rouge und Wimperntusche bitte, erfährt sie auf Nachfrage, das wäre nett. Ihren Vater wolle sie nicht fragen, er solle nicht in ihren Sachen stöbern.

»Gut, dass das alles bei ihm passiert ist. Meine Mutter hätte garantiert das ganze Zimmer umgedreht. Aber er ist nicht der Typ, der auf solche Ideen kommt. Im Abstandhalten ist er unschlagbar.« Der Zynismus ist nicht zu überhören.

»Nicht gut, dass es überhaupt passiert ist«, wirft Marie ein.

Katharina zieht sich am Griff über dem Bett hoch, so weit es die Kanüle in ihrem Arm erlaubt, und richtet ihren Blick auf Marie: »Willst du mit mir jetzt womöglich ein psychologisches Gespräch führen? Einfühlsam nachfragen, wie es mit dem armen Kind nur so weit kommen konnte? Na los, fang schon an.«

Marie ist perplex über die Angriffslust des Mädchens mit dem Teddybären neben sich. Es wäre fatal zu vergessen, wie klug Katharina ist.

Nach den erschöpfenden Einsichten der vergangenen Nacht ist es leicht, ehrlich zu ihr zu sein.

»Das habe ich nicht vor. Ich glaube, das wäre mir auch viel zu anstrengend. Ich habe mir schon manchmal Gedanken über dich gemacht. Aber ich wollte mich heraushalten. Mein Leben ist kräfteraubend genug. Und dein Vater hat es gehasst, wenn ich etwas über dich sagte. Ich wollte ihm nicht auf die Nerven gehen. Ja, ich glaube, das ist alles.«

Für ein oder zwei Minuten ist es still. Marie bleibt sitzen, weil sie so müde ist, nicht unbedingt, weil sie eine Antwort erwartet.

»Wow«, sagt Katharina. »Völlig unverdreht. So hab ich noch keinen in deinem Alter erlebt, das kannst du mir glauben.« Nach einer Weile setzt sie hinzu: »Danke, dass du mich nicht retten willst, ehrlich.«

Beide lachen.

»Hast du meinen Vater heute schon gesehen?«

Marie schüttelt den Kopf. Es könnte Katharina verstören, wenn sie ihr sagt, dass sie von Konrad Abstand nehmen wird. Sie würde es nicht verstehen, sich womöglich schuldig oder im Stich gelassen fühlen. Es wäre außerdem unfair oder zumindest stillos, es ihr mitzuteilen, bevor sie mit Konrad geredet hat.

»Noch etwas: Ich werde deinen Vater nicht mehr treffen. Erklären will ich es dir nicht, das würde zu weit führen.«

Marie erschrickt nicht einmal über sich selbst. Sie weiß, wie sich die Scham anfühlen müsste, aber sie stellt sich nicht ein, kein Funke davon. Sie ist sehr ruhig und steht auf, nimmt Katharina in den Arm. Es ist nichts mehr zu sagen.

Natürlich, da wäre so einiges: *Bitte bestraf dich nicht selber, sei nicht grausam zu dir,* und jede Menge ähnlich wahrer und guter Sätze. Der Haken ist nur die Befehlsform. Katharina kann zurzeit keine Imperative gebrauchen, da ist sich Marie sicher. Überhaupt kein Gerede.

»Kann ich dich einmal besuchen, wenn ich wieder draußen bin?«

»Ich glaube schon«, sagt Marie.

In einem nahegelegenen Drogeriemarkt besorgt sie Wimperntusche und Rouge für Katharina, dann fährt sie zur Praxis, schaut zu Konrads Fenster hinauf. Es brennt Licht.

Sie hat über dreißig Stunden nicht geschlafen, aber das spielt keine Rolle. Gründlich ist Marie immer gewesen. Langsam, aber nur aus Müdigkeit, und mit dem intensiven Gefühl einer fremdartigen Unbeschwertheit geht sie hinauf in den dritten Stock und hört seine Schritte hinter der Wohnungstür, schon bevor sie geläutet hat.

3
AUF SIE KOMMT ES NICHT AN

Frau M bekommt alles sauber: farbige Krawatten, Blusen mit Schweißrändern, rostige Schlittschuhe. Salmiakgeist für Seidenstoff, Benzin und Erdäpfelmehl für Helles, Petroleum und ein Glassandgemisch für Rost. Sie hätte jemandem beibringen können, wie man aus Knochen und Pottasche Seife macht, falsche Sahne aus Milchpulver und Weizenmehl, Abendkleider aus Fallschirmseide, und wie man allerlei andere wundersame Verwandlungen bewerkstelligt. Und das ist nur ein Bruchteil dessen, was sie über das Überleben weiß. Etwas verwandeln, selbst aber stets die Gleiche bleiben. Den gesunden Kern erhalten, der Rest ist wandel- und verhandelbar, da mag rundherum abfallen, was will. Das ist, auf den Punkt gebracht, das ganze Geheimnis, die große, aber schlichte Wahrheit. Wer das nicht begreift, ist ein Idiot. Es gibt aber niemanden, der sich dafür interessiert hätte.

Eines Tages sieht Frau M, in ihren letzten drei Lebensjahren Patientin bei Marie, wie die Frau Doktor mit einem Taschentuch heftig an der Klinke der Ordinationstür herumputzt. In einem für sie ungewöhnlich spontanen Entschluss sagt sie: »Wenn Messinggriffe nach dem Putzen schnell wieder anlaufen, muss man sie mit einer rohen Kartoffel einreiben und dann noch einmal polieren.« So etwas weiß Frau M. Zum Beispiel auch, dass man bei Fruchtflecken nicht sogleich Seife verwenden darf, weil sich der Fleck dann schwerer beseitigen lässt, und dass trübe Gläser wieder klar werden, wenn man sie in einer Lösung aus einem Liter Wasser und zwei Esslöffel Wasserstoffsuperoxyd wäscht. Marie wird sich erinnern, dass Frau M bis zum Haaransatz rot wurde, ein bei einem alten Menschen seltenes Phänomen. Sie bedankt sich besonders freundlich und nimmt sich vor, der alten Dame bei ihrem nächsten Besuch zu berichten, wie die Sache funktioniert hat. Dann vergisst sie es.

Es ist kühl in der Wohnung und riecht abgestanden. Frau Ms langer, dunkler Mantel mit dem Persianerkragen, in dem sie Marie eigentlich immer gesehen hat, hängt an der Garderobe, daneben an einer goldfarbenen Kordel eine Kleiderbürste. Am Vorzimmerspiegel steckt die Weihnachtskarte von der städtischen Müllabfuhr. Auf dem Herd steht ein Topf mit vertrockneten Nudeln. Eine elfenbeinfarbene Küchenuhr aus den Fünfzigerjahren tickt unbeirrt, Marie hört sie schon an der Schwelle, als sie nach mehrmaligem Läuten die Wohnungstür aufsperrt. Sonst kein Laut. Der Abreißkalender zeigt Mittwoch, es ist Freitag.

Kurz vor Ordinationsschluss kommt der Hausmeister, ein freundlicher und schwatzhafter Asthmatiker, in die Praxis und bringt keuchend vor, dass Frau Ms Postkästchen ganz gegen deren Gewohnheit nicht geleert worden sei. Als auf Maries Anruf hin niemand abhebt, schiebt ihr Herr Bilek die Wohnungsschlüssel über den Tisch.

»Sie sind doch die Haus- und Sprengelärztin, bitte. Zwei Tage. Da stimmt etwas nicht.«

Er ist nicht zu bewegen, selbst nachzuschauen und Marie dann gegebenenfalls zu verständigen. Stattdessen wiederholt er wieder und wieder, unterbrochen von schluckaufartigem

Luftschnappen: »In diesem Alter, da ist es natürlich ganz besonders gefährlich.«

Marie bugsiert ihn dann aus der Praxis und überredet ihn mit Hinweis auf die Gesetzeslage, sie zumindest hinaufzubegleiten.

Frau M sitzt in der Küche auf einem nah an den Tisch herangerückten Stuhl. Der Oberkörper ist auf die Tischplatte gesunken, das Gesicht liegt auf einem Teller in einem mit roter Marmelade bestrichenen Brot. Mehrere Fliegen umschwirren die Tote. Frau M wüsste, dass ein paar Tropfen Lorbeeröl, wovon sie immer ein Fläschchen im Arzneimittelschrank hat, verlässlich Abhilfe gegen die Biester schaffen würden. Doch davon hat Marie keine Ahnung, und natürlich zieht sie auch nicht im Geringsten die Möglichkeit in Betracht, dass Frau M unweit von ihr in der Tür stehen, sich über die Fliegen ärgern und erbittert auf den zusammengesackten Körper starren könnte, den sie sehr wohl als ihren eigenen erkennt und dessen plötzliches Versagen sie als besonders perfiden Angriff auf ihre Integrität auffasst. Sie verfällt nicht einen Moment lang auf den Gedanken, dass sie tot sein könnte und dass es doch reichlich seltsam ist, beobachten zu können, wie die junge Ärztin aus dem Mezzanin ein Desinfektionsmittel aus ihrer Tasche und dann ein Küchentuch vom Haken nimmt, den Teller mit dem Marmeladebrot unter ihrem Gesicht hervorzieht und es mit unangemessener Sanftheit und Sorgfalt abzuwischen beginnt.

Die Kälte der Toten ist selbst nach Jahren in diesem Beruf immer noch etwas, das bei Marie Frösteln und ein heftiges körperliches Verlangen nach Sonne auslöst, ein Wunsch, der heute nicht zu erfüllen ist. Die Leichenstarre hat bereits wieder nachgegeben. Die frische Luft und der Verkehrslärm, der bei geöffnetem Fenster die Stille leichthin überwältigt, tun Marie wohl. Sie bleibt einen Moment stehen, atmet durch. Jemand ruft und winkt von der Straße herauf. Katharina. Was sie denn da mache? Ob etwas passiert sei? Marie winkt zurück, schüttelt aber den Kopf. Obwohl sie weder in den Küchenschränken noch im Mistkübel ein verdächtiges Medikament gefunden hat, entnimmt sie der Ordnung halber eine Probe aus der Kaffeetasse, was Frau M gern mit einem Kopfschütteln quittieren würde. Nun muss sie aber feststellen, dass dies ganz und gar unmöglich ist, obwohl es kein Schmerz ist, der sie daran hindert, eher das höchst unbehagliche, weil unbekannte Empfinden, sich an den Rändern aufzulösen, wenn sie sich zu jäh bewegte oder versuchen würde zu sprechen. Da ist ein Pulsieren in ihr, aber kein Atem, da ist eine Grenze, aber keine Haut, ein membranartiges Festerwerden, aber nichts, worauf man sich verlassen könnte. Das ist schon ein starkes Stück! Dass sie sich davon nicht unterkriegen lässt, steht jedoch fest. Vorläufig stillhalten ist das Gebot der Stunde. Dieses zu erkennen war stets eine ihrer großen Stärken. Zu wissen, wann man sich ruhig verhalten, sich tot stellen, und wann man sich besser ohne Zögern vom Ort eines Geschehens entfernen sollte, ist die Grundvoraussetzung, von der sich alle anderen Lebensentscheidungen ableiten lassen. Die Gewissheit, ihre Zeit nicht verschwendet und genau das seit Jahrzehnten geübt zu haben, gibt Frau M jetzt Halt. Etwas anderes als sich selbst hat man ohnehin nicht. Die Zeit, in der sie das noch nicht verstand, liegt längst hinter ihr.

Marie schüttet den Kaffeerest in den Ausguss und lässt ein, zwei Minuten lang warmes Wasser über ihre Hände laufen. Das Nirostabecken und die Wasserhähne, alt wie die ganze

Kücheneinrichtung, glänzen. Am Bord über der Abwasch und sogar an den Kanten der Glasfenster in der altmodischen Küchenkredenz liegt keinerlei Staubschicht. Neben dem Spülbecken steht eine Schüssel mit Wasser, in der ein kleines Silbertablett, ein silbernes Milchkännchen und einige Kuchengabeln liegen, auf dem Boden der Schüssel ein rechteckiges Stück Alufolie, wahrscheinlich ein Geheimtipp, um das Silber sauber zu kriegen. Jetzt fällt Marie auch die Sache mit der rohen Kartoffel wieder ein, und sie nimmt sich vor, es bald auszuprobieren, als würdigende Abschiedsgeste und zu Ehren von Frau M. Für ihr Alter war sie in ungewöhnlich guter Verfassung. Ein etwas schwankender Blutdruck, die üblichen Abnützungen am Gehapparat und daraus resultierende gelegentliche Schmerzen, sonst nichts. Oft ließ sie sich nicht bei Marie sehen, auf keinen Fall war sie der hypochondrische Typ, der Ärzte im Allgemeinen die meiste Energie kostet, schon deshalb hegte Marie eine gewisse Sympathie für sie. Einmal fragte Marie, wen man im Krankheitsfall verständigen solle. Frau M schwieg ein paar Sekunden und gab dann eine entfernte Verwandte in Brandenburg an. Einsamkeit ist ja beileibe nichts Ungewöhnliches.

Manchmal fällt es Marie auf, wie unterschiedlich Menschen altern. Die meisten laufen auseinander wie Teig und sacken dann ein, oder sie wirken, als würden sie von innen nach außen vertrocknen. Nur wenige Gesichter behalten ihre Klarheit, und bei manchen schärfen sich die Konturen trotz Falten und Tränensäcken in einer Weise, dass sie dank des Alterns schöner und deutlicher werden. Das hat immer auch etwas mit den Augen zu tun, die Spiegel der Seele sein sollen. Beim Gedanken daran verzieht Marie den Mund. Als Medizinerin hat sie für intuitive und romantische Vorstellungen über die menschliche Natur nicht viel übrig. Dennoch sieht sie vieles, was sie nicht einordnen kann und was mit der Zeit ein Dickicht an Erinnerungspartikeln bildet. In Tagträumen verirrt sie sich manchmal darin, bis sie die Alltagserfordernisse wieder daraus vertreiben. In solchen Momenten vermisst sie Konrad. Mit ihm hätte sie sich stundenlang über die unterschiedlichen Gesichter und Blicke alter Menschen unterhalten können, ohne sich als spekulative Fantastin vorzukommen.

Frau M, deren Leichnam da in der Küche auf den Abtransport wartet, war auf jene seltene Art schön. Sie trug stets einen etwas zu intensiven Lippenstift. Sie hatte hohe Wangenknochen und dichtes graues Haar. Es waren aber vor allem ihre Augen, die sie von den meisten anderen Alten unterschieden. Warum? Kalt? Klar? Warm? Strahlend? Marie erinnert sich an Frau Ms Blick, ohne ihn mit einem Wort fassen zu können. Frau M war ruhig, vielleicht sogar schüchtern. Bevor sie etwas sagte, räusperte sie sich. Vielleicht sprach sie manchmal tagelang mit niemandem. Ihr Blick war aber so, als verberge er eine Welt, richte sich nur unwillig nach außen, um sich dann wieder etwas zuwenden zu können, das sie mit anderen nicht mehr teilen konnte oder wollte.

Während Marie auf den Abtransport der Toten wartet, wirft sie den Teller mit dem Marmeladebrot in den Müll und wischt die Tischplatte rund um Frau Ms Kopf ab. Plötzlich spürt sie eine Bewegung hinter sich. Katharina steht in der Tür, eine vollgestopfte, paillettenbestickte Stofftasche über der Schulter, eine Hand grüßend erhoben.

»Entschuldige, ich wollte eben nach dir rufen. Da habe ich bemerkt, dass du die Wohnungstür offen gelassen hast.« Dann, mit einem gänzlich unerschrockenen Blick auf die Tote: »Ich störe wohl, oder?«

»Ich glaube kaum, dass sich die Verstorbene durch deine Anwesenheit irritiert fühlt«, sagt Marie und liegt damit zu hundert Prozent daneben. Dann, mit erstaunlich wenig Nachdruck: »Aber du hast hier nichts verloren.«

Katharina reagiert nicht auf Maries unentschlossen verscheuchende Handbewegung. Marie ist seit geraumer Zeit auch Katharinas Hausärztin. Katharina will Tanzpädagogik studieren und lebt noch bei ihrem Vater im dritten Stock. Marie denkt nur ungern an die Liaison mit ihm zurück. Fast gegen Maries Willen freundeten sich die beiden Frauen an. Katharina schätzt es, dass Marie sie nicht wie eine schonungsbedürftige Kranke behandelt und, wie sie es formulieren würde, ohne mütterlichen Zuckerguss mit ihr spricht. Marie wiederum erfrischt Katharinas Sarkasmus, mit dem sie alles um sich herum betrachtet, als sei sie nur eine neugierige Durchreisende, die sich kein Blatt vor den Mund zu nehmen braucht. Beide Frauen wissen um die Verletzlichkeit der anderen, die Marie hinter ihrer Professionalität, Katharina hinter ihrer Pose jugendlichen Durchblicks verbirgt. Sie haben es sich angewöhnt, von Zeit zu Zeit lange Spaziergänge miteinander zu unternehmen, auf denen sie alles Mögliche besprechen, sogar Katharinas Krankheit. Über Katharinas Vater Konrad reden sie nicht, außer in Wendungen wie »Du weißt ja, wie er ist.«

»Darf ich bleiben?«

Sie zieht einen Fußschemel, der hinter der Küchentür steht, zu sich heran und lässt sich darauf nieder, die langen, dünnen Beine weit von sich gestreckt. Marie seufzt.

»Die Bestattung wird ohnehin gleich kommen.«

In Wahrheit ist Marie ungern mit Toten allein, deshalb auch die offene Wohnungstür. Gerade in ihrer vollkommenen Eigenschaftslosigkeit haben Tote immer eine gewisse

Eindringlichkeit, und nichts macht ihre Anwesenheit deutlicher als die radikale Abwesenheit, in die sie gestürzt sind.

»Am Ende verlieren wir immer«, sagt Marie. Sie will sich auf keinen der ordentlich an den Tisch gerückten Küchenstühle in die Nähe der Toten setzen und hievt sich auf die freie Fläche neben dem Spülbecken.

Frau M kann dem keineswegs zustimmen. Mein Gott, ist diese Frau schwach! Der Ärger über Maries Sentimentalität belebt Frau M, falls man das so sagen darf. Dass Marie das Marmeladebrot weggeworfen, den Tisch und sogar ihr Gesicht abgewischt hat, rührt sie dagegen sogar ein wenig. Sogleich merkt sie, dass damit das lästige Sich-Auflösen wieder einsetzt: Dort, wo ihre Füße sein müssten, sinkt sie eine oder zwei Handbreit in den Küchenboden ein und droht, durch den Estrich und die Betondecke hindurch in das darunterliegende Stockwerk zu sinken. Liebenswürdigkeit ohne Stärke ist etwas vom Gefährlichsten, das es gibt, auch das ist ihr schon lange klar. Im Windschatten des Charmes verbirgt sich oft Schlimmes, das einen dann ungeschützt trifft, wenn man sich davon zu sehr beeindrucken lässt. Da ist diese Kleine schon aus anderem Holz. Aber die ist blutjung, da hat man immer gut reden. Dennoch, alles, was ab jetzt geschieht, kann im Grunde nur ein Beweis für all das sein, was Frau M schon sehr lange weiß, sozusagen seit Menschengedenken. Eine andere Möglichkeit als die, letztendlich recht zu behalten, besteht nicht mehr. Dieser Gedanke beruhigt und begeistert sie geradezu und führt zu einer augenblicklichen Verfestigung, was ihr wie gerufen kommt. Ihr Körper kauert zwar noch immer da drüben am Tisch, zwar nicht mehr ganz so würdelos wie zuvor, aber dennoch unbrauchbar: Als sie versucht, ein Stück Papier mit dem Fuß, vielmehr mit der Stelle, an der ihr Fuß sich eigentlich hätte befinden müssen, wegzukicken, gelingt ihr das trotz wiederholter Anstrengung nicht. Verwirrend ist auch, dass sie ihre Füße nicht sehen kann. Aber wo sind sie dann? Sie sieht die Füße der bewegungslosen Gestalt, ordentlich nebeneinander unter dem Tisch in den hübschen braunen Pantoffeln mit den Nerzpompons, und bedauert für einen Moment, dass sie diese erst seit zwei Wochen getragen hat. Gekauft hat sie sie schon viel früher, es gehört aber zu ihren Gewohnheiten, neue Dinge erst einmal für eine ganze Weile im Kasten zu lassen, bevor sie sie benutzt. Sie schaut an sich hinunter. Nun gut, Pantoffeln braucht sie keine mehr. Sich selbst nicht sehen zu können, ist allerdings eine Zumutung. Sie weiß nicht wie, aber es gelingt ihr, sich ihrem Körper zu nähern. Da ist der Haarwirbel am Hinterknopf, da sind die höckerartigen Ausbuchtungen des oberen Rückgrats, die Schulterblätter, erahnbar unter dem Pullover aus dünnem Garn. Schlank war sie ja immer, in den letzten zehn oder zwanzig Jahren sogar mager. Die Frisur ist nach links verrutscht und legt deshalb einen Teil des Nackens frei. Sie versucht erst gar nicht, sich die Haare zu richten. Sie hat ja gesehen, dass so etwas nicht geht, und vorläufig braucht sie ihre Kräfte für etwas anderes.

Was hat sie mit dieser Figur da überhaupt zu schaffen? Gut, dass sie nicht mit der feigen Rührseligkeit an sich selbst hängt, die bei den meisten Menschen zum Vorschein kommt, wenn sie sich körperlich gefährdet fühlen. Einen Weg zurück, wieder hinein in ihren hinfälligen Körper, gibt es nicht. Ein Zurück gibt es ja nie. Sie muss in dieser aberwitzigen Situation nur den Überblick wahren. Unter der Oberfläche dieses skandalösen Geschehens zeichnen sich die alten Wahrheiten und Erkenntnisse deutlich ab und werden ihr als Wegmarkierungen dienen, daran glaubt sie fest.

Sie entdeckt, dass Bewegung in ihrem augenblicklichen Zustand mehr eine mentale Angelegenheit ist, eine Verschiebung der Aufmerksamkeit an den Ort, an den sie hinwill. Probehalber entfernt sie sich wieder ein Stück weit von sich, wirft einen befriedigten Kontrollblick in die blitzsaubere Küche. Wenn der gewohnte Körper nicht mehr funktioniert, ist es nicht schlicht das Vernünftigste, ihn aufzugeben? Sie war immer bei guter Gesundheit, das wohl, aber der Zusatz »für ihr Alter« reduzierte die Freude daran auf ein mühevolles Ertragen aller möglichen kleinen Einschränkungen, die in Summe eine einzige große Unannehmlichkeit bilden, über die zu klagen man sich nicht erlauben darf. Selbst wesentlich Jüngere, von Gleichaltrigen ganz zu schweigen, waren oft schlechter dran. Nun, das ist vorbei. Das Schwache muss man zurücklassen. Ja, das klingt hart. Aber andernfalls geht man mit ihm zugrunde. Eine dritte Möglichkeit gibt es nicht.

»Was meinst du damit: *Am Ende verlieren wir immer*?«, sagt Katharina. »Na und? Möchtest du vielleicht ewig leben?« Ihre gedämpfte Stimme zeigt, dass ihr der Respekt gegenüber den Toten nicht ganz so fremd ist, wie sie tut.

»Ewig nicht, aber länger schon, falls ich bei guter Gesundheit wäre.«

Katharina zuckt mit den Schultern.

»Wirklich? Hast du dir das denn überlegt? Oder ist das wieder nur etwas, was man eben so sagt? Ein Satz aus dem Praxis-Smalltalk.«

Frau M horcht auf. Sie gibt es nicht gern zu, aber das Mädel hat recht. Das ernsthafte Durchdenken von Wünschen kann dazu führen, dass sie sich verzerren, sich irgendwie verunreinigen, gar auflösen. Was bleibt denn dann von einem übrig? Frau M spürt deutlich, dass sie Herzklopfen hat. Das Gedächtnis hat einen im Griff wie nichts sonst, denkt sie, doch sie irrt. Die Erinnerung ist ihr Knochengerüst, das sie aufrecht hält, das Einzige, was sie noch hat. Sie wirft einen müden Blick auf sich. Wäre das hier nicht die Chance gewesen, mit dem Körper wenigstens einen Teil dieser Last abzuwerfen? Was immer es ist, was da gerade vor sich geht, eine Wiedergeburt ist es nicht. Reg dich nicht auf, Mali, spricht sie sich zu, wie sie es oft tut, wenn es wirklich schlimm wird und sich etwas von der Brust aufwärts und abwärts so heftig verkrampft, dass ihr die Knie weich werden. Auch das weißt du doch längst. Was soll sich denn ändern, nur weil du die hinfällige, alte Schachtel los bist? Mehr denn je gilt jetzt: Was war, ist auch jetzt, oder es ist gar nicht.

Da ist ein Augenblick im April, acht oder neun Jahre nach Roberts Tod, ein Augenblick, der vielleicht eine Minute dauert oder auch eine volle Stunde. Da ist eine Bank im Stadtpark, etwas abseits vom Hauptweg, auf der sie oft sitzt, nichts Besonderes. Hier vergisst sie nachmittags des Öfteren die Zeit und steht erst auf, wenn es kühl wird oder wenn ihr irgendetwas wehtut. Alles ist da: Tulpen in schreiendem Rot und Gelb, Forsythien und die noch zögerliche Magnolie, schmeichelnde Wärme, Vogelgesang, vorbeischlendernde junge Paare mit Flatterhaaren und -kleidern wie Märchengestalten, das ganze Trallala, die Kulisse einer fast schönen, fast friedlichen Welt, extra für sie aufgeboten. Bäume und Himmel wie gemalt. Der Wind lässt die Blätter silbrig glitzern. Seit Roberts Tod sieht sie nicht mehr so gut. Zu Hause ist das lästig, aber draußen mag sie es, wenn Häuser, Autos und Menschen sich in bewegte impressionistische Gemälde verwandeln, deshalb lässt sie die Brille meistens im Etui, wenn sie keinen weiteren Weg hat. Die Augen brennen, deshalb hat sie auch keine Zeitschrift dabei.

Damals auf der Bank im Stadtpark sind ihre Gedanken zuerst ganz bei Robert, wie immer. Robert, dessen schmale Gestalt zu seinen Lebzeiten einfach nicht das Format hatte, Reinhard zu verdrängen. Danach war es ihm ein Leichtes. Nicht immer sind die Toten ohnmächtig. Dann geschieht etwas. Am schönen Wetter und an der Frühlingsidylle kann es nicht gelegen sein. An der Gehirnchemie vielleicht, Frau M weiß ja nicht viel darüber. Im Fernsehen bringen sie manchmal etwas über solche Dinge, die einen ärgern, weil sie einen ganz durcheinanderbringen. Sie aber hat, was sie hat, und nichts anderes. Und das wird sie niemals hergeben. Da sitzt sie also, Wärme und Schönheit rund um sie wie eine gnadenvolle Kulisse, vor der sie ungestört dem nachhängen kann, was wie das Betrachten der immer gleichen Filmszene ist und etwas exakt in der Schwebe zwischen Erzählen und Verbergen hält, ein mühsam hergestelltes Gleichgewicht, das aufzugeben schlimmer wäre als der Tod.

Roberts Kopfpolster ist durchtränkt. Es ist ein heißer Sommertag, und so riecht es bereits nach wenigen Stunden in seinem Zimmer süßlich vom geronnenen Blut. Frau M widersteht dem Impuls, das Fenster zu öffnen. Ihre größte Angst ist es, ihn zu stören, überhaupt ist sie überzeugt, jede falsche Bewegung könnte Furchtbares auslösen, und sie meint, wenn sie genau das vermiede, wäre etwas gewonnen. Solange sie diese ungeheure Angst, etwas falsch zu machen, umklammert hält, ist das Schlimmste noch nicht geschehen. Sie hat es schon erlebt: Da sind die Stunden, bevor ihre Mutter an einer Blutvergiftung stirbt. Die Elfjährige sitzt am Bett der Fiebernden und beißt so fest, wie sie nur kann, die Zähne aufeinander, derart erfüllt vom unbändigen Willen, die Sterbende hierzubehalten, dass ihr Äderchen in den Augäpfeln platzen. Der Tod hat sich über ihren Willen nicht einmal hinwegsetzen müssen: Er kommt, weil er eben kommt. Frau M erinnert sich, dass danach die Angst vollkommen verschwunden war. Sie fühlte sie wie eine Flüssigkeit aus dem Körper sickern, so wie Blut. Danach muss sie irgendwann irgendjemand ins Bett gesteckt haben, sowohl nach dem Tod der Mutter als auch nach Roberts Selbstmord, obwohl sie schrie, sie müsse unbedingt noch aufwischen und saubermachen. Sie schlief zwanzig Stunden durch. Und dann ist da noch der Tag, an dem Reinhard ihr sagte, dass er heiraten werde. Seltsam, immer scheint die Sonne: Als ihre Mutter stirbt, als Reinhard sie verlässt, als Robert sich in den Kopf schießt. Drei Mal Frühling, drei Mal unschuldig tiefblauer Himmel.

An jenem Nachmittag auf der Parkbank, ein knappes Jahrzehnt nach Roberts Selbstmord, geschieht etwas, für das Frau M keine Erklärung hat, etwas, das sich allen Vergleichen entzieht, weil sie nichts findet, woran sie es messen könnte. Es ist sehr stark und es ist sehr einfach: Es ist, wie es ist. Der Tod der Mutter, Reinhards Rückzug, sogar Roberts Tod. Nicht, dass sie es gutheißt. Die Klarheit löst den Schmerz vollkommen auf. Als nichts mehr davon übrig ist, bemerkt Frau M, welche Anstrengungen es sie gekostet hat, all das so lange Zeit festzuhalten. Es ist, als sei sie jahrelang mit zusammengebissenen Zähnen am Bett der Mutter gesessen, und jahrelang habe die mondhelle Nacht gedauert, in der sie auf der Feuerwehrmauer saß und auf den Morgen wartete, weil sie sich einfach nicht wegrühren kann und absurder Weise hofft, Reinhard komme noch einmal zurück und sage, das alles sei gar nicht wahr. Die Arme und Schultern tun weh.

Die Finger und der Nacken tun weh. Die Gesichtsmuskeln und die Schläfen tun weh. Die Bauchdecke bebt, die Knie zittern im Sitzen. Das Kinn fällt herunter, der Mund verzieht und entspannt sich wieder. Sie weint ohne Laut. Wie absurd es ist, mit Wut an das zu denken, was schon geschehen ist. Sie sieht sich selbst da sitzen, sieht, wie sehr sie das, was sie dachte, mit dem verwechselt hat, was ist. Sie sieht, dass sie keinen anderen Weg gesehen und ihr Bestes getan hat. Kein Krieg mit der Vergangenheit mehr. Der Herzschlag ist bis unter die Schädeldecke zu spüren. Frieden machen mit all dem. Man muss gar nichts tun. Nur ruhig atmen. Sie hat nichts dafür getan, weder Gebete gesprochen noch Versenkung geübt, keine erbaulichen Schriften gelesen, rein gar nichts. Damit hat das hier nichts zu tun.

Dann bekommt sie Angst. Der Preis für das Ende des Schmerzes scheint ihr plötzlich enorm. Ein Zurück gäbe es auch hier nicht. Äußerlich geschieht gar nichts, doch wäre sie nie wieder dieselbe. Wie ein Seiltänzer, der um Sekunden zu früh die Konzentration verliert und abstürzt, fällt auch sie, fällt Gedanke um Gedanke zurück in das vertraute Unglück, schlüpft hinein wie in ein abgetragenes Kleidungsstück. Eine Irritation bleibt, weil das Erfahrene zu nichts Bekanntem passen will. Das macht es dann wieder leichter, es zu vergessen. Bis heute, jener seltsame Tag, an dem sie in ihrer eigenen Küche neben sich steht wie noch nie zuvor.

Als sie mit Reinhard auf der Mauer hinter dem alten Feuerwehrhaus sitzt, blüht der Löwenzahn und unentwegt ruft ein Kuckuck, sie weiß es ganz genau. Einige Kinder aus der Nachbarschaft spielen in der Nähe mit Holzschwertern und schauen ein paar Mal neugierig zu ihnen herüber. Reinhard scheint das im Gegensatz zu sonst nicht zu kümmern, und

Mali hält dies für ein gutes Zeichen. Die Frühlinge in den Kriegsjahren sind mit nichts zu vergleichen. Das Aufblühen, der unbeirrbare Vogelgesang und die milde Luft entblößen das, was unter Menschen geschieht, noch gnadenloser. Sie sind wie herausgeschnitten aus dem zyklischen Werden und Vergehen, es hat nichts mehr mit ihnen zu tun. Alte sterben, und Junge bleiben noch. So ist es nicht mehr. Es gibt kaum mehr anderes als Vergehen, Vergehen und Verrecken. Aber für eine ganze Weile muss es Mali nicht mehr sehen. Reinhards Gesicht, Reinhards Worte, Reinhards Berührungen sind das Einzige, was zählt. Dann sagt er es. Er sagt es wirklich. Heiraten? Wen denn? Wann? Das muss ein Missverständnis sein. Sie fragt zwei oder drei Mal nach, und er wird ärgerlich, weil er nicht glauben kann, dass sie es wirklich nicht begreift. Wann, wo und wen, die Kombination der drei simplen Informationen überfordert sie völlig. Bis zum Warum kommt sie zunächst gar nicht. Reinhards Worte fallen einfach durch sie hindurch. Auch an jenem Abend hat sie, wie später bei Roberts Tod, das Empfinden, selbst ein zu lautes Atmen könnte alles zum Schlechten, das Richtige jedoch, die richtigen Worte, der richtige Blick, die richtige Handbewegung noch alles zum Guten wenden. Das Problem ist nur, dass sie keine Ahnung hat, was das Richtige ist, und so sagt und tut sie wenig und offensichtlich das Falsche. Jedenfalls weint sie nicht und fleht nicht, nicht eine einzige Sekunde. Dass Reinhard mit ihr auch sein Kind wegwirft, seinen Sohn, von dessen Existenz er nichts und sie kaum seit ein paar Tagen etwas weiß, ist keineswegs ihr heimlicher Trumpf in diesem Moment, wie es ihr Robert Jahre später vorwerfen wird, als die ganze Geschichte ans Licht kommt. Das Kind ist nichts, was ihr Macht verleiht. Es ist vielmehr die Verkörperung der Sünde, als die Reinhards und Malis

Beziehung gilt. Sie hat das nie geglaubt. Nicht dass sie die Sünde leugnet, damals hat sie das auf jeden Fall noch nicht getan. Aber das zwischen ihr und Reinhard ist keinen Augenblick lang Sünde, alles andere als das. Es ist unantastbar, es ist heilig. Auch wenn man im Laufe seines Lebens all die Heiligen und Engel und schließlich mit dem kleinen Quäntchen Mut der Verzweiflung, der bis dahin noch gefehlt hat, jedes höhere Wesen zum Teufel jagt, gibt es kein anderes Wort für das, was Reinhard und sie füreinander empfinden. Sie erfahren erst voneinander, als Mali vierzehn Jahre alt ist und Reinhard neunzehn. Er ist ihr Halbbruder und lebt bei seiner Mutter fünfzehn Kilometer entfernt. Fünf Jahre später verlieben sie sich ineinander. Es ist verboten, tausendmal. Es ist Blutschande, genauso schlimm wie Rassenschande. Oder noch schlimmer? Diese Sünde ist eine, die gar keine Unterscheidung im Schweregrad mehr zulässt. Ja, und? Sie sind nicht die Ersten und werden nicht die Letzten sein. Es kümmert Mali einfach nicht, obwohl sie ihr ganzes bisheriges Leben ein ziemlich braves Kind war. Ohne große Begeisterung zwar, aber auch ohne ernsthaften Zweifel, war sie beim Bund Deutscher Mädel. Fahnen nähen, singen, zelten, marschieren, Ansprachen. Mali hat ein frühes Talent, nur mit einem Ohr hinzuhören. Erwachsene lügen fast immer, wenn es um etwas Wichtiges geht, seit dem Tod der Mutter weiß sie das. Sie erfüllt ihre Aufgaben, fügt sich ein, nicht mehr. Heimliches Messerwerfen mit den Burschen. Auf wackeligen Baumstämmen über Bäche flitzen, von Felsen springen und durchs Lagerfeuer, von der Tenne fünf Meter hinunter in den Heuhaufen, eine Armlänge neben den nackten Beton. Nur ein einziges Mal verstaucht sie sich den Knöchel, die Mutter passt auf sie auf, obwohl sie tot ist. Immer dabei ist auch ihr Schäfermischling. In der gleichen Woche, in der der

Hund stirbt, bekommt sie Scharlach und bleibt zwei Monate krank. Dann ist sie vierzehn und die Burschen nehmen sie nicht mehr mit. Die Kindheit? Puppen spielen, Tempelhüpfen, singen, Bauchweh vom Zwetschkenessen, Fieber, Rote Grütze und Marmorkuchen an den Sonntagen, Weihnachten und die Stimme des Führers aus dem Radio, vor der sie sich fürchtet. Ihre Schwester erzählt es herum, und Mali schlägt sie deshalb auf den Mund, dass ihr die Lippe platzt. Die weiche Hand der Mutter, ihre Stimme, ihr Duft. Ihr langes blondes Haar, das beim Gute-Nacht-Kuss kitzelt, wenn sie den Haarknoten schon gelöst hat. Nicht daran zu denken bedarf ständiger Übung. Nach dem Tod der Mutter lebt Mali mit der unverheirateten Tante und ihrer eigenen, um zwei Jahre älteren Schwester zusammen. Mit achtzehn meint Mali, sich kaum mehr an ihre Kindheit zu erinnern. Wenn die Tante ab und an von der Mutter zu sprechen beginnt, sagt Mali, sie solle sofort aufhören. Der Vater schickt Feldpostkarten aus Frankreich. Wenn er nach Hause kommt, bringt er Geschenke mit und lacht dröhnend. Nachts hören sie ihn husten und im Haus umherwandern. Sie gehen auf Zehenspitzen und spielen für ihn unter der Anleitung der Tante Tapferkeit und Frohsinn, bis sie selbst daran glauben. Hauptsache, er heiratet nicht wieder. Wenn sie sich genug anstrengen, kriegen sie das hin, alle drei miteinander. Die lederne Zähigkeit, die zu dieser Zeit so hoch im Kurs steht, kann man für dieses oder jenes Ziel einsetzen.

Mali leistet den Reichsarbeitsdienst auf einem Bauernhof mit angeschlossener Schmiedewerkstatt bei einer Familie mit neun Kindern, in dem Dorf, wo Reinhard lebt, und weil sie sonst niemanden kennt, besucht sie an den freien Samstagnachmittagen den Halbbruder, den sie bis dahin vielleicht drei oder vier Mal gesehen hat. Auch seine Mutter ist tot, ein Jahr zuvor an Tuberkulose gestorben. Mali hasst die Rotznasen der Bauernkinder und den von der Kernseife glitschigen Holzzuber, in dem mit einem Stock die gewaschenen Windeln hin und her geschwenkt werden. Sie hasst die dünne Eisschicht auf der Waschschüssel am Morgen, den dampfenden Atem der Pferde und Kühe und ihre stumpfen, eindringlichen Blicke. Sie lassen alles mit sich machen, diese Tiere. Wenn ein Pferd jemanden abwirft oder eine Kuh jemanden beinahe an der Stallwand erdrückt, gewinnt das Tier sofort Malis Sympathie, und sie verwöhnt es heimlich mit Futter. Fast erzählt sie Reinhard einmal davon, dann lässt sie es aber doch. Die schwere Arbeit macht ihr trotz allem nichts aus, und sie packt ordentlich an. Die Hausleute, deren Dialekt sie anfangs kaum versteht, sind freundlich zu ihr und loben sie als tüchtig und fleißig, auch vor anderen. Dass sie so wenig redet, obwohl sie doch das Abitur hat und sogar Latein kann, wird ihr als sympathischer Zug ausgelegt. Sie halten sie für schüchtern. Dabei tut sie die Arbeit nicht für diese Leute. Wenn sie arbeitet, muss sie nicht an die Mutter denken, nicht an die Todesmeldungen, die wöchentlich mehr werden, nicht an die Flugzeuge, die bis jetzt immer noch über die kleine Stadt hinweggezogen sind, und nicht an das Gemunkel über irgendetwas Ungeheures, gar nicht so weit weg im Osten. Zwar mag sie Gott nicht mehr, glaubt aber noch an ihn. Vor seinen Strafen hat sie keine Angst. Wenn Gott straft, kann man dagegen ohnehin nichts ausrichten. Tut er es nicht, gibt es nichts zu fürchten. An den Führer glaubt sie nicht mehr. Schon gar nicht, dass die Juden ihr Unglück seien. Viele sind es nicht in der kleinen Stadt. Den Besitzer des Uhrengeschäfts und seine Zwillingssöhne kannte sie vom Sehen, weil sie in ihrer Straße wohnten, sonst keinen. Sie sind alle fort. Die Schwester meint, sie glaube nicht, was man munkelt. Mali ist achtzehn und sagt: »Es ist alles wahr, jedes einzelne Gerücht.«

»Wieso sagst du das, woher weißt du das denn?«

Die Schwester regt sich auf, ihre Stimme überschlägt sich, was Mali sehr ruhig und sehr sicher macht: »Ich sage es, weil es wahr ist. Du wirst schon sehen.« Als die Schwester mit einem kindischen »Ich hasse dich!« zur Tür hinausstürzt, lächelt Mali verächtlich und bügelt die Uniform des Vaters fertig, der gerade auf Heimaturlaub ist.

Jahre später wird Frau M sich fragen, was sie damals so überzeugt sein ließ, und sie wird sich eingestehen, dass sie es damals tatsächlich nicht wissen konnte. Gerede hat es immer gegeben, von Anfang an. Sie hatte damals lediglich Freude daran, die Angst ihrer Schwester auf die Spitze zu treiben. Und genau deshalb wusste sie es dann doch, ganz genau wusste sie, wozu Menschen imstande waren, obwohl sie zu diesem Zeitpunkt außer ihrer Mutter und einem alten Nachbarn noch nicht einmal Tote gesehen hatte. Sie wusste es, obwohl sie andere Menschen so wenig wie möglich beachtete, sie wenn möglich nur aus dem Augenwinkel anblickte, sie wusste es auch, weil sie sich selbst sah. Die Frauen, wie sie über gerade Abwesende redeten, wenn sie beieinanderstanden. Die Spiele der Kinder, immer wieder: so harmlos noch einen Moment zuvor. Und sie selbst. Wenn man nur hinhört, ist das genug, um zu wissen, dass in jedem das eingeschlossen ist, was es möglich macht. Und was soll man über Männer überhaupt noch nachdenken, denen man beigebracht hat, Soldat zu sein sei ihre eigentliche Natur? Vielleicht stimmt es ja. Mali ist noch jung, tut nie so, als ob sie alles wüsste, und hat noch nicht genug Gründe angehäuft zu lügen und zu beschönigen. Es ist die Zeit, bevor sie Reinhard trifft. Noch hat sie nicht viel zu verlieren.

Reinhard sagt: »Es wird unser Unglück sein, was wir ihnen angetan haben.«

Wieso sagst du *wir*?«, fragt Mali, »du und ich, wir haben doch niemandem etwas getan.«

Sie reden dann viele Stunden, eng aneinandergeschmiegt in der Kälte, die durch die Ritzen in den Heuschober dringt, wo sie einander nachts manchmal treffen. Reinhard kennt Leute, die welche kennen, die. Es sei besser, sie erfahre nicht zu viel. Aber seine Quellen seien sicher. Über eine im Nachbarort habe es geheißen, sie wäre die Freundin eines Roten. Vor sechs Wochen haben sie sie geholt. Auch ihre Eltern wissen nichts. Einer, der jeden Sommer als Kellner im Kurhotel am See gearbeitet hat, habe als Warmer gegolten, er sei manchmal spätabends von betrunkenen Burschen dumm angeredet worden, habe sich nie gewehrt. Auch ihn haben sie geholt, um fünf Uhr morgens direkt aus seinem Quartier. Die zweite Tochter des Tierarztes zwei Dörfer weiter, die mit der Fallsucht. Erst vorige Woche haben ihre Eltern erfahren, sie sei an einer Lungenentzündung gestorben. Fünf Tage zuvor haben sie sie noch besucht, keine Spur einer Krankheit. Sie holen alle, die anders sind, früher oder später.

Als Mali gerade noch rechtzeitig vor dem Hellwerden auf den Hof zurückkommt, hat sie das deutliche Gefühl, über Nacht eine andere geworden zu sein. Das Kind, das sich von Lagerfeuer, Liedern und gezuckertem Hefekranz beeindrucken lässt, das Mädchen, das Strümpfe für die Soldaten an der Ostfront strickt, wie alle anderen beflaggte Stecknadeln in die Karten mit dem Frontverlauf sticht und so wenig nachdenkt wie möglich, ist tot, Reinhard hat ihm den letzten Stoß versetzt. Was Mali in dieser Nacht begriffen hat, hat einer anderen, die schon eine Weile in ihr lauerte, den Platz verschafft, der ihr zusteht. Ihr ist todernst zumute. Vertrauen wird sie ab jetzt nur mehr Reinhard.

Auch die Liebe ist eine todernste Sache. Mali wird eine Meisterin darin, lautlos aus dem Haus zu schleichen. Einmal begegnet sie einem der größeren Jungen, der mitten in der Nacht über den Hof Richtung Stall unterwegs ist. Beide bleiben stehen. Es fällt kein Wort. Sie werden einander nicht verraten und auch nie erfahren, was der andere vorhatte. Heute bedauert Frau M oft, dass sie den Jungen von damals nicht mehr fragen kann, was er über sie gedacht und warum er den Eltern nichts gesagt hat. Noch Jahrzehnte später taucht er gelegentlich in ihren Träumen auf. Was wäre geschehen, wenn er sich anders entschieden hätte? Hätte sie Reinhard nicht mehr treffen können, wäre sie nicht schwanger geworden, wäre nicht hierher zur Cousine ihrer Mutter geflüchtet, hätte nicht Robert bekommen, der sich nicht erschossen hätte? Ist ein solcher Verlauf ihres Lebens denkbar und hängt er womöglich von der spontanen Entscheidung einer Sekunde ab, von der Entscheidung eines anderen, von der eines Dreizehnjährigen, der sie nicht an die Eltern verpetzen und kein Verräter sein will, mit dem sie aber sonst überhaupt nichts zu tun hat? Was wird überhaupt aus unseren guten Taten und unseren noch besseren Absichten? Wenn nichts geschieht, weil es geschehen muss, kann dann alles geschehen?

Solche Gedanken fesseln Frau M an den Nachmittagen auf der Parkbank. Kein Wunder, dass es sie selten nach Gesellschaft verlangt. Sie würde die Angst nicht abschütteln können, genau dann den wesentlichen Gedanken nicht gedacht zu haben, der den Knoten auflösen würde. Dass es für die Welt, für das Große und Ganze, keine Lösung geben kann, leuchtet ihr ein. Aber ist nicht einmal ein einzelnes kleines Leben entwirrbar? Sie kann nicht nur ihr Unglück nicht aufgeben, sondern auch nicht die Hoffnung, es zu begreifen. In ihren Träumen bewegt der Junge vom Bauernhof den Mund, will ihr unbedingt etwas Wichtiges sagen, aber Mali kann ihn nicht verstehen, weil sie sich an einem Gewässer befinden, das im aufkommenden Sturm immer lautere Wellen gegen eine Mauer schlägt.

Als Achtjähriger fällt Reinhard von einem voll beladenen Heufuhrwerk und gerät unter die Räder. Sein Knie bleibt steif, und so wird er nicht zum Wehrdienst eingezogen. Er arbeitet im zentralen Postamt und liest konfiszierte Bücher, die ihm ein Freund aus der Sammelstelle beiseiteschafft. Reinhard ist groß und kräftig, dennoch ein Krüppel. Einer, der seinen Dienst für Volk und Vaterland nicht an der Front leistet, ist zweitklassig und trotz des Geschwafels von der Heimatfront bestenfalls bedauernswert. Mali ist so in ihn verliebt, dass sie den letzten Kilometer bis zu ihren Treffpunkten trotz aller gebotenen Vorsicht nicht anders als laufend zurücklegen kann und so gut wie immer völlig außer Atem in seine Arme stürzt. Beide sind überrascht von ihrem Hunger. Zentimeter für Zentimeter erforschen sie einander. Er küsst ihre Knöchel, ihre Knie. Er ertastet die Stellen zwischen Nacken und Schulterblatt, zwischen Hüftknochen und Oberschenkel. Er will sie auswendig lernen, sagt er. Es vergehen Stunden, in denen sie einander nicht loslassen. Sie kennen jeden Unterschlupf in der Umgebung. In den Wintern wird es schwierig, aber die Hindernisse machen die Anziehung nur noch stärker. Wenn sie zusammen sind, kennt Mali keinen Vorbehalt. Für eine ganze Weile hat die Wucht ihrer Gefühle die Kraft, ihn mitzureißen. Mali ist neunzehn, Reinhard vierundzwanzig. Mali beginnt, in der Bibliothek Geschichten über verbotene Lieben zu suchen. Sie sind ja nicht die Einzigen, sie liest sie ihm alle vor: Heloise und Abelard, Tristan und Isolde, Romeo und Julia.

Romeo, Romeo, wherefore art thou, Romeo? Deny thy father, and refuse thy name.

What's in a name? That which we call a rose by any other name would smell as sweet.

With love's light wings did I o'er-perch these walls, for stony limits cannot hold love out.

And what love can do, that dares love attempt.

Deny your father and refuse your name. Der Vater hat Reinhards Mutter regelmäßig Geld zukommen lassen, erzählt Reinhard. An den Geburtstagen besucht er ihn sogar, stellt ihm Fragen, klopft ihm auf die Schulter. Das Kind ist schüchtern, verstockt. Einmal, als der Vater gehen will, klammert er sich an ihn fest, bis ihm dieser eine Ohrfeige gibt und selbst genauso erschrocken scheint wie der Junge.

Ob es nicht bedenklich sei, dass es in all diesen Liebesgeschichten kaum Überlebende und letztlich kein Glück gebe, nicht ein einziges Mal? Das sei doch nur Literatur, erwidert Mali dann, wischt seinen Einwand beiseite, daran zähle doch nur die Wahrhaftigkeit der Gefühle und die Schönheit ihres Ausdrucks. »Aber wir sind das wirkliche Leben«, sagt sie. »Das Leben ist stärker. Es ist das, was wir daraus machen.« Das glaubt sie damals wirklich. Die Jugend ist der mildernde Umstand schlechthin.

»Du bist stärker«, sagt Reinhard dann und zieht sie an sich. Sie liebt seine Oberarme, aber leider behält er recht. Er ist schwach, so einfach ist das. Nach Amerika, nach Kanada oder Australien werden sie gehen, wenn das hier vorbei ist.

Dorthin, wo keiner weiß und keiner fragt. Sie hören BBC. Lange kann es nicht mehr dauern. Eine andere Zukunft ist für Mali nicht vorstellbar. Schon gar nicht, dass Amerika nichts als Gerede ist. Genauso gut hätten sie von Atlantis oder Arkadien reden können. Mali kann sich Amerika und das Leben, das sie dort führen werden, bis in die letzte Einzelheit vorstellen. Mithilfe von zerschlissenen Reclam-Ausgaben der Shakespeare-Dramen und einer Grammatik aus einer Reformschule der Zwanzigerjahre versucht sie, ihr Englisch zu verbessern. Alles kann sie sich vorstellen. Nur nicht, dass es nicht wahr wird. Nur nicht, dass er es nicht wagt. Manchmal muss man das Schwache gar nicht zurücklassen, es fällt von selbst von einem ab. Manchmal will man das nicht wahrhaben, wehrt sich dagegen und läuft Gefahr, selbst schwach zu werden. Als Reinhard geht, verstummt sie. Frau M erinnert sich, dass vor dem Verstummen noch etwas war, tief und unauslotbar: ein ständiges Brennen und Schneiden, ein einziger dumpfer Schlag, der nicht endet. Schemenhaft sieht sie sich im Halbdunkel bei zugezogenen Vorhängen auf ihrem Bett liegen, schemenhaft hört sie ein hohes, klagendes, an- und abschwellendes, nie aussetzendes Geräusch, das sie erschreckt, bis sie erst mit einiger Verzögerung erkennt, dass es ein klagendes Weinen ist, das ihren Körper tagelang schüttelt und richtiggehend austrocknet. Frau M hört, wie die Stricknadeln klappernd unter das Bett rollen. Der Entschluss, sich selbst und das Kind nicht zugrunde gehen zu lassen, es nicht herzugeben oder gar zu töten, kommt nach ein paar Wochen, solide und unerschütterlich wie ein Sonnenaufgang, und überrascht sie selbst. Der Schmerz fällt auf ein dauerhaftes Niveau ab, an das sie sich gewöhnt, an viel mehr erinnert sie sich nicht. Die Tage des Weinens, der Kräuterbrühe und der Stricknadeln, die dem

Verstummen vorausgehen, sind eine Erinnerung innerhalb der Erinnerung, solide verpackt. Kein Gefühl stellt sich dazu ein. Das Ganze könnte genauso gut einer anderen widerfahren und ihr von dieser erzählt worden sein.

Noch wissen Tante und Schwester nichts von Malis Schwangerschaft, die nicht das allergrößte Problem ist. Mali fürchtet vielmehr, dass sie den Namen des Vaters in einem schwachen Moment aus ihr herausbekommen. Und davon hat sie zurzeit einfach zu viele. Sie wird nicht standhalten, wenn sie fragen, schmeicheln, drohen. Vom eigenen Vater und Schwager sind sie seit drei Monaten ohne Nachricht. Wenn er aber kommt. Wenn sie es erfahren. Im Nachbarort gibt es eine pensionierte Krankenschwester, die sich um so etwas kümmert, das wird ihnen als Erstes einfallen. Auf gar keinen Fall kann sie das riskieren.

Das Verschwinden ist damals einfacher, als man es sich vorstellt: Kurz nach der endgültigen Kapitulation sind Hunderttausende unterwegs, zu Fuß, auf allen möglichen Gefährten, vor allem in den sporadisch verkehrenden und chronisch überfüllten Zügen. Ihre Stadt liegt am Rand einer Flüchtlingsroute. Eine junge Frau mehr, die sich allein durchschlägt, fällt nicht auf. Sie hält sich in der Nähe von anderen, ist aber vorsichtig und verschwiegen. Dass sie kaum spricht, erregt keine Aufmerksamkeit. Es gibt niemanden, der nicht genug eigene Sorgen hat, und niemanden, der nicht von ihr ablässt, wenn sie auf bestimmte Fragen keine oder ausweichende Antworten gibt. Die Menschen sind erschöpft. Und viel zu viele haben Gründe, zu verstummen. Auf sie kommt es nicht an. Nach zehn Tagen zu Fuß, in Zügen, auf Pferdefuhrwerken und alten Armeelastern erreicht sie die große Stadt im Süden.

Das Stiegenhaus ist ein mit ungeheurer Geschwindigkeit nach hinten, nach oben wegsausender Streifen Türkis, schon ist sie draußen, durch die Haustür oder einfach durch die Mauer, so genau könnte sie das gar nicht sagen, die Gasse hinunter, rechts um die Ecke – sie kann nicht einmal die einzelnen Wegabschnitte unterscheiden, so blitzartig geht es dorthin, weg aus der Küche, aus der Wohnung, aus dem Haus, ohne Gehstock, ohne Pause auf jeder Etage und Schmerzen im Hüftgelenk. Die Bank, früher nur fünf, in den letzten Jahren zehn Gehminuten entfernt, ist nicht mehr da, nur mehr das Gerippe der Eisenträger. Der Wind bläst einen rosa und einen gelben Plastikfetzen darauf zu, sie flattern hoch, verfangen sich darin. Eigentlich schön, findet Frau M. Diese wunschlosen Sekunden, was für eine Versuchung. Heute ist kein guter Tag zum Sterben: Der Himmel ist lückenlos zu. Ein Hund nähert sich, stutzt, hebt witternd den Kopf, macht einen Bogen um sie herum. Sein Herr hingegen – sie kennt ihn vom Sehen aus der Trafik, wo sie zwei Mal wöchentlich die Zeitung und einen Lottoschein geholt hat – geht glatt und schmerzlos durch sie hindurch. Nichts wie zurück. Nicht dass sie es etwa verpasst, wie sie sie abholen. Sie möchte sich schon noch einmal ins Gesicht sehen. Frau M steht auf der Gasse und schaut die Fassade des Hauses hinauf bis zu ihrer Wohnung. Ein leichter Nieselregen setzt ein, die feinen Tröpfchen fallen widerstandslos durch sie hindurch. Es müsse kühl sein, denkt sie, sogleich befällt sie ein sanftes, gedämpftes Zittern, eher die Erinnerung an das Frieren als der Zustand selbst. Als sie den Arm hebt, um eine im Sturzflug auf ein Semmelstückchen zuhaltende Taube abzufangen, geschieht nichts, was das Tier von seiner Flugbahn ablenkt. So ist das also jetzt, jetzt begreift sie es. Und so wird es wohl weitergehen. Küche und Wohnzimmer ihrer Wohnung gehen auf die Gasse hinaus. Ihr Blick sucht die Fenster. Jetzt schalten diese Frau Doktor und das Mädel auch noch das Licht in ihrer Küche an. Über ein halbes Jahrhundert lang hat sie hier gewohnt, neunundfünfzig Jahre genau. Dank Denkmalamt können sie hier zum Glück nicht mehr viel herumpfuschen. Das Haus war immer eine klare Sache, erst hellgrau, dann ockerfarben, schließlich wieder hellgrau mit einem Anflug von Blau. Frau M erinnert sich, dass man nach Kriegsende in die Zimmer des Hauses gegenüber sehen konnte, wo eine Bombe den größten Teil der Fassade weggerissen hatte. An der Wand ein Kalender mit Alpenblumen, davor ein Kinderstuhl mit einem Teddybären darin, rechts dahinter ein heller Fleck, wo wohl das Bild des Führers hing. Es gab Hunderte solcher Szenarien in der Umgebung, aber dieses prägte sich ihr ein, weil sie es Tag für Tag vor Augen hatte. Es ist der Ausblick vom Kabinett, in dem sie die ersten zwei oder drei Wochen nach ihrer Ankunft verbringt. Die Ruinen zu betreten ist wegen der Einsturzgefahr zwar strengstens verboten, aber das kümmert kaum jemanden, ebenso wenig wie die Drohung einer mobilen Ordnungstruppe: »Wer plündert, wird mit dem Tode bestraft!« Nicht nur frühere Bewohner machen sich im Schutz der Dämmerung und der Nacht in den zerbombten Häusern zu schaffen und nehmen mit, was möglich ist. Brauchbar ist praktisch alles, deshalb wundert sich Mali, dass der Kinderstuhl die ganze erste Woche, die sie fiebrig und schwer erkältet im Bett verbringt, unberührt bleibt. Die Tante stellt ihr nicht viele Fragen, macht ihr Kräutertee und Essigwickel. Frau M erinnert sich an die schleimigen Graupen in der Suppe, die eine Wohltat für den entzündeten Hals sind, und an das dunkle, teigige Brot, das sie auch ohne Halsschmerzen kaum hinunterbringt. Sie fiebert tagelang. In der Brust sitzt etwas Heißes, das ihren Atem auffrisst. Ihre Erinnerung an Reinhards Stimme verblasst. Sie versucht sie sich so angestrengt ins Gedächtnis zu rufen, dass sie ein oder zwei Mal Nasenbluten bekommt, das kaum zu stillen ist. Hin und wieder bringt die Tante sogar ein mit Weißwein verschlagenes Ei. Sie habe ihre Verbindungen, sagt sie und lächelt stolz. Sie flößt Mali heiße Suppen ein, gekocht aus dem, was sich gerade auftreiben lässt. Nachts, wenn Mali aus dem Schlaf aufschreckt, kühlt sie die heiße Stirn am Fensterglas und sieht im Haus gegenüber schattenhafte Gestalten ein und aus huschen. Einmal stürzt krachend ein Holzbalken auf die Straße. Jemand schreit. Jede Woche komme jemand in Abbruchhäusern ums Leben oder verletze sich schwer, erzählt die Tante. In den letzten zwei Monaten hat Mali Dutzende Tote gesehen. Für etwas anderes als Gleichgültigkeit und Schlaf ist keine Kraft übrig.

Ihr Haus ist bis auf ein paar Risse und viel zerbrochenes Glas unversehrt geblieben. Es hat großzügige Dimensionen, ist aber im Gegensatz zu den Nachbargebäuden aus der Gründerzeit völlig frei von Schnickschnack. Vielleicht deshalb wirkt es jung auf sie, als sie es zum ersten Mal sieht, unbelastet, obwohl es schon an die dreißig Jahre alt ist und grau verstaubt, stellenweise sogar rußgeschwärzt von den Bränden in der Umgebung. Das fällt ihr aber damals nicht auf. Jahrelang gibt es überhaupt keine frisch verputzten Fassaden. Bis die gesamte Stadt ihre Düsternis großräumig ablegt, wird es noch mehr als zwei Jahrzehnte brauchen. Frau M gefällt die neue Helligkeit nicht, obwohl schon mindestens zwei Generationen gar nichts anderes kennen. Die Stadt kam ihr früher wahrhaftiger vor.

Gleich nach ihrer Ankunft spürt sie, dass das Haus einem anderen Geist entstammt. Der alte Stadtplan, den sie von zu Hause mitgenommen hat, erweist sich als hilfreich, obwohl sie wegen der vielen abgeriegelten Straßen große Umwege machen muss und sich doch ein paar Mal verläuft, erschöpft, wie sie ist. Sie wäscht sich irgendwo an einem Hydranten, wo die Leute Wasser holen, denn straßenweise sind die Leitungen zerstört. Ein etwas älterer britischer Offizier spricht sie an. Als er seine Frage wiederholt, versteht sie ihn. Er ist begeistert von ihren unsicheren englischen Sätzen und drückt ihr einen Zettel mit seinem Namen, der Adresse des Headquarters, ein Stück Weißbrot und eine Tafel Schokolade in die Hand. Wenn sie Arbeit brauche, solle sie sich dort melden. Er hat mitleidige, eng stehende Augen und einen hellen Schnurrbart. Sie erinnere ihn an jemanden, sagt er. Zum Abschied tätschelt er ihre Wange. Es ist ein ungewöhnlich warmer Tag, und die Fliegen steigen in Schwärmen von den Bombentrichtern auf. Auf der Straße wird gekocht, Schutt weggeräumt. Viele, vor allem Ältere, sitzen reglos irgendwo herum. Die zahllosen Ruinen machen ihr Angst. Wenn die Tante auch ausgebombt ist, wo soll sie dann hin? Als sie Stunden später vor dem Haus steht, durchströmt sie eine solche Erleichterung, dass sie die Müdigkeit gar nicht mehr spürt. Es scheint ihr wunderschön, beinah unberührt von all dem rundherum. Das Türkis im Stiegenhaus ist die erste richtige Farbe, die sie seit einer Ewigkeit wahrnimmt, eine, die sich gegen alles Staubige behauptet. Die ganze Stadt besteht nur aus aschigen Grau- und Brauntönen. Die Tante ist nicht da. Mali lehnt sich an die Tür, rutscht bald tiefer und schläft ein. Die Schokolade hat sie ungeöffnet ganz unten in den Rucksack gepackt. Wenn die Tante nach Hause kommt, wird sie sogar ein Geschenk für sie haben.

Auch später wird in das Haus kein Lift eingebaut. Den bräuchte sie ohnehin nicht mehr, so blitzschnell ist sie jetzt wieder oben in ihrer Wohnung. Diese eine Verbesserung bringt ihr neuer Zustand auf jeden Fall mit sich. Das Mädel blinzelt genervt. Marie sagt nur: »Eine Tote und halbfinster, das ist mir wirklich zu viel.« Sie hat ein Formular vor sich liegen und füllt es aus. Frau M denkt vage, dass sie dagegen einschreiten sollte, wenn etwas derart Falsches über sie behauptet wird. Ihre neue, körperlose Verfassung hat aber noch etwas Wesentliches geändert: Sie fühlt und denkt zwar wie zuvor, der emotionale Impuls selbst verebbt jedoch oft und zerfällt wieder, als fehle ihm das Fundament, das ein intakter Körper bietet. Nur die bloße Information über den Anlass bleibt erhalten, Frau M selbst aber völlig gleichgültig. Was zählt, ist etwas anderes. Doch, da ist schon eine Art von Neugierde, eine Getriebenheit herauszufinden, was es ist. Nicht die Gegenwart, das ist klar. Von der hat sie nichts zu erwarten, schon längst nicht mehr.

Frau M beugt sich im hässlichen gelben Zwielicht ihrer Küche noch ein letztes Mal über sich selbst, um wenigstens ihr Profil zu sehen. Das Kinn ist immer noch markant, fast männlich. Dass das auf Willensstärke hinweisen soll, ist natürlich ausgemachter Unsinn. Aber zusammen mit ihrer fast knochigen Schlankheit und ihrer kräftigen Stimme ist ihre Erscheinung schon in jungen Jahren so, dass sie Männer auf der Suche nach einem lieblichen Weibchen von vornherein abschreckt. In ihrer Jugend gilt sie als schön, aber. Würde sie jemand fragen, welches Wort sie am ehesten charakterisiere, würde sie dieses wählen: *aber.* »Typisch Zwilling«, sagt ihre Tante, die auch sonst an allerlei Hokuspokus wie Wahrsagerei und Gespenster glaubt, »Mali, du hast zwei Gesichter.« Darin muss Frau M der längst Verstorbenen beipflichten: Sie ist sehr ordentlich, fast pedantisch, aber um fremde Regeln und Gepflogenheiten kümmert sie sich nicht. Als junge Frau gilt sie als still, verträumt sogar, ist dabei aber ungeheuer lebenspraktisch, als diese Folge von kleineren und größeren Katastrophen über sie hereinbricht, die sie eine nach der anderen administriert, so gut, dass sie um ein Haar süchtig danach wird, süchtig, sich in schwierigsten Situationen zu beweisen, durchzuhalten und das sogenannte Beste daraus zu machen. Schön war sie vielleicht als junge Person, attraktiv im eigentlichen Sinn nicht. Nicht für jedermann, nicht für den Durchschnitt. Aber Reinhard ist nichts weniger als Durchschnitt. Für ihn, nur für ihn ist ihr Kinn so, wie es ist, die Schlüsselbeine, die ausgeprägte Rundung der Hüfte, jedoch ohne Speckschicht. Für ihn ist ihre Stimme genauso voll und dunkel, ihre Hände sind langfingrig und schlank. Jetzt braucht sie sich ja wirklich nicht mehr zu genieren. Für ihn allein atmet sie. Nur für ihn schlägt ihr Herz, so heißt es doch in diesen unsäglichen Schlagern. Unsäglich wahr kann so etwas sein. Und er wird längst tot sein, was sonst. Dreiundachtzig wäre er. Keine verlockende Aussicht. Aber auch eine sterbliche Liebe kann einen beinah umbringen.

Einmal auf der Flucht hierher müssen sie zu Fuß über eine Brücke mit beschädigtem Mittelpfeiler und fehlendem Geländer. Die Gruppe, mit der Mali unterwegs ist, diskutiert noch, was am besten zu tun sei, da ist sie schon den halben Weg drüben. Als sie ein paar Tage später versprengten russischen Soldaten begegnen, versteckt sie sich nicht und geht gleichmütig mit ihrem Bündel am Rücken an ihnen vorüber, ohne auch nur auszuweichen. Frau M zweifelt daran, dass die Russen von ihrer Furchtlosigkeit beeindruckt waren. Vielleicht hatten sie an jenem Tag einfach schon ihren Spaß gehabt. Aber beide Male wäre ihr der Tod gleichgültig gewesen. Nicht dass sie ihn direkt gesucht hätte, aber sie geht ihm auch nicht aus dem Weg. Doch nichts geschieht ihr.

Marie denkt einen Moment über das nach, was Katharina gesagt hat. Ob der Wunsch, bei guter Gesundheit viel länger als andere am Leben zu bleiben, wirklich klug ist? Katharina lässt einem aber auch wirklich nichts durchgehen. Man könnte sie für unverschämt halten. Katharina gehört zu den Erscheinungen in Maries Leben, die immer wieder einmal im Weg herumsitzen oder -stehen und einem kleine Stöße verpassen. Katharina ist ein wohltuender Stachel, was nicht nur an ihr selbst liegt, sondern doch auch daran, dass sie Konrads Tochter ist, Marie weiß das. Aber bis jetzt hat sie es erfolgreich vermieden, darüber nachzudenken.

»Also, ich möchte nicht hundertfünfzig oder hundertachtzig werden«, meint Katharina, der es wohl zu lange dauert, bis Marie sich zu einer Antwort durchringt. »Ich hänge nicht so sehr am Leben. Kann schön sein, ist unterm Strich aber doch ziemlich mühsam. Zu viel Wiederkehrendes. Stell dir das einmal vor: das vierte Haus, die achte Ehe. Auf Ururenkel aufpassen, deren Namen du dir nicht mehr merken willst. Zuschauen, wie derselbe Unsinn wieder und wieder wird. Nein, danke. Steht mir nicht zu, so viel Resignation in meinem zarten Alter, nicht?«

Marie geht nicht auf Katharinas Provokation ein. Frau M muss lächeln, die Kleine ist nicht übel. Marie wirft vorsichtig einen genaueren Blick auf Katharina. Ist sie wieder unverhältnismäßig warm angezogen, um eine Gewichtsabnahme zu verbergen? Nein, sie sieht ganz gut aus. Frische Gesichtsfarbe, keine Augenringe, der Busen zumindest wieder erahnbar. Marie hütet sich aber, ihr das mitzuteilen. In der verdrehten Logik einer Anorektikerin würde das heißen, sie sei zu dick.

Über ein Jahr kommt Katharina wöchentlich zum Wiegen, freiwillig. Dabei entwickeln sie ihre privaten Witzchen: *Es ist nicht leicht, schwerer zu werden. Die unerträgliche Leichtigkeit gegen das Gewicht der Welt.* Wortspiele, schwarzer Humor. Manchmal kommen sie zu zweit richtig in Fahrt. Außerdem reden sie mit Hingabe über das Essen. Der Geschmack von Lebkuchen, von Lamm mit Spinat, Butterbrot mit Schnittlauch, Vanillekipferl, Granatapfelkernen. Sie erzählen sich Essengeschichten aus der Familie.

»Du hättest meine Großmutter kennen sollen«, sagt Katharina. »Sie hatte unzählige Gläser mit selbst eingelegtem Gemüse, selbst gemachter Marmelade und was weiß ich noch in der Speisekammer gebunkert. Waren es weniger als zehn Kilo Mehl oder Zucker, wurde sie nervös und drängte meinen Großvater, sofort Nachschub zu holen. Dabei lebten sie nur mehr zu zweit. Zu essen bekam man immer bei denen! Sie nahm es ganz und gar persönlich, wenn man nicht aufaß. Nach einer Woche bei ihnen kam ich als Kind immer kugelrund nach Hause. Dass meine Mutter uns auch ernähren konnte, glaubte die Oma nie recht. Eine Frau, die nicht bei ihrem kleinen Kind zu Hause bleibt, kann nicht ordentlich kochen können! Der Herr Sohn kam dafür ohnehin nicht in Frage.«

Frau M registriert, was Katharina sagt. Das verstehen sie einfach nicht, denkt sie, wie sollen sie auch. Sie kennt Katharinas Großeltern, die Eltern des Architekten im Stockwerk über ihr, sie stammen aus derselben Gegend, aus dem nur zehn Kilometer entfernten, etwas größeren Städtchen, wo sie bis 1945 ein Papiergeschäft mit Künstlerbedarf führten. Malis Schwester hat dort Zeichenpapier, Skizzenhefte und Aquarellfarben gekauft, solange es so etwas gab. Die kleine Bücherabteilung haben sie aufgegeben, als die Nazis kamen. Man hat geredet, passiert ist ihnen aber nichts. Ausgerechnet hierher ist der Sohn mit seiner jungen Frau gezogen. Als sie dem vielleicht fünfzehn Jahre älteren Paar zum ersten Mal im Stiegenhaus begegnet, sind sie die Ersten aus der alten Heimat, die sie trifft. Zuerst erkennt sie die Melodie ihrer Sprache. Sie muss sofort in die Wohnung zurück und sich hinlegen, weil ihr schwindlig wird. Vom ersten Tag an hat sie ihren Dialekt vermieden, keine Sekunde hat sie je an die alte Sprache gedacht. Wochenlang kämpft sie mit einer Grippe, und das Fieber schwemmt ein Heimweh herauf, in dem sie ertrinken möchte. Aber es geht vorbei.

Marie bohrt bei Katharinas Erzählungen niemals nach, nimmt niemals Vater und Mutter ins Visier. *Lass ihr Zeit und lass sie in Ruhe.* Marie hält sich an diese Maxime, von der sie in Katharinas Fall überzeugt ist, ohne recht zu wissen warum. So sollte sie als Ärztin nicht handeln. Sie tadelt sich als unreflektiert, sogar fahrlässig. Aber gerade die Ärztin in ihr ahnt, dass Kontrolle für Katharina Gift ist. Irgendwann beginnen die beiden, einmal pro Woche miteinander zu essen. Katharina bringt Selbstgekochtes mit, Marie stellt eine Mikrowelle in die Praxis. Eine Portion für Fabian zum Mitnehmen ist immer dabei, Katharina besteht darauf. In der Supervisionsgruppe mit den Kollegen erzählt Marie nichts davon. Sich von einer Anorektikerin das Abendessen kochen zu lassen, ob sie das verstünden? Falls ja, würden sie es unter der Lupe von Therapiekonzepten betrachten und sie beide unter psychoanalytischen Gesichtspunkten sezieren, freundlich, vielleicht sogar wohlwollend, fachlich gewiss einwandfrei. Genau das ertrüge Marie nicht. Es geht ihr um das Mädchen, um nichts sonst. Sie erschrickt, als es ihr klar wird.

Katharina geht wieder zur Schule und zum Tanzen. An die fünfzig Kilo zu wiegen, ist halbwegs zu ertragen. Nach jeder Woche ohne Gewichtsverlust trinken sie ein Glas Prosecco. Die Zeitspannen zwischen den Rückschlägen werden länger. Einmal im Monat kauft sich Katharina irgendeine Kleinigkeit zur Belohnung, ein T-Shirt oder ein Buch, was sie gewissenhaft in eine Liste einträgt. Ordnung muss sein! Und Kontrolle! Sie lachen miteinander darüber. Katharinas Hefte sind weiterhin perfekt. »Die Zelle wird immer größer«, sagt Katharina. »Manchmal habe ich schon Freigang. Und manchmal schraube ich wieder ein paar Gitterstäbe fest.«

Konrad kocht für sie, und sie sehen Filme miteinander. Mehr erfährt Marie nicht, sie will auch nichts wissen. Als sie Katharina eines Tages vorschlägt, auf das Wiegen zu verzichten, ist sie zunächst gar nicht erfreut. Es dauert, bis sie glaubt, dass Marie sie mag und nicht nur die Überwindung der Krankheit im Blick hat. Es ist Katharinas Liste, die immer länger wird und sie immer leerer zurücklässt, wenn sie sie wieder einmal ergänzt und mit der neuesten Errungenschaft aufpoliert: ganz gesund werden. Einmal, als schon alles vorbei scheint, schreit und weint sie in Maries Praxis, schlägt mit dem Kopf an die Wand. »Ich bin ein Posten auf deiner Erfolgsliste, nicht wahr? Gib es doch zu! Du bist doch genauso! Nur gesund! Ihr braucht uns doch, damit ihr eure Siege feiern könnt.«

Marie sagt nicht, dass nichts davon wahr sei. Katharina wird übel, weil sie seit zwei Tagen nichts gegessen und wenig getrunken hat. Sie hält sie fest, sonst nichts. Dann kommen die Spaziergänge. Gelegentlich essen sie sogar in einem Lokal etwas miteinander.

»Ich bin okay, du brauchst mich nicht so zu mustern.« Katharina bemerkt es sofort.

»Hältst du dich selber aus, so wie du jetzt bist?«

»Geht so. Im Großen und Ganzen ja.«

Nur mehr wertloses Gewebe, Waffenruhe in den neuronalen Netzwerken. Totenstille in den Mandelkernen und im Hippocampus, die Inselrinde schon am Bröckeln, ebenso wie der ganze Rest dieses anderthalb Kilo schweren Dings, das angeblich Sitz von allem ist, was man ist. Hilflos ist man und anfällig für jede Art von Irrtum sowieso. Gäbe es Gott, wäre er ein genialer Dilettant, darin sind sie und ihr Sohn Robert sich einig, kein Perfektionist. Das Gehirn zum Beispiel. *Verstünden wir es, wäre es so einfach, dass wir zu dumm wären, um es zu verstehen.* Das ist Roberts Lieblingsspruch, wenn es um sein Lieblingsgebiet geht. Ausgerechnet das Gehirn. Mit Begeisterung erzählt er ihr, was er darüber lernt: Nervenimpulse zum und vom Gehirn bewegen sich mit einer Geschwindigkeit von zirka 270 Stundenkilometern. Pro Tag sterben zehn- bis hunderttausend Gehirnzellen ab, dennoch haben wir am Ende unseres Lebens nicht mehr als maximal zehn Prozent unserer Gehirnkapazität verloren. Das vollständige Nervennetzwerk des Gehirns erstreckt sich auf mehr als 100 Kilometer Länge. Das Gehirn hat keine Schmerzrezeptoren und könne daher auch keinen Schmerz empfinden.

»Was ist es dann, was so wehtut?«, fragt Frau M ihren Sohn. Die Frage entwischt ihr. An seine Antwort erinnert sich Frau M genau: Es sei wohl das, was das Gehirn zu empfinden ermögliche, nicht das Gehirn selbst. Die internationale statistische Krankheitsklassifikation der Weltgesundheitsorganisation unterscheide übrigens mehr als 200 Gruppen möglicher Diagnosen für Schädigungen von Psyche, Gehirn und Nervensystem. Auch daran sehe man, Gott sei kein Perfektionist. Wenn man nur allein das menschliche Gehirn betrachte, das man bei Weitem noch nicht verstehe, noch gar nicht die äußere Welt, sehe man schon, die Schöpfung sei reichlich undurchdacht. Es sei doch besser, nicht an ihn zu glauben. Das erspare einem jedenfalls eine Menge Ärger. Wer möchte schon sein Leben lang auf seinen Schöpfer wütend sein?

In diesen Jahren verlor sie ihn, obwohl sie täglich miteinander in der Küche saßen und redeten. Wahrscheinlich bemerkte sie es gerade deshalb nicht, davon ist sie später überzeugt. Er überflügelte sie rasch an Wissen, las Bücher, die ihr zu anstrengend oder nicht der Mühe wert schienen. Er hätte Widerspruch gebraucht, irgendetwas, das sie ihm nicht geben konnte. Einen Vater. Keiner von ihnen bemerkte es. Seitdem er vierzehn, fünfzehn war, fragte er nicht mehr nach ihm und Frau M wähnte sich in Sicherheit. Die Zeit, in der er immer Geschichten über ihn verlangt hat, war anstrengend. Was sie ihm erzählte, war eine Mischung aus Erfindung und Wahrheit, die ihr mit der Zeit selbstverständlich wurde. Es waren schöne Geschichten ohne nächtliches Wachliegen und Zittern, ohne Schuld und Verrat. Sie hat kein Bild von Reinhard, das ist schade. Das einzige, ein Passbild, hat sie damals irgendwann nachts zerschnitten und verbrannt. Es in ein altes Lexikon zu stecken, wie sie es zuerst getan hat, half nicht und war außerdem viel zu gefährlich.

Vielleicht hätte Robert ein bisschen weniger gefragt, wenn er wenigstens eine Vorstellung gehabt hätte. So muss sie ihm den Vater immer wieder beschreiben, seine Augen, seine Gestalt, seine Stimme, was er mochte und was nicht, welche Lieder er sang, was er gerne aß. Was er konnte, vor allem das. Es strengt sie an, darüber zu reden, sodass sie nicht viel Kraft zum Erfinden hat. Bis auf ein paar wenige Details und bis auf das, was man keinem sagen kann, hält sie sich an die Wahrheit. Sie erzählt ihm sogar vom steifen Bein und wie überaus geschickt der Vater damit umgegangen ist, sogar reiten und auf Bäume klettern habe er gekonnt. Insgesamt muss sie kein bisschen übertreiben, damit Robert einen Helden aus dem Vater macht. Auch das zu ertragen, fällt ihr nicht leicht. Sie gibt ihm einen anderen Namen und einen schnellen Tod durch einen Tieffliegerangriff in den letzten Kriegswochen. Roberts Geburtsurkunde, in der in der Rubrik »Vater« »unbekannt« steht, hat sie gut weggeschlossen. Es müsste nicht allzu schwierig sein, den Eintrag gelegentlich ändern zu lassen und den Namen eines Gefallenen als Vater anzugeben, wo die alte Heimat doch jetzt hinter dem Eisernen Vorhang liegt. Dieser ist eine tragische Angelegenheit, keine Frage. Aber für Mali ist er ein Vorteil. Die Grenze verschafft ihr den Abstand, den sie braucht. Nur Amerika wäre noch besser gewesen. Aber Amerika war Reinhard und somit für alle Zeiten unerreichbar. Robert und sie sind damals noch ein Herz und eine Seele. Wieder so ein Ausdruck, wie er treffender nicht sein könnte. Zumindest mit dem, was von ihrem Herzen und ihrer Seele damals noch übrig ist, hängt sie an ihm.

Nach der Matura studiert Robert Biologie. Sie unterstützt ihn wie zuvor im Gymnasium beim Lernen, fragt ihn wieder und wieder ab, auf seinen Wunsch hin. Nein, sie drängt sich ihm nicht auf. Er könne doch ruhig jemanden zum Lernen mitbringen, wenn er wolle. Zwei Jahre später: Ob es denn keine Mädchen unter den Studenten gäbe, die ihm gefallen? Er starrt auf den Teller, seine Lippen beben, und sie schwört sich, nie wieder ein Wort darüber zu verlieren. Als er das Gymnasium abschließt, ist sie noch keine vierzig. Mehr als ihr halbes Leben liegt das zurück. Damals kommt sie sich alt vor. Obwohl ihre Haut noch glatt ist, ist keine Spur von

Jungsein mehr an ihr. Sie hat Robert, er ist ihre Hoffnung und ihre Zukunft, das muss sie ihm nicht sagen. Er weiß das.

Hier in der Küche sitzen sie oft miteinander, Robert auf dem Platz, wo jetzt ihr Körper zu einer bleischweren Last wird, die Marie, Katharina und sie selbst hier zusammenzwingt und festhält. Es gibt keine Seele, erklärt er ihr. Wer auch nur eine Ahnung von der Komplexität des Organs habe, das der Sitz unserer gesamten geistigen und emotionalen Welt sei, könne diese Annahme nicht aufrechterhalten. Nichts bleibe von uns ohne Körper. Der Glaube an ein Weiterleben sei nichts als Realitätsverweigerung. Hätte sie widersprechen sollen? Sie weiß keinen guten Grund, keinen einzigen. Und es gefällt ihr, wenn er sagt, dass Glaube etwas für Schwächlinge sei. Sie mag es, wie er den Mund dabei verzieht, wie er die neuen Wörter verwendet, die er von der Universität mitbringt, und wie fest und entschieden seine Stimme klingt. Nicht trotzig, sicher, ein bisschen wie Reinhard. Das, was mit ihr jetzt vor sich geht, ist doch kein Beweis für die Unsterblichkeit der Seele, nicht der geringste. Das hier ist ein großes, seltsames, vielleicht sogar großartiges Missverständnis. Vielleicht eine Sensation, die erstaunliche Ausnahme, die die Regel bestätigt. Robert war ein scheuer, aber sehr kluger Bursche.

Seit seinem Tod nimmt Frau M seinen Platz ein, weil sie es nicht ertragen kann, am Küchentisch sitzend immerzu seinen leeren Sessel vor Augen zu haben. Auf seinem Platz passiert dann also vorgestern um genau sechs Uhr fünfzehn, ausgerechnet an seinem Geburtstag, auch dieses Missgeschick während des Frühstücks. Sie könnte Großmutter, sogar Urgroßmutter sein. Daran denkt sie nicht oft, aber wem sie dann nicht verzeiht, bleibt immer unentschieden. Es geht eigentlich ziemlich schnell, und keineswegs zieht ihr gesamtes Leben an ihr vorbei. Schon als sie wie immer kurz nach sechs Uhr aufsteht, verengt und öffnet sich ihr Gesichtsfeld ein paar Mal so merkwürdig. Ihr ist ein wenig schwindlig, aber sie beachtet die Sache nicht weiter. Sie gießt sich Kaffee in die Tasse, streicht sich ein Marmeladebrot, nimmt einen Bissen. Ein Sausen in den Ohren, als würde das gesamte Blut in den Kopf steigen, ein Krampfen, erst in der Brust und dann überall. Ein Pumpen, das sie als Ganzes zusammendrückt, regelrecht auf einen winzigen Punkt hin verengt, und sie dehnt sich in der nächsten Sekunde wieder ganz in ihren Körper hinein, wird bis an seine äußersten Grenzen gezerrt, ein schmerzhaftes, nadelspitzes Kribbeln von der Kopfhaut bis zu den Zehen, ein und aus, sie kann nicht sagen, wie oft. Dann ist es zu Ende. So einfach und beinah schmerzlos. Und da ist sie jetzt. Keiner ist da, um einen abzuholen und ins Licht zu geleiten wie auf diesem schönen Gemälde von Hieronymus Bosch, *Die Glückseligen und die Verdammten*, das sie einmal mit Robert in Venedig gesehen hat. Da ist kein Tunnel, kein Ausblick, kein Licht. Auch keine richtige Dunkelheit. Es ist wie immer: ihre alte Wohnung und diese zwei Frauen, die nicht gehen wollen und rein gar nichts begreifen. Das hier sieht täuschend ähnlich aus wie der Tod, das gibt sie schon zu. Aber sie ist ja hier, hört sich das Gerede dieser Frau und des dünnen Mädels aus dem dritten Stock an und weiß nicht mehr recht weiter. Da sitzt dieser Körper herum, schwer, überzählig und kaputt. Frau M nimmt untrüglich wahr, wie er Minute für Minute sein Recht verwirkt, hier zu sein. Die Toten haben unter den Lebenden nichts verloren. Steht es nicht so in der Bibel? Nein, es heißt: *Was sucht ihr die Lebenden unter den Toten?* Sie sucht keiner, tot oder lebendig. In Frau M baut sich wieder der alte Ärger auf diesen Körper auf, ein Ärger, der sich von Zeit zu Zeit entladen musste, obwohl er in ständigem Aufräumen und Saubermachen eine regelmäßige Besänftigung erfuhr. Nichts zu tun zu haben war immer die Hölle. Und jetzt? Könnte ihr noch übel werden, wäre jetzt der Moment dafür gekommen. Ist das jetzt die Hölle? Zum Nichtstun verurteilt, durchlässig wie Luft, von beängstigenden und seltsam verlockenden Auflösungserscheinungen befallen, die eigene Geschichte und ihre Erinnerungen stumm verteidigen zu müssen, mit nichts anderem ausgerüstet als mit der Kraft des eigenen Willens?

Maries Telefon klingelt. Sie sagt nicht viel, bleibt geschäftsmäßig, verdreht die Augen. Auf Katharinas fragenden Blick hin: »Das war die Bestattung. Sie sagen, die Aufträge kommen heute so dicht, dass sie in ziemlichen Stress geraten. Es könne noch ein wenig dauern, eine knappe Stunde jedenfalls.«

»In Ordnung. Ich bleibe gerne mit dir hier.«

Katharina kramt in ihrer Umhängetasche und zieht einen kleinen Skizzenblock hervor.

»Das ist doch eine großartige Gelegenheit. Du hast nichts dagegen, oder?«

Ohne die Antwort abzuwarten, zückt sie einen Bleistift und beginnt, die Tote am Tisch mit raschen Strichen zu skizzieren. Marie steht auf, drückt die Finger zusammen, dass die Knöchel knacken, macht ein paar unruhige Schritte, umkreist den Tisch.

»Ich halte es hier nicht mehr aus. Ich habe keine Lust mehr, eine Stunde oder womöglich noch länger hier herumzusitzen. Komm, wir gehen!«

»Nein, Marie, lass mich doch zeichnen, bitte! Und entspann dich. Schau mir halt zu und erzähl mir, was du über sie weißt.«

Marie nimmt den Schlüssel, den sie auf den Herd gelegt hat, und macht keine Anstalten, sich wieder hinzusetzen.

»Hast du es denn eilig? Wegen Fabian?«

Das wäre die perfekte Ausrede gewesen, aber Marie lässt die Gelegenheit verstreichen. Sie schüttelt den Kopf. »Fabian ist bis übermorgen bei seinem Vater.«

»Na dann.« Katharina weiß, dass Marie nicht gerne alleine die Abende in ihrer Wohnung verbringt, wenn Fabian bei seinem Vater und dessen neuer Familie ist. »Hör zu, ewig kann es ja nicht mehr dauern. Sie war doch deine Patientin. Und ich erzähle dir, was ich über sie weiß. Sie hat eine Ewigkeit hier gewohnt, war schon Jahrzehnte da, als meine Eltern eingezogen sind. Ich kenne sie seit der Kindergartenzeit. Mein Vater hat manchmal mit ihr gesprochen. Sie hatte einen Sohn, der sich angeblich hier umgebracht hat.«

Die Gelegenheit, Leuten zuzuhören, die in ihrer Abwesenheit über sie sprechen, ist einzigartig. Aber Frau M interessiert sich kaum dafür, was die beiden über sie sagen. Was wissen sie schon. »Vereinsamte Alte« genügt, um zu glauben, hinreichend über jemanden Bescheid zu wissen, denkt Frau M und verfestigt sich dabei wieder um eine Spur.

»Na gut«, seufzt Marie. »Ich ergebe mich. Ich müsste ohnehin unten in der Praxis warten. Ich bin ja auch Sprengelärztin und für den ganzen Papierkram zuständig.« Sie sieht auf die Küchenuhr. »Aber du? Kocht dein Vater am Freitag nicht immer für dich? Solltest du nicht gehen?«

»Ich rufe ihn an, dass es später wird«, entgegnet Katharina völlig ungerührt, ohne den rhythmischen Blickwechsel zwischen Zeichenblatt und Frau M zu unterbrechen.

»Und schau, sie war ganz allein. Wir halten sozusagen die Totenwache für sie.«

Frau M folgt Maries Blick auf ihre Küchenuhr. Sie stammt noch von der Cousine ihrer Mutter, die sie damals bei sich aufgenommen hat. Sie sieht den Minutenzeiger einen Ruck machen und danach in winzigen Rückstoßbewegungen ein paar Mal nachzittern. Sie hört Katharina mit ihrem Vater telefonieren und sagen, dass es später wird. Frau M weiß, das ist das Vergehen der Zeit. Man kann es beobachten, es wird darüber gesprochen, und es ist eine der Grundkonstanten des Lebens. Aber ein Teil von ihr kann nichts damit anfangen, als habe sie vergessen, was eigentlich damit gemeint sei.

Robert ist alles, von Anfang an. Sie hat Angst, nicht genug zu essen für ihn zu bekommen, nur jeden zweiten oder dritten Tag ergattert sie einen Viertelliter Milch. Als er ein paar Monate alt ist, muss sie ihn mit zerdrückten Erbsen zufüttern. Allein das Anstehen vor den Geschäften zehrt fast ihre gesamten Kräfte auf. Einmal fällt sie mitten in einer Schlange mit dem Kind auf dem Arm in Ohnmacht. Dass die vier Frauen vor ihr sie dann vorlassen und eine ihr sogar noch etwas von ihrer Milchration schenkt, ist eine unfassbare Ausnahme von der Regel, nach der Menschen in Bedrängnis nicht besser, sondern härter und egoistischer werden. Nicht viele leisten sich Mitgefühl, auch sie nicht. Körperlich ist sie schwach. Fast ein Jahr ist an Arbeiten nicht zu denken, aber der britische Offizier, für den sie vier Monate lang, fast bis zu Roberts Geburt, übersetzt, steckt ihr immer wieder Nahrungsmittel zu, Fischkonserven, Eipulver, sogar Honig und Orangen. Als das Baby da ist, bringt er einen Kinderwagen. Die Tante, die den ganzen Tag bei einer Frauenaufräumbrigade Schutt wegräumt, hat Magenschmerzen und beginnende Arthritis, aber Oberarmmuskeln wie ein Mann. Wenn der Engländer auf Besuch kommt, legt sie die Kittelschürze ab und breitet das einzige ungeflickte Leintuch als Tischdecke im Wohnzimmer aus. Frau M erinnert sich an seine sanften Augen, die sie völlig kalt ließen.

»Sei nicht so blöd«, sagt die Tante. »Der würde dich sofort nach England mitnehmen, mitsamt dem Kleinen. Das ist ein Guter.«

Doch, dankbar ist Mali.

»Dann denk wenigstens an das Kind!«

Das bringt sie ins Zweifeln.

Als er ihr aber Schuhe und ein Kleid schenken will, lässt sie ihn gar nicht erst zu Wort kommen. Sie drückt ihm die Schachtel, die er mit einer scheuen Geste auf das Sofa legt, als fürchte er ohnehin schon, sie würde sie nicht annehmen, mit einer heftigen Bewegung an die Brust. Einen Moment stehen sie einander gegenüber. Es bedarf keiner Worte. Als der Kleine quengelt, wendet sie sich ab. Er zögert noch ein paar Sekunden und geht dann, zieht ganz leise die Tür hinter sich zu, als wolle er jede Spur seiner Anwesenheit tilgen. Was sie nicht erwartet, ist, dass er tatsächlich noch Lebensmittel schickt, bis Robert drei oder vier ist. Sie weiß nicht, warum sie sich nicht einmal dafür bedankt, sie weiß auch nicht, warum sie ihn damals so rüde zurückgewiesen hat. Er ist nicht einmal hässlich, nicht einmal besonders alt. Die Sachen zurückzuschicken kann sie sich nicht leisten. Eine Weile denkt sie mit einem leisen Unbehagen an ihn, dann gar nicht mehr. Jahrzehnte später versucht sie sich an seinen Namen zu erinnern, aber es gelingt ihr nicht.

»Allein in unserer Stadt gibt es eine Viertelmillion mehr Frauen als Männer, das steht in der Zeitung«, sagt die Tante. »Du bist nicht bei Trost.«

Wie recht sie hat, denkt Mali und vergräbt ihre Nase in

Roberts weichen Wangen. Als er drei ist, zieht im Mezzanin ein praktischer Arzt ein, der noch eine Sprechstundenhilfe sucht. Im Kleinen habe ich immer sehr viel Glück gehabt, denkt Frau M. Ein Mann, der sie versorgt, hätte natürlich Vorteile. Ab und zu lächelt sie einer an. Aber sie sieht keinen. Das Zurücklächeln missglückt ihr regelmäßig wie ein besonders heikles Rezept. Wer sich nicht gleich abschrecken lässt, wird kaltgestellt, sie kann sich dabei zusehen, beinahe selbst erstaunt. Auf die, die dabei Regie führt, ist immer Verlass. Mit den Jahren erledigt sich das Thema. Sie hat das Kind. Mehr ist dazu nicht zu sagen, befiehlt sie sich später, wenn manchmal leise Zweifel aufsteigen, ein Gift, das sie stundenlang auf der Parkbank festhält und nachts nicht schlafen lässt. Nein, kein Bedauern. Sie hat das Kind.

Wo jetzt der Kühlschrank und ein Regal mit Vorhang sind, stand damals ein Diwan mit zerschlissenem Samtbezug, auf dem die Tante hin und wieder jemanden übernachten ließ. In den ersten Monaten liegt sie oft stundenlang mit dem Kleinen dort, hebt ihn hoch, kitzelt ihn, bis er lacht, küsst seinen kleinen Bauch. Was braucht sie sonst schon. Wenn sie nicht müsste, ginge sie gar nicht hinaus. Sie näht sich zusätzliche Innentaschen in den Wintermantel aus Armeedecken und geht in den Park, wo die Zigaretten, die der Engländer mitschickt, ein wertvolles Zahlungsmittel sind.

Jede erbsenfreie Woche ist ein Geschenk. Die Erbsen sind eine Spende der Sowjets für die hungernden Stadtbewohner. In den Säcken, die viel zu lange lagern, wimmelt es von Käfern. Nach dem Ausklauben und dem Einweichen musste man noch die auskriechenden Maden abschöpfen. Zwanzig Jahre später reden die Frauen im Stiegenhaus darüber, empört, dass die Jungen nicht mehr wissen, wie es damals war. Frau M schüttelt den Kopf. Warum soll Robert erfahren, dass sie im eiskalten Winter damals oft überlegt hat, was wichtiger ist: Das letzte oder vorletzte Brikettstück oder der heiße Tee aus Apfelschalen? Die vergewaltigte und erwürgte Sechzehnjährige in den Flussuferauen. Der Mann einer Bekannten ist Reporter bei einer Zeitung und hat das Foto gemacht, das sie dann nicht veröffentlichen. Die Frauen sitzen auf dem Sofa bei einer Tasse echten Bohnenkaffee und brechen in Tränen aus. Der erschrockene Kleine weint mit, kann sich nicht beruhigen. Das Plakat, auf dem eine Gruppe an einem Abgrund stehender Frauen die Weltkugel vor dem Sturz ins Bodenlose bewahrt. Roberts kleine Hände, die sie in Eichenrindensud badet, als er vom Spielen im rußigen Schnee Ekzeme bekommt. Die Geburtstagstorte aus getrockneten Erbsen. Als sie zum ersten Mal Lippenstift trägt, wird sie in der Straßenbahn angepöbelt. Die Blicke des Kleinen und wie er sagt »Mama, du bist so schön!«. Das Anfeuchten der trockenen Sägespäne mit Brennöl von der Tankstelle als Unterzündmaterial. Die geplünderte Molkerei, das Hallen der vielen schnellen Schritte auf dem gefliesten Boden, der unter dem Mantel an die Brust gedrückte schwere Käselaib. Das endlose Rühren des Wassergermteigs in der Steingutschüssel mit dem Sprung. Das verbotene leise Glücksgefühl, als das Kind sie einmal versehentlich vom Tischrand stößt. Die monströs geschwollenen Beine der Tante. Es geht dann ganz schnell. Ein Goldketterl gegen Speck. Speck gegen Strümpfe. Im Autobus, mit dem sie zum Hamstern aufs Land fährt, wird dem Kind schlecht. Mali mag keine Heustadel, keine Waldlichtung, kein Bauernhaus mehr sehen. Das restliche feine Porzellan der Tante klirrt im Rucksack. Eine Razzia ist jederzeit möglich, dann war wieder einmal alles umsonst. Nie wird sie ihm später mit alldem in den Ohren liegen. Je weniger Vergangenheit er hat, desto mehr Zukunft wird er haben.

Mit dem Buben an der Hand aus dem Kino auf die Gasse. Die elektrische Straßenbeleuchtung ist ein Wunder. Ihre von den Malzzuckerln verklebten Finger, die er zum Spaß ablutscht. Abends spielen sie Fuchs und Henne oder Halma und hören Radio. Natürlich treibt er sich nachmittags herum, er ist ein Bub. Aber jeden Tag holt er sie pünktlich von der Arbeit beim Herrn Doktor im Mezzanin ab. Er deckt den Tisch und trocknet ab. Er putzt die Schuhe, auch ihre. Als er ihr vor Fremden zum ersten Mal keinen Begrüßungskuss geben will. Wenn sie weint, verzweifelt er, legt seinen Kopf in ihren Schoß. Sein Haar fühlt sich gleich seidig an wie das von Reinhard. In der Sonne glänzen die blonden Strähnen rötlich. Er ist noch nicht zwei, als er die ersten ganzen Sätze sagt. Jetzt braucht sie keine Angst mehr zu haben, es könnte doch etwas nicht stimmen. Sie tanzt mit ihm in der Küche, bis sie beide schwindlig werden. Er lacht, weil sie es tut. Plötzlich rote Wangen. Mit fünf kann er schon lesen, sie bringt es ihm bei. Mimi und Otto aus dem Lesebuch haben einen Vater, der abends mit einer Aktentasche zur Tür hereinkommt und Pfeife raucht. Aber er hat einen Vater, wie ihn kein anderer hat. Als die Religionslehrerin den Kindern erzählt, dass ihre toten Väter und Onkel vom Himmel aus auf sie aufpassen, kommt Robert voller Hoffnung heim. Aber sie beißt sich nur auf die Lippen, sagt kein Wort. Reinhard als geflügelter Held im Himmel, das geht doch zu weit, das kann sie nicht, nicht einmal Robert zuliebe.

Die Erinnerungen folgen keiner Logik, die sie versteht.

Wenn er schläft, setzt sie sich an sein Bett, beobachtet ihn eine Weile. Wie konnte sie nur zulassen, dass sich wieder so etwas wie Hoffnung in ihr einnistet. An sich selbst hat sie kaum eine Erinnerung aus diesen Jahren. Auf den alten Passbildern ist sie sich fremd, und auf dem Foto, das sie nach der bestandenen Matura von Robert und sich machen lässt, verschwindet sie hinter der Idee der stolzen Mama, in die der Fotograf sie hineindrängt. Sie weiß genau, wie das Kind mit eins, mit fünf, mit zwölf, mit einundzwanzig ausgesehen hat, aber sich selbst erkennt sie kaum wieder. Er fährt mit einem Freund aus der Schule nach Rom. Sie schläft schlecht. Dass er still war und später noch stiller wurde, mein Gott, das war doch nichts Schlechtes. Schwätzer konnte sie noch nie leiden, und schöne Worte hat sie für ihr Leben lang genug gehört. »Taten zählen mehr als Worte«, das hat sie ihm immer eingeschärft. Vielleicht hat er auch deshalb Biologie studiert. Sie war es, die ihm beigebracht hat, sich für Tatsachen zu interessieren und sich nicht in Vorstellungen zu verirren, was Worte ja letztlich immer sind. Trotzdem schreibt er von den Reisen mit dem Freund beinah täglich eine Karte, und sie freut sich darüber. Wer konnte ahnen, dass er in ihren Sachen stöbern würde, dass er sich und ihr das antun und mit diesem stets weich lächelnden Freund in ihre alte Heimat fahren würde? Wer hätte sich vorstellen können, dass ihr schüchterner, kaum Zweiundzwanzigjähriger dort wildfremde Leute auf der Straße anspricht? Wer hätte geahnt, dass er viel mehr erfuhr, als er begreifen konnte? Reinhard hat er nicht gefunden. Der ist angeblich nach Kanada, mit Frau und Kind.

Das Ende kommt eineinhalb Jahre später, just als sie schon wieder aufatmet und meint, er habe sich gefangen. Abends sitzt er wieder öfter bei ihr in der Küche, übernachtet zu Hause. Ist es verkehrt, dass Mädchen nicht das Wichtigste für einen sind? Sogar Halma haben sie wieder manchmal gespielt. Woher er die Waffe hat, findet man nicht heraus. Er wartet, bis sie in der Arbeit unten ist, und umwickelt die Pistole zusätzlich mit einem Tuch. Einen Brief hinterlässt er nicht.

Katharina zeichnet immer noch, kneift die Augen zusammen.

»Woran liegt es eigentlich, wie alt jemand wird?«, fragt sie. »Lässt sich das etwa berechnen? Was sagt die aktuelle Forschung?«

»Nun ja. Es gibt einen Stoff, der die Chromosomenenden immer wieder aufbauen kann, die Telomerase. Sie errichtet sozusagen eine Schutzkappe auf dem Chromosom, ein Telomer. Gelegentlich wachsen sie sogar wieder nach. Bei schwer gestressten oder traumatisierten Menschen sind die Telomere übrigens verkürzt. Aber deren Länge steht natürlich nur statistisch für eine bestimmte Lebenserwartung.«

»Heißt das, alles, was mit einem geschieht, hinterlässt Spuren?«

»Ja, sieht so aus. Bis in die Zellkerne.«

»Das Leben zeichnet uns also wirklich. Oder vielmehr wir einander.«

»So kann man es vielleicht sagen.«

»Woran ist sie denn überhaupt genau gestorben?«

Marie zuckt mit den Schultern. »Herzversagen wird wohl nicht verkehrt sein. Weißt du, irgendwann wird einfach das ganze System instabil. Da genügt dann eigentlich eine Kleinigkeit, ein Sturz, eine Lungenentzündung.«

Sie und instabil, Frau M muss lächeln. Aber heute ist Roberts Geburtstag, das können sie nicht wissen. Dass sie nicht gleich daran gedacht hat. Als er ein Kind war, hat sie immer ein Fest daraus gemacht. Endlich geschieht wieder etwas Besonderes an diesem Tag. Sie gleitet hinter Katharina und sieht sich die Zeichnung an, die sie gemacht hat. Die auf den Tisch gesunkene Gestalt auf dem Blatt hat etwas Bemitleidenswertes, das sie in der Realität nicht wiederfindet. Ihre Beine und Arme sind überlang und verlieren sich mit dünnen Fortsätzen im Raum, so als würde die Figur entweder allmählich und sanft verblassen oder aber Wurzeln schlagen. Die zweite Zeichnung ist ein Porträtbild von ihr. Eine Ähnlichkeit mag vorhanden sein, aber etwas ist so wahr daran, dass es weh täte, wäre das möglich. Schnell weicht Frau M ein paar Meter zurück. Dieses Mädel sieht zu viel, denkt sie, die sollte besser auf sich aufpassen.

Jetzt läutet es an der Tür. Die Männer bewegen sich gewohnheitsmäßig leise, aber flink und zielgerichtet. Sie scheinen gar keine Gesichter zu haben, so routiniert und gleichgültig heben sie den Körper vom Sessel. Sie könnte nicht sagen, dass ihr leid um ihn ist. Als sie den Trägern durchs Vorzimmer folgt, bemerkt sie, dass der Spiegel kein Bild von ihr zurückwirft, was wieder eines der Dinge ist, die sie keinesfalls so hinnehmen kann. Sie denkt, sie wird noch eine Weile bleiben und sehen, was sich machen lässt.

4
MATERIALERMÜDUNG

Der Fleck hatte die Form eines Schmetterlings. Warum wartete er damit, auf den Sessel zu steigen und den vermeintlichen Nachtfalter an der Zimmerdecke mit dem Besenstiel anzustupsen, bis sie im Badezimmer verschwunden war?

»Sei vorsichtig!«, hätte sie gesagt, nicht unfreundlich vermutlich, den Blick schräg und mit einem kleinen Stirnrunzeln auf ihn gerichtet. Gut gemeint, natürlich. Er gab ja Acht, schlüpfte geräuschlos aus den Hausschuhen, stützte die eine Hand an der Tischplatte ab, stabilisierte mit der anderen das Kreuz, richtete sich nicht zu abrupt auf. Der Nacken schmerzte trotzdem. Der Tisch war solide Fichte. Er schob sich mit dem Fuß behutsam zwischen Kaffeetassen, Brotkörbchen und Honigglas vor. Kein Schmetterling, wohl Feuchtigkeit. Das würde man beobachten müssen. Um den Fleck mit den Fingern zu berühren, hätte Werner noch den Sessel auf den Tisch stellen müssen, eine möglicherweise wacklige Angelegenheit. Die Form des Flecks war geradezu perfekt, als hätte ihn jemand aufgemalt: zwei symmetrische, gleichmäßig gezackte Flügel, ein winziger Kopf und sogar zwei dünne Ausläufer, die man sich als Fühler denken konnte. Er erinnerte sich gar nicht mehr daran, wann er das letzte Mal einen richtigen Schmetterling gesehen hatte. Seine Frau gurgelte nebenan, während das Wasser in der Dusche warmlief. Es dauerte immer eine Weile, bis es heiß wurde. Sie hatten sich schon vor Jahren erfolglos an die Hausverwaltung gewandt und waren es inzwischen gewöhnt so. Margret frühstückte stets im Morgenmantel und ging dann erst ins Bad, was zwischen zwölf und vierzehn Minuten brauchte. Nein, er war kein Kontrollfreak, der die Zeit, die seine Frau mit der Morgentoilette verbrachte, an der Stoppuhr ablas. Er wollte nur zwischen Viertel nach acht und halb neun im Büro sein, und das sollte sich auf jeden Fall ausgehen. Wenn er einmal später kam, war der Tag irgendwie schon gelaufen, so als steckte man in einem schlecht sitzenden Anzug fest, rutschte hin und her, zupfte da und dort, aber was Rechtes wurde daraus nicht mehr. Werners Blick wanderte wieder zurück zum Schmetterling an der Zimmerdecke. Wie seltsam, der Hang des Menschen, in allem Möglichen etwas Gegenständliches zu erblicken: das Bedürfnis nach der guten und der geschlossenen Form, ein gestaltpsychologisches Axiom. Erst im letzten der Fortbildungsseminare, zu denen die Firma sie regelmäßig nötigte, war davon die Rede gewesen. Dahinter steckte das ewige Bedürfnis nach Sinn. Schon ein Kind sieht in zwei Punkten und zwei Strichen bei entsprechender Anordnung ein Gesicht. So sind wir eben. Zum Lügen braucht es nicht unbedingt Worte. Manchmal war der Blick in den Spiegel schon genug. Punkt, Punkt, Strich und Strich: Das bin ich. Jetzt war ihm ein wenig schwindlig. Was dachte er denn da? Das waren doch Nachtgedanken. Er stieß mit dem Fuß das offene Honigglas um, bückte sich jetzt doch einen Deut zu schnell. Mit dem linken Knie traf er punktgenau auf seinen Teller mit den Honigspuren und Bröseln vom Gebäck, die nun an seiner Hose klebten. Er fluchte leise, horchte Richtung Bad. Margret musste schon aus der Dusche gestiegen sein. Als ob er durch die Wand sähe, so exakt konnte er sich jede einzelne ihrer Bewegungen vorstellen: Bevor sie das feuchte Handtuch am Rand der Badewanne glattstreichen würde und in die Küche käme, um bei einer zweiten Tasse Kaffee ein paar Sätze mit ihm zu wechseln, würde sie mit den Fingerspitzen eine zähflüssige, gelbliche Substanz in Stirn und Wangen einklopfen, dabei die Augen aufreißen, das Kinn hängenlassen und einen runden Mund machen. Unwillkürlich ahmte er ihre Mimik nach, was er in ihrer Anwesenheit tunlichst unterließ. Sie hatte nicht die Art von Humor, jedenfalls nicht oft. Wenn er nach ihr ins Bad kam, hing noch der schwache zitronige Geruch in der dampfenden Luft, eine ungute Verbindung mit dem Mentholaroma der Zahnpasta. So war das, jeden Tag. Die Müdigkeit legte sich heute unerwartet auf seine Glieder. Er konnte sich nicht erinnern, auch die vergangene Nacht wach gelegen zu sein, wie es ab und an vorkam.

Seine Frau schlief ungestört, lag in tiefer Entspannung auf dem Bauch, die Arme ausgebreitet. Er rückte an den äußersten Bettrand, ballte die Fäuste, zog die Knie Richtung Brust, mühte sich, ruhig liegen zu bleiben, während er in seine Gedankenfetzen hineinatmete wie in einen körperlichen Schmerz. Er hatte dann etwas Deutliches an sich, das sich sofort wieder verlor, wenn er mit anderen Menschen zu tun hatte. Dann tendierte er zu Wachsamkeit und Kalkül, was nichts Ungewöhnliches war. Viele waren so, er aber wurde nicht einfach still und nach innen gekehrt, sondern war sogar in sich selbst nicht mehr recht vorhanden. In seinen wachen Nächten legte sich das leise gurgelnde, kaum ein Schnarchen zu nennende Geräusch, das Margret beim Schlafen machte, um ihn wie eine Fessel und brachte ihn schier zur Verzweiflung. Was ihn geweckt hatte, wusste er nicht. Sie, die nach seinem Arm gegriffen hatte? Ein Traum vielleicht? Er erinnerte sich so gut wie nie an Träume. Vom

Schlaf blieb meist nur ein körperlich intensives Empfinden von Schnelligkeit, Flucht, Resignation und die Gewissheit: Der Feind kam näher.

Es gäbe nur eines, eine einzige Sache, die stärker wäre als das Bedürfnis nach Sinn, hatte der Seminarleiter mit dem an den markanten Stellen beschwörenden Tonfall eines Fernsehpredigers gesagt: das Bedürfnis nach Sicherheit. Das Bedürfnis, frei von Angst zu sein, und das Bedürfnis, darauf Einfluss nehmen zu können. Kontrolle! Die affig aufgedrehten Spitzen seines Schnurrbarts und sogar seine Unterlippe zitterten ein wenig nach, wenn er dieses Wort aussprach, das Zauberwort, wie er behauptete: »Kontrolle!« Und immer wieder: »Kontrolle!«

In der Pause hatte Werner wie üblich einen Lacherfolg mit einer kleinen Stegreifparodie eingefahren. Jemanden nachzumachen lag ihm, fiel ihm sogar um einiges leichter, als sich selbst zu äußern. Er musste einem Menschen nur eine Weile zuhören, dann hatte er ihn, wie er es nannte, dann hatte er sich die wesentlichen Merkmale aus dem Zusammenspiel von Tonfall, Mimik und Gestik gemerkt und sie quasi verinnerlicht. Im Beruf kam ihm das sehr zugute. Der seriöse, unaufdringliche Versicherungsvertreter, den er überzeugend spielte, war eine geschickte Collage aus den erfahrenen Kollegen, die er in der Einschulungsphase begleitet hatte. Hin und wieder kam noch etwas dazu, ein neuer Dreh, eine Aussage mit einer Handbewegung zu unterstreichen, irgendein Detail, das er nach sorgfältiger Prüfung vor dem Spiegel in das Gesamtbild integrierte. Man musste permanent an sich arbeiten, die Konkurrenz schlief nicht. Werner hatte sich von jedem das Beste abgeschaut und sich selbst neu erschaffen, wenn man so wollte. Das war damals auch notwendig gewesen. Ohne Margret undenkbar. Er hatte sich geschworen, ihren Anteil daran nie zu vergessen. Auch ihr hatte er es geschworen, was ihr erst geschmeichelt und sie dann zunehmend unsicher, fast ängstlich abgewehrt hatte. Sie hatte einen guten Riecher, das musste er ihr lassen. Immer noch mitten auf dem Frühstückstisch zwischen Brotkorb und Kaffeetassen stehend, seufzte er mit geschlossenen Augen.

Vergessen können. Sie musste gespürt haben, dass er sich mit seinen übersteigerten Beteuerungen vor allem gegen den übermächtigen Wunsch stemmen wollte zu vergessen. Damals war ihm das noch nicht klar gewesen. Dabei geschieht es doch dauernd, dachte er, den Fleck, der jetzt zu flackern oder gar zu flattern schien, immer im Augenwinkel: Der Hausschlüssel, der Geburtstag der nettesten Kollegin, alles, was auf irgendwelche Ablagen kam, alles konnte man vergessen, sogar Lieblingsrollen, vollständige Textpartien.

»Erinnerst du dich an –« Wenn Margret einen Satz so begann, war er sofort auf der Hut, obwohl sich dahinter meist etwas Harmloses verbarg: die Riesenportion Schinkenfleckerl in einem Landgasthaus neben den betrunkenen Weltverbesserern, mit denen sie in eine heitere Diskussion geraten waren, dass sie sich auf einer Wanderung in den Pyrenäen verirrt hatten, das Hotelzimmer in Marrakesch mit dem faustgroßen Loch in der Wand. Auch Paare brauchen gemeinsames Erzählgut, nicht selten sind Einwände in irgendeinem lächerlichen Detail Zeichen eines ernsthaften Zerwürfnisses. Das Problem war, dass Werner Margret den Gefallen einer gemeinsamen Erinnerung so selten erweisen konnte. Er erinnerte sich nur an weniges, und wenn, dann oft mit erheblichen Abweichungen. Margrets Art, anderen von gemeinsamen Erlebnissen zu erzählen, brachte ihn auch deswegen in Verlegenheit, weil sie gern handliche kleine Geschichten von Sieg und Triumph aus dem Erinnerten herstellte, die einem bestimmten Muster folgten: Sie beide gerieten in Schwierigkeiten, trafen auf ein Hindernis, eine Komplikation, nichts Ernsthaftes zwar, aber immerhin musste mit Geschick oder Stärke ein Ausweg gefunden werden, was, wenn sie milde gestimmt war, ihnen beiden, meist aber nur ihr allein gelang. Nie war erfunden, was sie erzählte, wahr war es trotzdem nicht. Versteht sich, dass er darauf verzichtete, sie zu kritisieren. Sie schien den erhofften kleinen Beifall eben dringend zu brauchen, und war niemand zugegen, spendete sie ihn sich selbst mit einem selbstzufriedenen Lächeln, das ihm als das Schlimmste an der ganzen Sache erschien.

Niemals vergessen! Das Schlagwort kommt ihm plötzlich wieder in den Sinn. Eines der letzten Stücke, die er gespielt hat, war von Jura Soyfer. Was für ein Imperativ! In manchen Fällen wäre die Todesstrafe dagegen eine Gnade. Das ist doch etwas ganz anderes, widerspricht er sich unverzüglich, weil er glaubt, er müsse. Doch, es kommt schon vor, dass er Stunden und länger gar nicht an den Tag X denkt, wie er ihn bei sich nennt. Irgendwann rächen sich freilich die Nächte. Dennoch bildet die Erinnerung kein permanentes Hemmnis mehr, das ihn zwingt, auf die Frage, was er denn wünsche, fluchtartig ein Geschäft oder Lokal zu verlassen, nur weil er die quasi als Vorschuss erfahrene Höflichkeit und Freundlichkeit nicht zu verdienen glaubt. Die Erinnerung überfällt ihn nicht mehr so jäh, liefert ihn nicht immer sofort Margrets Güte aus, ihrer allmählich etwas maschinellen, aber doch steten Geduld, mit der sie die immer gleichen beschwichtigenden Sätze wiederholt. Die Sache selbst aber verliert nichts von ihrer Deutlichkeit. Manchmal hat er Angst, dass sein Gedächtnis von ihm unbemerkt Veränderungen an den gespeicherten Bildern vornimmt, allein infolge der tausendfachen Wiederholung, mit der es seinen Kopf in die rasende Folge von Licht, Schatten, Lärm und Stille zwängt, als die sich das damalige Ereignis in ihm fixiert hat. Dann muss er Sekunde um Sekunde seiner Erinnerung abtasten und darauf achten, ob es sich so oder doch etwas anders ereignet haben könnte, um irgendwann erschöpft zu der Schlussfolgerung zu gelangen, dass man ohnehin nichts hat als Konjunktive, die einander ausschließen, und am Ende immer wieder die lapidare Tautologie: Was geschehen ist, ist geschehen.

Dort unten vor dem verglasten Bürogebäude der Versicherungsgesellschaft wartet sie auf ihn nach dem Einstellungsgespräch, fröstelnd, einen Schal über den Mund gezogen, in der feuchten Spätherbstkälte von einem Bein auf das andere tretend, die grüne Lederkappe der einzige farbige Punkt im Schwarzweißbild des beängstigend weitläufigen Platzes. Er entdeckt sie vom Lift aus und erkennt trotz der Entfernung ihre Anspannung, die sie sonst augenblicklich aus ihrer Miene verbannt, wenn er in der Nähe ist. Sie geht am Rand des leeren Wasserbeckens auf und ab, die Arme um den Körper geschlungen, genau sieben Schritte in die eine und dann sieben Schritte in die andere Richtung. Der stillgelegte Brunnen erschien ihm bei ihrer Ankunft als schlechtes Omen, was sie mit einem flapsigen »Ach was« weggewischt hatte, zu Recht, wie sich gezeigt hat. Kurz nachdem sich der Fahrstuhl in Bewegung setzt, erfasst ihn auch ihr Blick, und er macht das Victoryzeichen. Er ist siebenunddreißig und die Firma stellt ihn ein, obwohl er keinerlei Erfahrung in der Branche mitbringt und nur wenig, wenn auch Wesentliches, aus den vergangenen Jahren verschweigt. Der Personalchef hat ein Faible für Leute, die in seinen Augen bunte Hunde sind. Seit das Zittern der Hände nur mehr selten wiederkehrt, geht es definitiv aufwärts. Die Schauspielausbildung sei sogar eine ideale Voraussetzung für die Tätigkeit als Versicherungsvertreter, und Werner denkt, dass Schauspielerei für jede Art von kommunikativer Tätigkeit die optimale Voraussetzung ist, nicht selten mehr als fachliche Versiertheit. Natürlich sagt er nichts dergleichen, legt stattdessen so viel Demut in sein Lächeln wie nur irgend möglich.

Das war vor sechzehn Jahren. Damals, als es passiert war, nach einer Vorstellung des *Käthchens von Heilbronn* war Margret da, sie und nur sie. Nein, er würde es niemals vergessen. Die grüne Lederkappe hatte sie noch, sie warf selten etwas weg. Das mit der Dankbarkeit war ein Problem. Falsch, es war etwas, woran man arbeiten musste. Falsch, woran man arbeiten durfte und arbeiten konnte! Kontrolle war nicht das Schlechteste. Es war doch ein Triumph, zumindest die eigenen Gedanken lenken zu können, es war wie Fische mit bloßen Händen zu fangen, also durchaus eine Kunst. Die eigene Sprache war es, die man sich gefügig machen musste. Manchmal brüllte er sich an in Gedanken. Keine Ausreden! Eine Gedichtzeile, ein Slogan, egal was: *What works, works. Just do it.* Das klappte ganz gut.

Jedenfalls war er in den ersten zehn Jahren in der Firma zwei Mal als erfolgreichster Mitarbeiter landesweit ausgezeichnet worden, einmal sogar bundesweit. Es war sein kleines Geheimnis, dass er es mindestens noch zwei Mal mit Leichtigkeit geschafft hätte, aber bewusst darauf verzichtet hatte. Für Neid gab es kein Gegengift, da machte er sich nichts vor. Das kannte er noch von der Bühne, da war es nicht anders gewesen. Nirgendwo war es anders, und man musste sich hüten vor den anderen, die die Hölle waren. Es gab nicht viele Sätze in der Weltliteratur, die es an Wahrheitsgehalt mit diesem aufnehmen konnten. In den schlaflosen Stunden neben der schnaufenden, schnappenden, schlürfenden Margret wusste er das genau und vergaß es nicht wieder, im Unterschied zu dem meisten, was die Gedankenmühle in seinem Kopf nachts ausspie. Es waren ganz hübsche Formulierungen darunter, vielleicht sogar die eine oder andere brauchbare Erkenntnis: Perdu! Es war ihm nicht leid darum, sein Ehrgeiz war mindestens gebrochen. Was er seit damals erreicht hatte, war nur das, was mit Leichtigkeit geschah. Auch dass er Beförderungen zum Team- und Bereichsleiter abgelehnt hatte, verschaffte ihm einen guten Stand bei den Kollegen. Sie tuschelten zwar hinter seinem Rücken, das wusste er. Doch seine Erklärung, dass er nicht auf die sogenannte Front, den Außendienst, verzichten könne, hatte alle überzeugt. Für diejenigen, die einen Karrieresprung anstrebten, war er ein gefährlicher Konkurrent weniger, für die anderen war sein Bekenntnis eine Solidaritätsbekundung. Werner hatte sich heimlich zu seinem Schachzug gratuliert. Wenn sie ihn nun ein wenig schrullig fanden, würde das nur zu seinem Besten sein. Auch der Kerl von diesem Seminar war seltsam, aber unrecht hatte er nicht, dachte Werner. Kontrolle! Darum ging es doch, um nichts anderes. Man konnte fast alles tun, solange man die Kontrolle behielt.

Überraschend wendig war er an der Abwasch, befeuchtete einen unbenutzten Schwamm, wischte das Hosenbein sauber, drückte eine Serviette auf den Honigfleck auf dem Tisch und glitt auf den Sessel zurück. Margret sah sein Lächeln verschwommen und erwiderte es. Sie hatte leicht gerötete Augen.

»Besser heute?«, fragte er.

Sie nickte. Vor drei oder vier Wochen hatte sie sich eine hartnäckige Bindehautentzündung zugezogen. Gegen die ersten Antibiotika war sie resistent gewesen, und auch die nächsten brachten nur schleichend Linderung. Der Arzt hatte zudem erhöhten Augendruck und ein leicht eingeschränktes Gesichtsfeld festgestellt. Nun musste man sehen, ob es sich nur um »Unregelmäßigkeiten« oder um ein ernsteres Problem handelte. Das Medikament, das sie noch ein paar Tage lang morgens eintropfen musste, ließ sie etwas unscharf sehen.

»Du hast noch Zeit genug«, sagte er und brachte ihr die zweite Tasse Kaffee, »und ich habe noch zwanzig Minuten. Soll ich dir etwas aus der Zeitung vorlesen?«

»Danke, das ist lieb. Aber besser nicht, da komme ich mir gleich so beschädigt vor.«

Er mochte es ganz gerne, wenn sie krank war, nicht ernsthaft natürlich. Aber er genoss es, sie mit kleinen Diensten zu umsorgen, ihr Tee zu machen, Kissen aufzuschütteln, sie zu bekochen. Auch morgens war es so: Sie hatte einen schwachen Kreislauf und brauchte lange, um in Schwung zu kommen. Ihm kam es dann vor, als erobere er ein Stück verlorenes Terrain zurück, das sie ganz ohne böse Absicht besetzt hielt, einfach weil sie es konnte und weil ihr alles Praktische leicht von der Hand ging. Deshalb war abends immer wieder alles verloren, damit hatte er sich im Grunde abgefunden. Mit seinen kleinen Gefälligkeiten etwas davon abtragen zu wollen, was er ihr schuldete, war ohnehin ein sinnloses Unterfangen. Er presste die Kiefer zusammen, schob sie hin und her. Das knackende Geräusch verschaffte ihm eine gewisse Erleichterung, wenn er es nur oft genug hintereinander machte. Auch das mit ihm und Margret war ein Deal, nicht anders als der Job, dachte er manchmal. Über die Konditionen wusste er genauestens Bescheid. Dass sie das Ganze nicht als solchen sehen wollte, war ein Teil davon. Liebe. Treue. Doch, doch. Da war schon etwas gewesen. An die Zeit unmittelbar vor jenem Tag X erinnerte er sich nicht als Abfolge von Bildern, auch nicht in Details, sondern eher als ein Körpergefühl in einem Spiel rasch wechselnder Lichteffekte, wie auf der Bühne: an Schwitzen, Laufen, Fallen, an Stöße und Vibrationen in den Gelenken, an Muskelkontraktionen, an Taumel und Dehnung, Wärme und jäh erlösende Windböen, an Gelächter, Geschrei und Stimmen, ob seine eigene oder die eines anderen, wer konnte das schon sagen? Texte, Texte, Texte. Fremde und eigene: Kein Satz verließ den Mund, ohne auf Bühnenwirksamkeit abgeklopft zu sein. Das ging ihm immer schneller durch den Kopf und von den Lippen, es übte sich. Alles war Text. Kein klarer Gedanke, schon lange nicht mehr. Klarheit ist gleich Beschränkung ist Verflachung ist gleich Monochromie ist Taubheit ist Schweigen ist gleich Tod. Beweglichkeit ist alles: Alles ist bewegt, oder es ist nicht! Ambivalenz ist alles: Alles ist so und ist ganz anders! Die Wachheit musste in den Fingern und in den Füßen genauso vorhanden sein wie in den Augen, und die Wirklichkeit hatte ein Rufzeichen, sonst verdiente sie es nicht zu sein.

Er hatte den Cléante im *Geizigen*, den jungen Dichter, den Soldaten und den Grafen im *Reigen* gegeben, diese und jene Nebenfigur in Stücken von Tschechow, Ibsen, aber auch Yasmina Reza und Sarah Kane. Dass die Rollen, die er bekam, nie die größten waren, trieb ihn noch mehr an. Er verschwendete keine Zeit damit, die jeweiligen Hauptdarsteller neidisch und kritisch zu beäugen und sich vorzustellen, um wie viel subtiler, intensiver, sensibler et cetera, et cetera er selbst das Ganze angegangen wäre, wie es enttäuschte Kollegen gerne taten. Er konzentrierte sich auf das, was er hatte. Stimme und Körper. Dass ihm Identität fehlte, musste sein Vorzug werden, und was keine Rolle spielte, existierte ganz einfach nicht oder flimmerte höchstens am Rande des Gesichtsfelds herum. Wie zum Beispiel Margret: Sie war Mädchen für alles im Rahmen eines mehrmonatigen Praktikums. Sie besaß keine Spur von Schlagfertigkeit, ohne die man dabei keinen Tag überlebte. Nach vier Wochen war sie immer noch da, in ihr sanftes Lächeln gehüllt, das ihm zunächst fast dümmlich erschien. Kuhäugig, aber guter Hintern, hatten sie in der Kantine einmal festgestellt. Das klang schlimm, war es aber nicht. Sie waren im Grunde alle gutmütig, und Nicht-Kollegen zogen als Nicht-Konkurrenten ohnehin kaum anhaltende Bosheit auf sich. Margret brachte Requisiten, versorgte sie mit Kaffee, telefonierte diesem und jenem hinterher. Sie redete und bewegte sich im stets gleichen moderaten Tempo, dachte aber mit und erledigte alles prompt und verlässlich. Beim Gehen drückte sie das Becken ein wenig nach vorne und hielt den Blick starr geradeaus, was ihre an sich geschmeidigen Bewegungen leicht roboterhaft wirken ließ. Dass ihm das auffiel, hatte nicht mit persönlichem Interesse an ihr zu tun, es war rein berufsbedingt. Man musste die Menschen sehen, um sie spielen zu können, sehen, nicht verstehen. »Ist das nicht das Gleiche?«, fragte sie ihn einmal mit echtem Erstaunen. Wie wenig Ahnung sie hatte! Nicht dass ihn das abstieß, ganz im Gegenteil. Da er nicht herausfand, was für ein Spielchen sie spielte, begann sie ihn zu interessieren. Peripher, das gibt er zu. Als er sie einmal mit der Vermutung konfrontierte, sie spiele wohl das Keine-Spielchen-Spiel, verstand sie ihn nicht einmal oder tat zumindest so. Maulhelden, das waren sie allesamt, Sprachjongleure. Keine Schwere, kaum Schwerkraft. Nur die informellen Hierarchien markierten, wo oben und unten war.

Ein paar Mal hat es ihm tatsächlich die Sprache verschlagen mit ihr. Bei dem einen Mal, an das er sich jetzt erinnert, spielte sie allerdings nur eine Nebenrolle, das heißt, sie begleitete ihn ins Museum, in das ihn eigentlich nur die nervtötende Augusthitze trieb, als sie auf dem Weg vom Fluss zurück in die Innenstadt zufällig daran vorbeikamen. Ihn ekelte vor dem vielen rosafarbenen Fleisch und dem Schweißgeruch, der sich in die stehende Hitze mischte. Die angenehme Vorstellung von Kühle und Küssen und mehr hatte sich verflüchtigt, und er fühlte sich leer. Vielleicht empfand er da seine Müdigkeit zum ersten Mal. Damals hielt er es für fatal, sich einfach hinzulegen, wenn man müde war, sogar feige, eine Art Kapitulation. Es war so spannend, wieder und wieder den Punkt zu finden, an dem die Erschöpfung in eine bis zum Anschlag aufgedrehte Wachheit umschlug, die einen für ganz andere Dinge aufmerksam machte. Und er war noch jung genug, dass die Augenringe gut aussahen. Im Museum würde es erträglich sein und menschenleer. Wer verirrte sich schon an einem solchen Tag dorthin? Er weiß noch, dass er Margrets grüne Mütze trug und der Kassiererin glaubhaft machen konnte, sie seien Kunststudenten, die ihre Ausweise vergessen hatten. Er kannte damals den britischen Maler William Turner nicht, eine Bildungslücke, eine von vielen, was ihn ziemlich kalt ließ. Er war doch zum Spielen auf der Welt, nicht zum Wissen. Die Bilder warfen ihn um, anders kann er es auch heute nicht sagen. Das erste, das er sah, hieß *Rain, Steam and Speed* und erfasste Werners Lebensgefühl exakter und besser, als die in ein ödes Nacheinander gezwungene Sprache es je gekonnt hätte. Himmel und Land, Land und Wasser hatten keine klaren Grenzen. Da waren in zarten Nuancen helle Grau-, Blau- und Gelbtöne und etwas dunkleres Braun und Ocker in den schweren Dampfschwaden, von einem Zug zurückgelassen oder vom Wasser aufgestiegen, man wusste es nicht. Im Hintergrund links die zarte Andeutung von Brückenbögen, ein kleines Ruderboot tief unten, ein ausgedehntes Gewässer, ob ein See, ein breiter Fluss oder das Meer, war nicht zu entscheiden, und vorne in verkürzter Perspektive die sich nähernde Dampflok, ein Fremdkörper, ohne den das Szenario aber wie tot gewirkt hätte. Je länger man schaute, desto detaillierter und zweifelhafter zugleich wurde das, was man sah. Alles war unendlich gegenwärtig, höchst präzise im Stadium seiner optischen Vagheit, alles war verwandelt oder gerade dabei, sich zu verwandeln, scheinbar im Stadium der Auflösung durch den Regen und die fauchende, zischende Geschwindigkeit, mit der der Zug durch das Bild schnitt. Doch die Gefahr lag ganz woanders. »Wenn er vorbeifährt«, sagte Werner, »und du verpasst es aufzuspringen, stell dir vor, was für ein Abgrund dich da erwartet. Vom Himmel ist nichts zu erhoffen. Komm, gehen wir.« Er schob noch einen Scherz nach, um sich des unguten Gefühls zu entledigen, er habe zu viel von sich verraten. Auch dass ihm tatsächlich die Tränen gekommen waren, wollte er ihr nicht zeigen. Aber als er sie wegziehen wollte, widersetzte sie sich und hielt ihn an der Hand fest. Sie sagte kein Wort, war aber ganz entschlossen. Sie blieben noch eine Weile, vielleicht fünf Minuten, vielleicht etwas länger, und betrachteten das Bild Hand in Hand. Dass ihr Schweigen nichts Pathetisches oder Peinliches bekam, lag an Margret, die sein nervöses Geflacker glättete, ohne dass sie etwas sagte oder tat. Der Sog des Bildes war schließlich stärker als seine Angst, und er fragte sich auch nicht mehr, wie es sein konnte, dass er, der ein Bild betrachtete, sich eigentlich von ihm gesehen und in ihm aufgehoben fühlen konnte. Er ließ es einfach geschehen. Möglich, dass er danach ein wenig in Margret verliebt war.

Das Leben brachte ein unaufhörliches Sickern, Rieseln und Bröseln mit sich, das war beunruhigend, darin schien man sich einig. Manchmal konnte er es tatsächlich hören, nicht nur nachts. Da war ein Deal eine solide Angelegenheit. Und warum nicht, wenn er hinreichend fair war? Dabei waren es doch die klaren Konturen und Kontraste, die all das Leblose erzeugten, all das Zurechtstutzen, Ausschließen und Abschneiden, all die auf Linie gebrachten Leben. Er hatte den Turner als Poster im Kabinett hängen. Ein schlechter Druck, aber Erinnerung genug. Wie hatte er Turner vergessen können.

Margret rührte in ihrem Kaffee, stierte vor sich hin. Ihre Wangen waren grauer und ein wenig fülliger geworden, fiel ihm auf. Überhaupt wurde sie in letzter Zeit etwas teigig. Am Tisch lagen noch die Urlaubsprospekte, die sie gestern von der Arbeit mitgebracht hatte, Sonderangebote für die Mitarbeiter der Reisebürokette, für die sie jetzt arbeitete. Wie günstig sich alles gefügt hatte: Allein mit den Stornoversicherungen, die sie ihm zuschanzte, deckte er schon einen Teil seines Plansolls ab. Gestern Abend hatte er einigermaßen lustlos in den Papieren geblättert. Heute sah die Sache schon etwas anders aus. Er angelte danach. Sie blickte über den Rand der Zeitung.

»Gar nicht so übel, einmal nur die Headlines zu lesen. Im Grunde genügt das.«

Er schenkte ihr ein breites Lächeln in der Hoffnung, sie würde den Mund halten und ihn nicht aus seinen Gedanken reißen. Vergeblich.

»Willst du es dir denn noch einmal überlegen?«

Sie wies mit dem Kinn auf die Unterlagen. Er nickte.

»Warum nicht? Wenn noch etwas für die zwei verlängerten Wochenenden dabei ist.«

Sie schien überrascht und erfreut und war daher gewillt, ihn in Ruhe zu lassen.

Er sah zu dem Schmetterling über dem Kühlschrank hinauf und wollte ihr schon von seiner Entdeckung erzählen. Stattdessen räusperte er sich zweimal und schwieg. War der Fleck inzwischen nicht um eine Spur größer geworden? Als er den Honig in den Küchenschrank stellte, bemerkte er, dass der linke Flügel sich tatsächlich ausgedehnt hatte, dass die schöne zufällige Symmetrie von vorhin nun zerstört war und das Ganze sich in ein amorphes Gebilde zu verwandeln drohte. Etwas daran versetzte ihn in aufgeregte Spannung, der nicht unähnlich, die er bisweilen vor einem Termin mit einer attraktiven Kundin empfand und die ihm im besten Fall ein paar genüssliche Stunden in dem Gedanken verschafften, ein anderes Leben und eine andere Frau wären möglich. Abseits dieser Fantasien bewahrte er allerdings ein untrügliches Gespür dafür, wie weit er gehen konnte. Mit zarten Andeutungen von Interesse, ein paar verlängerten Blicken oder einer elegant doppeldeutigen Bemerkung war er durchaus gesättigt, nahm sie als Bestätigung seiner Chancen und blieb auf Abstand. All das spielte sich in einem Stadium ab, in dem noch nichts ausgesprochen werden musste, worauf er allergrößten Wert legte. Es war das Gefühl für das Mögliche, das ihn kurzfristig belebte. Beim Nachsinnen darüber konnte er sich leider nicht dagegen wehren, dass er an einen galvanisierten Frosch dachte, dessen Zuckungen bloß täuschende Nachahmungen von Vitalität waren. Aber war es nicht vollkommen gleichgültig, wie etwas in Bauch und Birne in Bewegung gesetzt wurde und weshalb man sich ein wenig geschmeidiger durch die kommenden Tage und Wochen bewegte? Nun war es der kleine feuchte Fleck an der Zimmerdecke, der Abwechslung versprach. Nie länger als höchstens eine halbe Saison vorausplanen, nicht weiter denken als bis zur nächsten Rolle. Am besten gar nicht planen: Das hatte er noch aus dem alten Leben behalten, und so hatte er früher gemeint, sich vor der Macht der Gewohnheit zu schützen, vor all dem, was angeblich tödlich war. Dann war es im Gegenteil so gewesen, dass sein permanentes Elektrisiertsein beinah tödlich gewesen wäre. Er war verdammt routiniert im Nichtroutiniertsein gewesen. Unvermittelt waren seine Vorstellungen auf radikalen Kollisionskurs mit der Wirklichkeit gegangen.

Während der zweiten Tasse Kaffee flog sein Blick immer wieder hinauf an die Zimmerdecke. Margrets Sehschwäche kam ihm wie ein heimliches Geschenk vor. Ein Rohrbruch, es könnte ein Wasserrohrbruch sein! War der Fleck nicht schon wieder um einen Deut gewachsen? Er schaute auf die Uhr. Er würde die übernächste U-Bahn in sieben Minuten erwischen. Heute hatte er nur drei Termine, alle in der Innenstadt. Mit etwas Glück wäre er am frühen Nachmittag wieder zu Hause. An manchen Tagen in der warmen Jahreszeit übertrug sich das unterirdische Brausen der Züge bis in den ersten Stock hinauf als sanftes, sehr tiefes Vibrato knapp an der Schwelle des Hörbaren. Beim Ausbau der U-Bahn hatten die Seitenmauern ein paar üble Sprünge abbekommen. Die nachfolgenden Sanierungen schienen eher kosmetischer Natur gewesen zu sein, schon nach Monaten zeigten sich da und dort wieder haarfeine Risse. Er erinnerte sich an das Dröhnen der Pressluftbohrer, Bagger und Schubraupen, das seine ersten Wochen hier bei Margret begleitet hatte. Vor dem Austausch der Fassadenfenster hatte man hin und wieder das zarte Klirren ganzer Fensterreihen hören können. Aus der Zeit, die er tagsüber fast ausschließlich in der Wohnung verbracht hatte, kannte er die Geräusche wie kaum jemand, stundenlang unfähig zu etwas anderem, als bewegungslos und doch in größter Anspannung nach außen zu lauschen, um von dem seit jener Nacht gleichbleibend hässlichen Getöse in seinem Inneren nicht verschlungen zu werden. In seiner Vorstellung war das verzweigte Röhrensystem etwas höchst Organisches: Strom, Gas, Wasser und Luft wurden in komplizierten Rhythmen, die mit den Lebensrhythmen der Bewohner in engster Beziehung standen, vertikal und horizontal durch Leitungen gepresst, gepumpt und angesaugt. Das Öffnen und Schließen von Ventilen und Entlüftungsklappen, das Strömen durch die Hauptverteilerleitung, die Bewegungen an den Füll- und Ablasshähnen, an den Abzughauben in den Küchen und den Lamellen vor den Lüftungsschächten in den Badezimmern, das Knacksen und Schnappen der Schalter, das Surren in den Sicherungskästen, das Fließen von Strom und dessen Umwandlung in Wärme und verschiedene andere Mechaniken, all das glich doch unbestreitbar dem Atmen, dem Verdauen, der unablässigen Zirkulation des Blutes und dem Pulsieren vitaler Organe, während, eigentlich von niemandem recht überblickt, zahllose kleinere Subsysteme und Binnenkreisläufe in Gang gesetzt und wieder unterbrochen wurden. Die Synapsen feuerten. In den Kellern huschten die Ratten. Als er damals gemeint hatte, durch die Lüftungsschächte das Schaben ihrer Krallen auf dem groben Betonboden zu hören, und Margret davon erzählte, buchte sie am folgenden Tag einen Flug auf die Kanarischen Inseln. Die schäbige Eleganz des Hauses war immer bestechend, aber in welchem Zustand sich die

Leitungssysteme befanden, mochte er sich lieber nicht vorstellen. Angeblich waren die Originalbleirohre ebenso wie die elektrischen Leitungen schon in den Siebzigerjahren ausgetauscht worden. Der Druck, mit dem das Wasser aus den Hähnen und dem Duschkopf strömte, war jedenfalls seltsam unstet. Als er die jungen Leute aus der Nachbarwohnung einmal danach gefragt hatte, antworteten sie ihm höflich, waren aber auch unverkennbar belustigt. Außer ihn störte dies anscheinend niemanden.

Werner hatte sich mit dem Heimkommen beeilt und nur widerwillig im Laufschritt ein paar Einkäufe erledigt, worum ihn Margret gebeten hatte. Das Reisebüro hatte donnerstags länger geöffnet. Er ärgerte sich über sich selbst: Hätte er geistesgegenwärtig einen unerwarteten Termin vorgeschützt, würde sie noch später kommen, was dem Gelingen seines Vorhabens auf jeden Fall nützlich wäre. Er schaltete die Deckenlampe in der Küche an. Die schmale Oberlichte über dem Herd war der einzige Einlass für das Tageslicht in den Richtung Innenhof gelegenen Raum, weshalb es hier drinnen immer recht düster war. Der Fleck war deutlich größer als am Morgen, der kleine Schmetterling war verschwunden. Stattdessen hatte er jetzt eine auseinanderlaufende rautenartige Form, die sich auf der rechten Seite etwas wölbte und rechts oben einen spitzen Ausläufer bildete, sodass ihn das Ganze an die Umrisse Australiens erinnerte. Er maß immerhin schon zirka vierzig mal zwanzig Zentimeter. Werner hielt einen Moment lang die Augen geschlossen, stellte sich vor, wie sich die Feuchtigkeit sammeln und dann ausbreiten würde, bis ein Feld feiner, unter dem eigenen Gewicht zitternder Tröpfchen und schließlich ein System von Rinnsalen an der Wand entstünde. Ihre für menschliche Ohren unhörbare Bewegung die Wand hinunter, irgendwann ein sanftes Gluckern, dann ein jähes Nachgeben, schließlich ein Strömen in leichter bis mittlerer Stärke. Wie die Beschichtung des Küchenschranks von der Nässe weich und wellig werden würde, wie sich die Furnierschicht unregelmäßig vom Untergrund abhöbe, wie das Wasser in die Fugen der Linoleumflächen dränge und den Bodenkleber beharrlich löste. Es war eine glückliche Fügung, dass die Wohnung unter ihnen gerade leer stand. Zuerst ein Schmetterling und dann Australien! In jungen Jahren hatte er wohl in betrunkenen Runden über die Möglichkeit schicksalhafter Verknüpfungen und vom Unbewussten gelenkter Synchronizitäten spekuliert, aber geglaubt hatte er nie ernsthaft daran. Mit Esoterikern, schon gar nicht mit den Frauen unter ihnen, konnte man ohnehin nicht diskutieren. Wenn man einwendete, dass einem selbst noch nie bedeutsame Zeichen oder gar gröbere Unheimlichkeiten begegnet wären, entgegneten sie einem schlau, dass man es halt nicht verstünde, sie wahrzunehmen und diesbezüglich leider ein Analphabet sei. Und jetzt? Der Schmetterling war das Symbol der Verwandlung. Dann Australien. Er kontrollierte den Fleck noch einmal. Die Ähnlichkeit war sogar noch stärker geworden: Jetzt war die Einbuchtung im Norden mit den vorgelagerten Wellesley-Inseln ganz deutlich zu erkennen, und dort, rechts unten, also im Südosten, er konnte es gar nicht fassen, nahm die Brille ab, stieg vorsichtig auf den Kühlschrank. Dort, wo Tasmanien liegen musste, war tatsächlich noch ein kleiner Fleck aufgetaucht. Sogar die Größenverhältnisse waren annähernd korrekt. Über Jahre hinweg hatte Werner als Kind von Australien fantasiert. So weit weg! Genau drei Mal im Jahr würde er seinen Eltern eine Postkarte nach Hause schicken, hatte der Neunjährige nach langem Überlegen entschieden, an ihren Geburtstagen und an Weihnachten, das er bei mindestens vierzig Grad unter Palmen feiern würde. Ostern wäre zum Kartenschreiben nicht wichtig genug. Nach Australien gehen, das wäre eine Auferstehung, bei der er die knallenden Türen und die versteinerten Gesichter weiter als weit hinter sich lassen könnte. In Australien gäbe es die Wörter gar nicht, die sich seine Eltern an den Kopf warfen. Sein Haus hätte, obwohl es riesig wäre, nur eine Haustüre, innen aber keine einzige Tür, die man zuschlagen könnte. Er hätte einen zahmen Koalabären. Und wenn er wieder eine Million mit seinen Auftritten verdient hätte, schriebe er ihnen auch. In Australien hätte er eine eigene Fernsehshow mit Live-Publikum. Was bei den Eltern hin und wieder gelang, sie zum Lachen zu bringen, würde in Australien jeden Abend funktionieren. Downunder: Das klang ja schon wie die köstlichste Nachspeise, die man sich vorstellen konnte, süß, sahnig und vor allem riesengroß. Später vielleicht würde er den Eltern den Flug zahlen und sie einladen, es käme darauf an.

Werner musste lächeln. In letzter Zeit dachte er öfter an das Kind, das er gewesen war. Wahrscheinlich war das kein gutes Zeichen, eher eines dafür, dass er älter wurde. Bei der unweigerlichen Minderung realer Aussichten war es tröstlich, sich daran zu erinnern, dass man einst hauptsächlich aus Hoffnungen bestanden hatte, ohne dass einen das glücklich gemacht hätte. Bei der Art Kind, die er gewesen war, verhielt es sich jedenfalls so. Woran lag es eigentlich, dass die Zeichen, die er tatsächlich wahrnahm, eher Schlechtes ankündigten? Wahrscheinlich war dies nur die Richtung, die das Leben eben nahm. Letztlich ging es für alle *down* und *under,* ohne Ausnahme. Sein Auflachen klang gespenstisch in der leeren Wohnung. Er spürte seinen Herzschlag in der empfindlichen Kuhle unter dem Adamsapfel. Unter den Reiseangeboten für das bevorstehende verlängerte Wochenende waren zwei, für die Margret eventuell zu erwärmen wäre: Das eine umfasste drei Übernachtungen in einem hübschen Familienhotel mit hohen Räumen und spitzgiebeligen Fenstern im Zentrum von Verona inklusive Halbpension und Opernbesuch, das andere bewarb ein Wellnesswochenende mit Haubenmenüs und allerlei Nasszellenlustbarkeiten in der hügeligen Einschicht, die er verabscheute. Aber er durfte nicht wählerisch sein. Falls sie tatsächlich auf seinen Vorschlag einging, musste er nehmen, was noch frei war. Bei Margret wusste man nie: So loyal, fast unerschütterlich sie in ihrer Zuneigung zu ihm auch war, so unnahbar und stur konnte sie auch sein. Sie hatte etwas Unbeirrbares in ihrem Charakter, das ihm völlig fremd war und das er im Grunde bewunderte, egal zu welchen Bemerkungen er sich schon hinreißen hatte lassen.

Das Hochfahren des Laptops dauerte enervierend lange. Währenddessen ließ er den Fleck nicht aus den Augen. Von seinem gewohnten Sitzplatz hatte man ihn gut im Blick, Margret würde ihm hingegen den Rücken zuwenden: Noch etwas, das wunderbar passte. Alle zwei Angebote waren noch verfügbar. Er überprüfte die Wettervorhersage für beide Destinationen: Der Kurort war passabel, Italien sogar gut. Er atmete tief durch. Der Fleck war sein Verbündeter, der Schatten eines verrückten Engels. Werners Herz klopfte. Es musste einfach funktionieren. Sofort rief er Margret an und erreichte sie auch gleich, was wiederum Glück war, weil sie in ihrem Job häufig telefonieren musste.

»Du klingst überarbeitet«, sagte er, »ich höre es genau. Übrigens, ich habe eine Überraschung für dich.«

Das Misstrauen in ihrer Stimme gab ihm einen Stich.

Vielleicht stand sie aber wirklich nur unter Stress. Er habe sehr wohl Lust zu verreisen, und zwar sofort.

»Wirklich? Was, morgen schon?«

Es war ein Leichtes, sie zu überreden. Ihre Freude wirkte ansteckend. Drei Tage die hübsche Kulisse oberitalienischer Bellezza, drei Tage lang keine Bonifikationsberechnungen, keine Polizzennummern, keine Vertragstexte, keine sieben Tassen wässrigen Filterkaffees, bei denen man die tragischen Geschichten, die einem irgendwelche Klienten aufs Auge drücken wollten, höflich abwehren musste. Eine Geräuschkulisse, die man schon deshalb besser ertrug, weil man das Gerede nicht verstand, dazu Aperitivi und leichter Weißwein. Sie würden das Handy ausschalten. Drei Tage keine Schadensmeldung.

Sie sollte alles erledigen, er würde inzwischen packen. Zum Kochen finde er aber keine Zeit, er habe noch einen Termin. Es klappte wie am Schnürchen.

»Und zur Einstimmung hole ich dich von der Arbeit ab und wir gehen Pizza essen.«

Es wäre also gegen elf, wenn sie zurückkehrten, aufbrechen mussten sie morgen spätestens um halb acht. Mit etwas Glück würde Margret gar nicht mehr in die Küche gehen.

Seine Bestimmtheit überraschte sie wohl, sollte aber nicht ihre Neugierde oder gar Misstrauen erwecken. Die Herausforderung, Balance zu finden und zu halten, erzeugte eine angenehme Spannung in Werners Körper. Wie schon lange nicht mehr hatte er das Gefühl, mit dem Wind zu segeln. Er sah wieder zu dem Fleck hinauf, der sich in der Zwischenzeit nicht verändert hatte, stellte jetzt endlich einen Hocker auf den Küchentisch und ertastete erstmals vorsichtig die dunklere Stelle. Tatsächlich war klamme Feuchtigkeit zu spüren, und die äußere Verputzschicht war bereits weich geworden.

Wenn bis zu ihrer Rückkehr nichts weiter geschähe, dann eben nicht. Ein Schaden war ohnehin schon unvermeidlich. Berufsbedingt kannte er sich mit Rohrbrüchen ein wenig aus. Ein schleichender Verlauf, wie er hier augenscheinlich vorlag, verursachte nicht selten sogar die höchsten Kosten. Sie waren natürlich optimal versichert. Den genauen Zeitpunkt, wann etwas sichtbar geworden wäre, würde man später unmöglich rekonstruieren können, solange keine anderen Wohnungen ebenfalls in Mitleidenschaft gezogen würden. Der Verlauf der bevorstehenden Nacht und des Morgens danach war eigentlich noch der einzige Unsicherheitsfaktor. Die schleichende Durchnässung des Mauerwerks bei Rohrbrüchen war im Allgemeinen das größte Übel. Durch Druckstoß könnte sich der beginnende Bruch dann schlagartig vergrößern. In Aussicht standen beispielsweise sogenannte Tropfwasserschäden am Hausrat, Stockflecken, Holzfäule. Die Betroffenen müssten in der Zwischenzeit woanders unterkommen, die Kosten trüge selbstverständlich die Versicherung. Margret mit ihrem Sinn fürs Praktische wäre der Sache zweifellos gewachsen. Nach der Beseitigung der Ursache würde ein Luftentfeuchter oder ein Bautrocknungsgerät Abhilfe schaffen. Eine Renovierung täte der Wohnung gut. Werner fand, dass die Räume schleichend mit Dingen überfüllt worden waren. Auch wenn das meiste verräumt war, belastete allein das Wissen um die gefüllten Laden sein Gemüt. Das meiste kaum benützt, beanspruchte es im Gesamten viel zu viel Platz, sammelte Staub und Überdruss und schien Luft zu verbrauchen wie etwas Organisches. Die Stauräume waren voll. Er zog den Vorhang vor dem Regal in einer Nische beiseite. Ein Tennisschläger und ein Schnorchel. Kein einziger der vielen Gegenstände hatte mehr ein Geheimnis. Hier gab es nichts, das eine interessante

Geschichte erzählte oder einen schwachen Duft nach etwas verströmte, woran zu denken sich lohnte. Keine Zeichen. Er würde nicht mehr hierher zurückkehren. Ihm wurde schwindlig von der Kühnheit der Idee, in Italien Abschied zu feiern. Margret war ihm gegenüber immer loyal gewesen. Mit dem Berufswechsel hatte er fast seinen gesamten Freundeskreis verloren. Niemand kannte den Grund. Mit manchen hatte er Jahre zugebracht, zwei hatte er sogar noch aus der Schulzeit gekannt. Nach dem Unfall war es einfach vorbei gewesen, so wie es jetzt vorbei war. Eine Weile konnte man es ignorieren und auf die Kraft des Weitermachens setzen, dann kam der Zeitpunkt, an dem sie verbraucht war und mit der Konsequenz eines leeren Tanks keine Fortsetzung der Fahrt mehr zuließ. Werner bewegte sich kaum, horchte in sich hinein, mit schräg gelegtem Kopf und einem Ausdruck, den ein Beobachter vielleicht für dümmlich oder berauscht halten hätte können. Er konnte seine eigene Klarheit kaum fassen und sie nur mit Mühe ertragen. Eine andere Wahl gab es aber nicht. Der Fleck war sein Engel, ein Schutzengel vielleicht. Werner hätte sich nicht gewundert, wenn er in der Zwischenzeit auch die entsprechende Form angenommen hätte. Er ging in die Küche, um nachzusehen. Fehlanzeige, natürlich. So viel Schicksal hielt die Wirklichkeit doch nicht bereit. Australien war noch da, hatte sich inzwischen mit Tasmanien vereinigt und dehnte sich spitzzipfelig ein klein wenig in Richtung Südsüdwest.

Margret hatte mehr für ihn getan als sonst jemand. Genau das war es. Sie hatte ihn gerettet. Vielleicht. Das Problem war, dass sie eine stumme Gewissheit daraus gemacht hatte. Ein weiteres Problem war, dass sie seine Schwächen, seine Feigheit, sein Selbstmitleid und seine Isolation ebenso brauchte wie seine Ungeschicklichkeit in manchem. Sie hatte seine

Mängel besetzt, versuchte sie auszugleichen und hielt das für Liebe. Vielleicht war es das ja auch, ihre Art zu lieben. Wobei er nicht zu behaupten wagte, er wüsste besser, was Liebe war. Nur: Eine tiefe Müdigkeit, mehr als physische Erschöpfung, beim Gedanken an den anderen und manchmal auch in dessen Gegenwart, beim Kochen, in einem Lokal, im Gespräch mit Bekannten – das war es nicht, nicht für ihn. Zu oft wusste er genau, was sie gleich sagen würde. Aber konnte man Langeweile als Trennungsgrund anführen? Vielleicht war er einfach ein Arschloch. Vielleicht würde sie sagen: »Ich habe so viel für dich getan.« Vielleicht würde sie ihn erinnern, wie es damals war, als er frühmorgens in ihrer Wohnung heulend und schlotternd erzählt hatte, er habe vermutlich einen jungen Burschen angefahren, sei dann in Panik aufs Gas gestiegen und geflüchtet.

Vielleicht würde sie ihn an seinen Zusammenbruch erinnern. Wie er stundenlang geflüstert hatte, geweint, gefleht, durch sie hindurchgeschaut. Wie sie dagewesen war, sie und nur sie. Wie sie ihm später wieder auf die Füße geholfen hatte, ihn abgelenkt, als es mit der Schauspielerei auf einmal nicht mehr funktionieren wollte, als er seinen Text vergaß, seine Rollen infrage stellte, verbissen mit den Regisseuren stritt, für keinen Spaß und kein Nachtleben mehr zu haben war. Als er seine Coolness verlor, sein Savoir-vivre vergaß, wie ein Freund bedauernd und zugleich vorwurfsvoll gemeint hatte. Tausend Dinge. Tausendundeinen Satz, nicht wichtig was, nur die Stimme musste er behalten. Wie sie ihm die Tabletten besorgt und sie dann später zum richtigen Zeitpunkt die Toilette hinuntergespült hatte. Sie war die Stimme, das müsste sie ihm gar nicht sagen. Vielleicht würde sie ihn zum Weinen bringen, dazu, sie um Verzeihung zu bitten. Er hält vieles für möglich, und es ist ihm egal. Von ihm aus kann es ruhig ein schwacher Abgang sein, eine Szene, die sie dann später ihren Freundinnen als eindrucksvolle Demonstration seiner unwiderlegbaren und offensichtlichen Schwäche und Unfähigkeit beschreiben wird können. Soll sie. Hauptsache, es würde ein Abgang werden.

Seine Kälte erschreckte ihn nur wenig, dafür fühlte er sich zu gut. Es würde eine Wendung geben und er wusste noch nicht wohin. Das Leben ist ein Atemholen und ein Aufheulen auch. Heute war ihm alles recht. Die Nachmittagssonne malte ein paar Lichtkringel auf den Boden. Nichts weniger als perfekt.

Werner streckte sich, um den Schalenkoffer vom Schlafzimmerschrank zu ziehen. Bei der Auswahl der Kleidung war er sorgfältig. Margret mochte es nicht, wenn er darin nachlässig war, und er fügte sich gern. Stil war bisweilen ein recht wirkungsvoller Trost. Er rief sie noch einmal an, um zu fragen, was er für sie packen sollte. Jetzt, da er wusste, dass er gehen würde, rührten ihn ihre exakt gestapelten Pullover. Kleider und Blusen waren nach Farben geordnet, und es roch nach Lavendel. Er holte zusätzlich ein Kleid heraus, in dem sie ihm gefiel, legte es schön zusammengefaltet auf den Wäschestapel. Auch die Dankbarkeit war wieder spürbar, sammelte sich und trat plötzlich aus wie Flüssigkeit. Sie hatte viel für ihn getan, sehr viel. Sie war großartig gewesen. Er schuldete ihr gar nichts. Der Vertrag war gelöscht. Wenn sie ihn verstände? No way. Sie wird ihn hassen. Eine Trennung auf Zeit, getrenntes Wohnen, so wird er es anlegen, er ist ein Feigling, das weiß er. Sie wird fragen, wer die andere ist. Sie wird nicht glauben, dass keine andere existiert. Oder existiert sie doch? Ein Wassergeist, eine Undine, Nereide, Nymphe oder Nixe, ihrer natürlichen Umgebung entrissen, eine Ausreißerin vielleicht, eine Verirrte, das Überbleibsel einer Vision, in der alles fließen durfte und nicht weiter Ziel und Zweck kannte. Ein Wesen aus einer Welt ohne Verträge, verrufen und namenlos, eine, die man zunächst kaum ansähe, vielleicht sogar fürchtete, eine, von der man loskäme wie nichts, eine, die käme und ginge, wie es ihr beliebt.

5
SIE KAUFT IHM SCHUHE

Er sitzt da, die geröteten Augen weit aufgerissen. Es ist, als würde er tatsächlich die Farbe, die er sieht, im Mund hin und her bewegen wie etwas Flüssiges, sie schmecken und trinken. Er sitzt auf der vorletzten Stufe zwischen erstem und zweitem Stock, an den Treppenabsatz gelehnt, den Arm zwischen die Gitterstäbe geschoben und verkeilt, schlürft und atmet das kräftige, seit der letzten Renovierung etwas ins Mintgrün tendierende Türkis des Stiegenhauses. Er ist jung, braun, sehr schmal. Er hat sich nicht gesetzt, ist vielmehr hingesunken mit einem Ausdruck von leisem Widerwillen und Kapitulation, das ist ungewöhnlich, wie ein alter Mensch, dem der Weg hinauf zu weit wird. Er wohnt erst seit Kurzem hier. Ein Fremder, dem beinah die Luft wegbleibt.

Nach einer Weile schiebt er sich vom Treppengeländer weg, lässt den umgehängten cyangelben Pullover von den schmalen Schultern gleiten, hält ihn gegen die Wand und betrachtet den Kontrast der beiden Farben. Es beruhigt ihn wie etwas sehr Vertrautes. Er zieht die Beine in den Schneidersitz und verharrt, ohne sich zu bewegen, bis die Tür der ostseitig gelegenen Wohnung im zweiten Stock aufgeht. Gemeinsam mit der jungen Frau, die sich suchend umblickt, weht ein Schwall mit Gelächter vermischter Jazzmusik und der Geruch von gebratenem Fleisch mit Ingwer, Chili und Zimt in den Gang hinaus.

»Mein Gott, da bist du? Was machst du denn?« Sie eilt auf ihn zu, hockt sich hin und redet mit mütterlichem Zwitschern auf ihn ein.

Immer wieder setzt sich jemand auf die Treppen, ein Kind, mit einem Comicheft oder einem Stofftier auf den Knien, müde und schwindlig vom Rutschen übers Geländer, mit Gedanken, so vertrauensvoll und magisch, wie es nur Kindergedanken sein können, oder ein alter Mensch, bitter und überrascht von der eigenen Schwäche, wenn nach dreißig oder vierzig Jahren des Auf- und Ablaufens mit und ohne Lasten eine Pause im Stehen plötzlich nicht mehr genügt, sondern die Knie nachgeben und die kühle Glätte des Steins beruhigt, tröstet und verurteilt zugleich. Natürlich Betrunkene oder aus einem anderen Grund von Unwohlsein Befallene, Leidenschaftliche voll ungeduldiger Hast oder solche, die lange fort waren und den Moment des ersehnten Wiedersehens vielleicht aus Furcht noch für eine winzige und deshalb wieder lustvolle Zeitspanne hinauszögern, nicht zuletzt diejenigen, die etwas zu gestehen haben und deren Angst einen kleinen sinnlosen Aufschub erzwingt, Hausbewohner oder Gäste, die von einer Familienfeier, einem Abendessen in starrem Schweigen oder einer Auseinandersetzung fliehen, allein oder zu zweit Rauchringe in die Luft blasen, die Muster im Steinboden nachzeichnen wie Kinder oder einfach vor sich hinstarren und den Durchgangsraum, der ein Stiegenhaus nun einmal ist, in eine Zuflucht auf Zeit oder gar in einen konspirativen Transitraum verwandeln. Wer meint, in einem Stiegenhaus geschähe nichts Wesentliches, der irrt. Damit sind nicht so sehr Küsse oder andere geteilte Geheimnisse gemeint, Schläge oder heimlich gerauchte Joints, nicht die Tränen, die hier geweint wurden, und nicht einmal der

Tod, der einen Einzigen in nunmehr fast einem gesamten Jahrhundert hier ereilte. Es ist das Nicht-mehr-hier-und-noch-nicht-dort eines Treppenhauses, das magisch ist: Die Fesseln lockern oder lösen sich im Zwischenraum von den Vorstellungen, der eine oder andere kühne Gedanke entwischt, weil man ja eigentlich nirgends ist und in den Augen der anderen nur ein Irgendjemand, ein bloßer Passant ohne Aufgabe und Amt, in der perfekten Tarnung unauffälligen Funktionierens, während dahinter ein Mensch zu sich kommen, Entschlüsse fassen, Anfänge und Enden erkennen, ein Verlangen erspüren kann, das hier, in der Sicherheit der Passage, noch ohne Gefahr ist.

»Ist dir nicht kalt?«

»Mir ist immer kalt, ich muss mich erst an das Klima hier gewöhnen.«

Ein eckiger Akzent, der die Vokale kurzschleift. Es fällt ihm schwer, den Blick von der Wand zu lösen. Die Stimme ist belegt und nasal, er atmet durch den Mund.

»Das wird schon.« Er tätschelt und lächelt ihren besorgten Blick weg. Lieber wäre er noch ein Weilchen allein geblieben, nein, nicht wirklich allein. Was Cyangelb und Türkis bedeuten, ist etwas, das er ihr nicht auf Deutsch erklären könnte. Das zwischen ihnen noch vertrautere Englisch wäre zwar denkbar, und sie ist zweifellos eine einfühlsame Frau, dennoch, seitdem er hier ist, herrscht eine Verwirrung aus Hindi, Englisch und Deutsch in ihm, die es ihm schwer macht, einen Gedanken in Worte zu fassen.

Da ist Bewegung, ein Stoß gegen den Unterleib, ein Ruckeln im Nacken, da sind vorbeifliegende Zurufe und Gestalten, da ist ausgelassenes Juchzen und Kreischen, das aus seinem Körper steigt, da sind die Stimmen eines Kindes und einer Frau auf einem Fahrrad, da ist ein Rücken, über den ein langer, dunkler Zopf baumelt, mit einzelnen weißen Fäden darin, da ist er selbst, jünger, schmäler, ein Kind, an den warmen Rücken der Frau geschmiegt, die Arme um ihren Bauch geschlungen, die Beine rechts und links vom Gepäckträger herabhängend, auf den sie einen gefalteten Schal geklemmt hat, damit er weich sitzt. Sie fährt schnell, weicht den Schlaglöchern und Lacken geschickt aus, er spürt die Kraft ihrer Beine, die gleichmäßig in die Pedale treten, die Vibrationen ihres Körpers, die vom Rufen und Lachen noch verstärkt werden. Ihr langer Zopf riecht nach Dungfeuer und Kokosöl, der türkisfarbene Stoff ihrer Tunika ist warm vom Körper und von der Sonne, eine Spur Kernseife mischt sich zu den Gerüchen, in die der Junge seine Nase vergräbt. Jetzt presst er sie in den Stoff, denn es ist heiß und feucht, und gleich kommen sie bei den Marktständen vorbei, wo es nach süßlichem Blut und Tod riecht. Sie sind Brahmanen, sie essen kein Fleisch. Und da sind Cyangelb und Türkis: das langärmelige, weite Kleid der Frau in genau jenem Türkis mit genau diesem Stich ins Mintgrüne, bedruckt mit großen cyangelben Blüten in einem spiralig verschlungenen Rankenmuster, ein gleichfarbiger, transparenter, türkis eingesäumter Schal, der immer wieder das Gesicht des Jungen streift und gefährlich nahe an die Speichen des Hinterrads gerät, eine Hose in demselben Ton mit gelber Einfassung an den Beinöffnungen. Ihre Lieblingsfarben: Smaragdgrün und Pink. Lila und Rot. Ockerbraun und Indigo. Türkis und Gelb. Zwei oder drei Mal im Jahr kauft sie gemeinsam mit ihren Töchtern am Central Market ein, ihn, den Kleinen, irgendwo zwischen Ballen und Stapeln mit dabei, mit einem Papiersäckchen voll klebrig-süßer Sirupbällchen ruhig gehalten. Sie hält die ausgewählten Stoffe in die Höhe, strahlend. Seine Mutter mag starke Kontraste.

Da ist sie, wieder in Türkis und Gelb, da ist Kokosöl gemischt mit Rosenwasser, da ist der Zopf, inzwischen silbrigweiß, ein Plastiksackerl, aus dem es nach fettigen Samosas riecht, da ist er selbst, neben ihr, beinahe gleich schmal, aber viel größer, wieder beide in Bewegung, diesmal auf einem Rollband, an der Decke darüber Neonröhren, deren Licht sich mit dem des nebeligen, wie dickflüssig heißen Morgens von draußen zu einem grellen, gelblichen Gemenge mischt. Er trägt eine Tasche über die Schulter gehängt, Jeans, eine Sonnenbrille, die ihm Sonja geschickt hat. Am Ende des Rollbands hält ihn die Mutter am Handgelenk fest und bindet ein rotgelbes Wollband darum. Sie ist gestern im Tempel gewesen, natürlich. Er widersteht dem schwachen Impuls, ihr den Arm zu entziehen. Hinter der Absperrung winkt er ihr, sieht sie klein werden. Er tastet schon zum vierten oder fünften Mal nach dem Flugticket und dem Pass, ärgert sich über seine Nervosität. Von hier aus ist schon nicht mehr zu erkennen, dass ihr hellbraunes Gesicht einen Stich ins Graue hat, dieses Zwielicht, die Schlaflosigkeit der letzten Nacht, er hört noch ihren flachen, unregelmäßigen Atem. Auch er lag wach bis zum Morgen. Der Vater umarmt ihn, will aber nicht mitkommen. Ständig höre der Sohn diese Musik aus Kopfhörern, sogar jetzt, bevor er gehe. Als wollte er sich die Ragas aus dem Blut schwemmen. Aber das wird er nicht können. Das sei kein Schwachsinn, was er höre, das sei wunderbare europäische Musik von einem großen Meister, fast dreihundert Jahre alt. Nun gut. Wer ist dieser Johann Sebastian Bach, und warum stiehlt er ihm seinen Sohn?

Rakesh hörte die Gedanken seines Vaters, als hätte dieser sie laut ausgesprochen. »Das können wir alle, wenn wir wollen, das ist keine Zauberei«, sagt er zu Sonja, die ihn fragt, warum ihn sein Vater nicht zum Flughafen begleitet habe. Nein, gesagt habe er es nicht. Aber so denke er, da gebe es gar keinen Zweifel. Nach einer Frau habe der Vater nicht gefragt.

»Die Mutter weiß es«, schreibt Rakesh an Sonja, als sie chatten.

»Weiß sie es oder vermutet sie es?«

»Das ist in diesem Fall dasselbe.«

Einstweilen liebt ihn Sonja für jedes Missverständnis noch mehr.

»Wie würdest du uns Inder beschreiben?«, fragt er sie.

»Sie lächeln viel. Ihre Blicke sind ausweichend, aber aus den Augenwinkeln sehen sie alles. Sie sind Meister der Zwischentöne.«

»Sie haben in den letzten zwanzig Jahren zwölf Millionen Mädchen abgetrieben. Das solltest du wissen. Jeder sollte das wissen, finde ich. Ach ja, und sie planen mindestens neun neue Atomkraftwerke. Aber du hast trotzdem recht.«

»Aber liebst du denn dein Land nicht?«

»Liebst du deine Mutter?«

»Nicht besonders.«

Jetzt ist es an ihm zu staunen.

»Glaubt ihr tatsächlich, in allen Dingen eine Wahl zu haben?«

»Wen meinst du mit *ihr*?«

»Euch Westler.«

»Ach, wir denken alle gleich, ja?«

»Eins zu null für dich. Es gefällt mir, mit einer Frau streiten zu können.«

»Aber wir streiten doch nicht.«

»Dann eben diskutieren.«

»Gut, diskutieren.«

»Keiner, der nichts tut, hat das Recht, Mitleid zu empfinden«, sagte Rakesh zu Sonja bei ihrem ersten Treffen im Top Hill View Café, als sie über das ausgedehnte Ensemble der blau gestrichenen kubischen Häuser schauten. Die an verschiedene alltägliche Arbeiten friedlich hingegebenen Menschen auf den Flachdächern ergaben im fast waagrecht einfallenden Licht der abendlichen Sonne ein allzu schönes Bild. Von der Seite sah er Sonja an, die in ein pinkfarbenes Tuch gewickelt auf einem Plastiksessel saß, die langen weißen Beine auf dem Geländer abgelegt, und ihrerseits mehrere Frauen in grünen Saris beobachtete. Sie putzten am Dach gegenüber Gemüse und bereiteten offenbar ein größeres Abendessen vor. Auch Sonja war schön, wie sie da saß, rauchte und schwieg. Hätte er es ihr gesagt, hätte er alles verdorben. Sie war schon mehrere Wochen unterwegs und zum fünften Mal in Asien. Sie kannte die Sprüche. Stattdessen sagte er: »Von hier oben sieht alles schön aus.«

»Dann haben die Weisen vielleicht recht, wenn sie sagen, was wir sehen, täuscht immer. Und noch etwas: Du bist ganz schön streng.«

Sie überraschte ihn. Auch später im Gespräch verteidigte sie keines der schönen Bilder gegen seine boshaften Einwürfe, seine Daten und Fakten. Ihr Blick blieb offen. Zudem war sie wirklich hübsch: dichtes, hellbraunes Haar, sehr helle Haut. Kleine Fältchen um die Augen. Sie war dreiunddreißig.

Die, die weniger reden, sind leichter zu begreifen. Man muss sich bei ihnen nicht durch die Wörter hindurchhören. Bei dem einen ist es die Sprache, die alles verrät, bei dem anderen hingegen alles, was nicht Sprache ist. Es ist Heimweh, ganz klar. Er ist vierundzwanzig Jahre alt, er ist ein Mann, es ist kaum auszuhalten. Dabei war es das doch zu Hause: unerträglich, mit jedem Tag mehr. Er blieb noch bis zur Hochzeit seiner Lieblingsschwester Roshanara im Jänner, zehn lange Monate, nachdem er Sonja kennengelernt hatte. Zehn Monate lang beinah täglich der Weg in Sunils Teeladen mit Internetanschluss. Der dicke Sunil mit dem durch Polio verkrüppelten linken Arm war kein Schwätzer, das war Rakeshs Glück, Sunil lächelte, brachte ihm ein Glas mit Masalatee, schwieg. Im Oktober begann die Reisesaison, da wurde es wieder leichter. Am Ende der Wartezeit wusste er nicht mehr, in wen er verliebt war: in Sonja, in die Aussicht wegzukommen oder einfach in die Tatsache, dass seine nächsten Lebensjahre dank Sonja nicht schon völlig vorgezeichnet waren. Bevor er sie kennengelernt hatte, hatte er sich immer öfter bei dem Gedanken ertappt, zu erleben, was kommen würde, lohne sich eigentlich gar nicht.

Er hatte einfach keine Lust mehr, für die nächsten vierzig Jahre wohlhabenden Touristen auf Englisch, Deutsch, Spanisch, Französisch mitten im immer gegenwärtigen Gedrängel um ein wenig Profit, das sie gar nicht wahrnahmen, höchstens als Begleiterscheinung einer Indienreise, lächelnd Geschichten vom einstigen Glanz der Moguln und Maharajas zu erzählen, die oft grobschlächtigen Gestalten auf Englisch, Deutsch, Spanisch, Französisch lächelnd zu warnen, wenn sie sich in den engen Gängen des Stadtpalastes den Kopf anzuschlagen oder draußen in den nächsten Kuhfladen zu treten drohten, sie zu hofieren und vorzugeben, ihr Wohlbefinden sei ihm ein ernsthaftes Anliegen. Er hatte auch keine Lust mehr, sich die Vorhaltungen seines Vaters anzuhören, wenn er die Gäste wieder einmal nicht in das Textilgeschäft des Onkels oder in die Malerwerkstatt des Cousins seiner Mutter geschleust hatte, wie es üblich war. Er hatte nicht einmal mehr Lust auf gutes Trinkgeld, obwohl die Hoffnung darauf meist berechtigt war. Euro, US-Dollar, Singapur-Dollar, Hongkong-Dollar, Schweizer Franken, alles hatte er schon bekommen. Seine angenehme Erscheinung, seine Stimme, sein Wissen. Und natürlich sein Lächeln. »Vor allem das Lächeln ist wichtig«, hatte ihm der Vater eingebläut, als Rakesh noch ein Kind war. »Das Lächeln darfst du nie unterschätzen. In den Ländern, wo diese Menschen herkommen, ist es oft kalt. Darum sind sie bleich und ihre Gesichter sind eingefroren, verstehst du. Unser Lächeln ist die Sonne, die ihre Herzen öffnet. Und ihre Geldbörsen auch.«

Das Lächeln ist die Grundlage. Jedes Baby konnte es. Auch Rakeshs Vater arbeitete nebenher als Guide und verdiente mit ein paar guten Touren oft so viel wie in drei Monaten als Lehrer. Sie wohnten in einem schmalen, hohen, in brahmanischem Blau gestrichenen Haus mitten in der Altstadt, und manchmal nahm er ihn und Roshanara mit zu den Führungen. Sie waren beide schöne Kinder, hellbraune Haut und große Augen, indische Kinder gefallen den Touristen. Unterwegs ließ der Vater ihn geschichtliche Daten, die wichtigsten Erscheinungsformen Shivas oder die zehn Inkarnationen Vishnus aufsagen. Mit noch nicht sechs Jahren kannte er sie alle: Matsya, den Fisch, Kurma, die Schildkröte, Varaha, den Eber, seinen Liebling Narashima, den Mannlöwen, den zwergengestaltigen Vamana, Parashurama mit Axt und Antilopenfell, Rama, der nicht ohne Sita sein wollte, Krishna als dralles, verspieltes Baby oder als dauerflirtenden Eroberer schöner Frauen, Buddha, den Erleuchteten, und schließlich Kalkin, den dunklen Reiter auf dem hellen Pferd. Wenn er sie alle aufzählte, bewegte die nur um ein Jahr ältere Roshanara die Lippen mit, und wusste Rakesh einmal nicht weiter, sagte sie ihm ein. Sie fragte der Vater aber nie ab, nicht ein einziges Mal.

Allmählich wurde es gefährlich, das spürte er: Er begann den Touristen Dinge zu erzählen, die sie nicht hören wollten, zum Beispiel, dass sich in den letzten zehn Jahren mehr als 120 000 Bauern das Leben genommen hätten, weil sie verschuldet waren, zumeist mit Pestiziden, die leicht zugänglich waren. Im Süden, wo das Zentrum der indischen Textilindustrie lag, würden Mädchen in Fabriken versklavt, um ihre Mitgift zu verdienen. Fast die Hälfte der unter fünfjährigen Kinder landesweit sei untergewichtig. 70 % der indischen Haushalte lebe in Armut. Rakesh merkte sich die Zahlen so leicht wie die Namen der Inkarnationen. Am Anfang war er vorsichtig: die eine oder andere prägnante Zahl, eingeschmuggelt in das normale Programm und immer begleitet vom üblichen, vielleicht etwas melancholisch gefärbten Lächeln. Manchmal fragte jemand nach, dann verzichtete Rakesh auf eine schöne Anekdote vom blauhäutigen Gott Krishna und den Hirtenmädchen, ließ die eine oder andere Ecke eines Tempels aus und erzählte stattdessen, was er über die Gegenwart wusste. *Behandle sie nicht so, als ob es ihre Schuld wäre. Treib sie nicht in die Enge.* Zumeist hielt er sich an seine Vorsätze. Am Ende bekam er gutes Trinkgeld, schämte sich und kämpfte gegen das Gefühl, nun seinerseits den Weißen, denen er all das erzählt hatte, etwas schuldig zu sein. Denn er fühlte sich besser, wenn er von dem sprechen konnte, was ihm zunehmend klarer wurde: die entsetzliche Ungerechtigkeit seines Landes. Die Anzahl der Motorräder, Autos und Mobiltelefone stieg enorm, die Zeitungen jubelten, dass die Mittelschicht wachse. Aber auch die Müllberge wuchsen. Vielleicht litten etwas weniger Menschen an Polio, Malaria oder Cholera, aber mehr denn je starben nach Verkehrsunfällen. Mother India fraß ihre Kinder, oder war es umgekehrt? Darauf gaben die Zahlen keine Antwort. Sie schwiegen, aber sie brannten sich ein. War Rakesh als Kind und noch als junger Erwachsener fasziniert von den unzähligen Erscheinungsformen und Aspekten der drei Hauptgötter Shiva, Vishnu und Brahma gewesen, von den weiblichen wie von den männlichen, von den sanften wie den zerstörerischen, so verdrängten die Zahlen nun die Welt der himmlischen Bilder, die ihm so selbstverständlich gewesen war, dass er auf die Frage, ob er denn tatsächlich an diese Götter glaube, gar keine Antwort geben hätte können: Die Götter mit ihren allzu menschlichen Gefühlen und Begehrlichkeiten waren so offensichtlich Verdichtungen des Wirklichen, dass ihnen niemand, den Rakesh kannte, die Existenz abgesprochen hätte. Über deren Form zu streiten war höchstens die Beschäftigung von Gelehrten. Ein Leben ohne die Götter war ebenso wenig vorstellbar wie ein Leben ohne Wasser. Mit der wachsenden Macht der Zahlen über ihn aber wichen die Götter und mit den Göttern das Lächeln. Die Rituale der Priester in den Tempeln schienen ihm Mummenschanz, die unablässig betenden und opfernden Gläubigen bedauernswerte Unwissende oder grausam Gleichgültige. Es war eine Frage der Zeit, bis sich einer der Gäste nach einer Führung über ihn beschweren würde. Dann wäre er den Job schnell los. Allein in seinem Viertel würden sich Dutzende junger Burschen um die Chance reißen, seine Stelle einzunehmen. Die Agentur würde einfach nicht mehr anrufen.

Klarerweise waren es die sympathischeren, weniger selbstgerechten unter seinen Kunden, bei denen der Reflex, durch ein großzügigeres Trinkgeld ihr eigenes schlechtes Gewissen zu beruhigen, verlässlich einsetzte. Gerade das beschleunigte Leben des Reisens machte ihnen den Boden unter den Füßen unsicher und warf sie auf das zurück, was sie in einem armen Land jenseits von persönlichen Merkmalen nun einmal waren: Reiche, begehrt, beneidet, umgarnt, Geldquellen, die anzuzapfen eine Frage der richtigen Mischung von Dienstleistung, Täuschung und Versprechen war. Somit begann Rakesh, das Lächeln seiner Kollegen zu verachten und das eigene immer sparsamer einzusetzen.

Bis Sonja kam. Da war es bald unvermeidbar, andauernd zu lächeln, auch wenn er längst keine Lust mehr hatte, an den immer gleichen Schauplätzen die immer gleichen Fotos von blassen Paaren zu knipsen, keine Lust, ihre abfälligen Bemerkungen, die er immer besser verstand, lächelnd zu überhören, keine Lust auf ihr Gefühl grundsätzlicher Überlegenheit, in das sie sich zurückzogen wie in ihre Hotelburgen. Er hatte keine Lust mehr, so lange so zu tun, als bemerke er all das nicht, bis er es nicht mehr bemerkte, wie seine Kollegen, wie jedermann. Er wollte weg, nur weg. Aber wie?

Manchmal schämte er sich seiner Unfähigkeit, fröhlich und gelassen zu bleiben. So viele waren schlechter dran. Seine Kollegen konnten es doch: Sie alle lotsten ihre Tageskunden gelassen durch die Spaliere hoffnungsvoller Verkäufer und Abzocker, vorbei an den Alten, Kranken, Krüppeln, Musikern, Handlesern, bettelnden Kindern, über die gärenden Pfützen hinweg und vorbei an den Müllkippen und offenen Kanälen, durch das tägliche Hin und Her von Grüßen und Scherzen, in das sie sich leichthin ein- und wieder ausfädelten. Das Vertraute hielt und schaukelte sie in der Illusion, das alles habe schon irgendwie seine Berechtigung. Sie standen beisammen, sie tratschten, aßen, kauten Betel, sie spuckten aus. Er aber wurde die Bitterkeit nicht mehr los. Sie alle konnten es, und er hatte es doch auch gekonnt, sechs Jahre lang. *Take it easy.* Wann hatte er vergessen, wie das geht? Und warum? Wäre er ein gläubiger Hindu gewesen, hätte er eine Antwort gehabt: Ein Dämon hatte sich in ihm verfangen, wütende und anmaßende Gedanken in ihm gesät, die Saat war aufgegangen und trug nun bittere Früchte, und, was noch schlimmer war, sie bildete ein Wurzelgeflecht aus Tatsachen, Hypothesen, Urteilen, Argumenten und Gegenargumenten in ihm aus, von dem er sich nicht mehr befreien konnte, nicht eine einzige Sekunde lang.

Aber er war kein gläubiger Hindu mehr. Kein Dämon stand am Anfang seiner Absonderung, seiner Unruhe und seines Unwillens, sondern Kant, bald auch Marx, Hegel und Sartre. Er las die Schriften des Mahatma Jyotiba Phule, Brahmane wie er, der im 19. Jahrhundert erbittert gegen das Kastensystem gekämpft hatte. Später las er auch Südamerikaner, Afrikaner, Inder, Soziologen, Historiker, Aufwiegler und Heilige, was immer sich auftreiben ließ. Dass es letztlich Feigheit und Faulheit waren, die die Menschen daran hinderten, sich ihres Verstandes ohne fremde Leitung zu bedienen und ihr Schicksal in die Hände zu nehmen, war eine Wahrheit von solcher Unzweifelhaftigkeit und Schärfe, dass der Schrecken aller zornvollen Gottheiten und Dämonen des Subkontinents dagegen nichts als Schmierentheater war. Eine Erkenntnis, die man einmal gewonnen hatte, konnte nicht wieder ungeschehen gemacht oder auf andere Weise ausgetrieben werden, ebenso wenig, wie man sich dafür entscheiden konnte, eine Sprache, die man einmal gelernt hatte, plötzlich nicht mehr zu verstehen. So weit in etwa war er, als er Sonja, die nun neben ihm auf der Treppe sitzt, vor eineinhalb Jahren kennenlernte. Er nimmt ihre Hand, damit sie aufhört, ihm Fragen zu stellen. Entweder versteht sie, oder die Zuwendung beruhigt sie, jedenfalls ist sie still.

Er las und las, lernte und lernte. Täglich sechzig neue Vokabeln, fünfzehn in jeder europäischen Sprache, die er sich aneignete. Als Fremdenführer arbeitete er von Ende Oktober bis Mitte März. Er war einer der Jüngsten, aber bald einer der Besten. Es war seltsam, je zorniger er wurde, desto erfolgreicher war er und desto besser waren zunächst die Trinkgelder. Er arbeitete in einem fort, und wenn er nicht arbeitete, las er. Es war nicht Fleiß, was ihn antrieb. Das Herumsitzen und Schauen, mit dem die meisten in seinem Viertel in winzigen Läden wie in Auslagen hockend einen großen Teil ihrer Tage zubrachten, machte ihn schlicht krank. Er mochte die Touristen nicht mehr, aber er fürchtete die langen Monate zwischen März und Oktober, in denen sie ausblieben. Früher hatte er sich auf die Zeiten des Lernens und Lesens gefreut. Zwischen März und Oktober hatte er vier Sprachen und vieles andere gelernt. Meist saß er im kleinen offenen Vorratsraum seines Elternhauses, der an die Dachterrasse anschloss, mit ein paar Kissen im Rücken an den Türstock gelehnt. Am besten konnte er sich konzentrieren, wenn es regnete und Roshanara mit irgendeiner Hausarbeit neben ihm saß.

Auch in Europa lernt er bei Regen am besten, der aber hier ganz anders auf den Dächern klingt, blechern und trommelnd. Zudem irritiert ihn das Gluckern des Wassers in den Dachrinnen. Man kann das Fenster nicht lange offen lassen, weil es bei Regen selbst im Hochsommer kalt und windig wird. So hat er sich auch bestimmt die hartnäckige Nebenhöhlenentzündung geholt: weil er beim Lesen unbedingt den Regen hören wollte.

Türkis und Cyangelb, und er selber, hundertfach zersplittert und ausgestreut, hier, irgendwo, nirgends. Es ist nicht gut, wenn einen vor allem der Schmerz zusammenhält. *Take it easy.* Seinetwegen soll das sein Mantra sein, eines ist ja so gut wie das andere.

Take it easy, sagt er sich nun im Stillen auf der Treppe vor, *take it easy. Die Gedanken sind wie ein zersplitterter Spiegel, der dich in tausend Stücke schlägt. Wenn du Ruhe und Klarheit suchst, musst du zuerst das Geplapper der Gedanken zur Ruhe bringen.* So ähnlich sagte es der Pandit im Durga-Tempel, zum Teufel mit ihm, aber er hat recht. *Der gleichmäßig fließende Atem ist der Angelpunkt von allem, was dich weiterführt. Erst setzt sich der Spiegel wieder zusammen und du siehst dein Bild als eines, bis auch Spiegel und Bild verschwinden.* Davon war er meilenweit entfernt, aber das Atmen und das Wiederholen der immer gleichen Worte schuf eine kleine betretbare Fläche über dem abgründigen Gefühl von Verlorenheit. Es ist fürchterlich dumm, das weiß er. Er muss sich beruhigen, er darf sich doch nicht gleich bei der ersten Gelegenheit vor Sonjas Freunden blamieren, für die er gemeinsam mit ihr den ganzen Nachmittag lang gekocht hat, und auch nicht vor Sonja, denn er vertraut ihr zwar, aber Heimweh, so etwas Peinliches wie sein Heimweh, kann er ihr nicht zumuten, eine Empfindung von solcher Heftigkeit, dass er vor Schmerz losheulen könnte wie ein Kind: Heimweh nach Türkis und Gelb, Heimweh nach seiner Mutter, nach Roshanara, nach der Kuhwärme in den engen Gassen, sogar nach dem endlosen Gehupe der Tuk-Tuks und Motorräder, Heimweh nach dem Geplärr der Händler, nach der ständigen Notwendigkeit, geschmeidig und geschickt zu sein, sobald man sich außerhalb des Hauses bewegt, Heimweh nach Lärm und Dreck, ja, sogar danach, und nach seinem so gebildeten und so bornierten Vater mit dem sagenhaften Gedächtnis, der die Bhagavad Gita und andere heilige Texte der Hindus auswendig konnte. Der Schmerz kommt plötzlich wie ein Schlag und katapultiert ihn aus der losen Gemeinschaft hinaus, die sich hier allmählich um ihn formt. Er braucht seine ganze Kraft, es zu verbergen.

Come on. Take it easy. Take it easy. Nein, das hat keinen Klang, keinen Rhythmus. Es fließt nicht. Irgendetwas anderes muss her, ganz egal was: Er war doch randvoll mit diesen Sprüche und Klängen: *Prabhujee Dayaa Karo / Maname Aana Baso / Tuma Bina Laage Soonaa / Khaali Ghatame Prema Baro / Meister, hab Mitleid mit mir, komm, nimm Platz in mir / ganz ohne dich bin ich schmerzlich einsam / fülle diese leere Schale.*

Er denkt keine Sekunde an die Bedeutung der Sanskrit-Silben. Nach der dritten oder vierten Runde wird es allmählich besser.

Dabei lässt sich der oberste Glaubensgrundsatz seiner Religion doch auf geniale Weise in dieser amerikanischen Phrase ausdrücken. *Take it easy*, antwortete er Sonja damals über den Dächern, als sie ihn fragte, was denn kurzgefasst die Essenz des Hinduismus sei. Kurzgefasst, das gebe es vielleicht in Europa oder in den USA, aber gewiss nicht in Indien, meinte er zuerst, fand dann aber eine überraschende Lösung: *Take it easy*. Nicht dass sie alles leicht nahmen oder oberflächlich waren, aber das war das Ideal, das oberste Gebot jeder Stunde, die oberste Tugend: hinnehmen, sich die Schwere des Lebens nicht ansehen lassen, die Leichtigkeit im kollektiven Träumen suchen, nicht im Kampf um ein leichteres Leben. Zorn und Aufbegehren verrieten die Schwäche eines wankelmütigen Geistes. »Wir sind Verleugner des Offensichtlichen«, sagte er zu Sonja, »Träumer und Verräter an uns selbst, wie es keine zweiten gibt.« Sie war überrascht, hörte aber zu.

»Deine Gedanken sind noch nicht so fix und fertig, du zeigst mir zumindest keine lächelnde Fassade«, sagte sie zu ihm. »Ich glaube, ich mag sogar deine Wut.«

»Ich mag deine Freiheit und dass du nicht weißt, was du in fünf Jahren wollen wirst. Und deine weißen Beine.«

»Geh doch zu Durga, wenn du zornig bist«, riet ihm Roshanara. Durga: Mahadevi, die große Göttin, die Allmutter, »die schwer Zugängliche, die schwer zu Begreifende«. Sie trat in mindestens vierundsechzig Erscheinungsformen auf, stand über den anderen Göttern und war keinem männlichen Gott zugeordnet. Sie hatte vier Arme, acht, zehn, achtzehn oder zwanzig, war meist schwer bewaffnet mit Pfeil und Bogen, Diskus, Dreizack, Schwert und Schild, und ritt auf einem Löwen oder Tiger. Mit ihr war nicht zu spaßen, ihr Zorn war heilig.

Roshanara hatte recht, für einen Zornigen wie ihn wäre Durga bestimmt die Richtige. War sie doch aus dem Licht geschaffen worden, das Shiva und Vishnu im Zorn über das maßlose Treiben des Büffeldämons Mahisasura entsprungen war. Obwohl der Dämon ständig seine Gestalt änderte, besiegte ihn Durga, die mit laut brüllendem Lachen in den Kampf gezogen war. Jedes Hindukind kannte die Geschichte.

Wenn es nicht gerade sein Zorn wäre, der ihm verbietet, sich an eine der mythologischen Gestalten seiner Kindertage zu wenden, der Zorn und die Zahlen, die sich zusehends zu einem immer festeren Knoten in ihm zusammenziehen. Roshanara breitet helle Stoffstreifen auf dem Boden aus, um Druckmuster auszuprobieren. Sie hat verschiedene Holzstempel vor sich liegen und taucht sie in blaue und gelbe Farbe ein, die sie zuvor angerührt hat. Da Rakesh schweigsam vor sich hin brütet, beginnt Roshanara mit leisem Singsang die hundertacht Namen der Göttin zu rezitieren. Rakesh erinnert sich jetzt im Stiegenhaus an die unerträgliche Hitze jenes Junitages, eine Hitze, die abends nicht wirklich wich, nur ein wenig nachgab. Die Menschen standen oder saßen auf den Dächern und hielten Ausschau nach den ersten Monsunwolken. Der Mond hing fett und schwer in den Zweigen des Banyanbaums im Hof. Zwei Häuser weiter rief und winkte eine Nachbarin mit ihrem Baby auf dem Arm, Roshanara winkte zurück. Jedem anderen, der ihm den Rat gäbe, Zuflucht zu einem Gott zu nehmen, würde Rakesh den Mund verbieten, er würde ihn zumindest mit einer ironischen Antwort abfertigen. Ein orange-blauer Eisvogel saß im Gewirr der Elektroleitungen unter der Terrasse und pickte ausdauernd an irgendetwas. Der Mond schob sich dahinter, sodass es aussah, als zielte das Tier in das Fleisch des Mondes wie in eine riesige goldgelbe Frucht, deren Schale sich nicht durchdringen ließe. Bald würde Roshanara heiraten. Obwohl sie nicht weit wegziehen würde, nur ein paar Straßen weiter, würden sie abends nicht mehr zusammen hier sitzen können. Sie würde der Familie ihres Mannes gehören. Ihr Verlobter war ein sanfter Mann, der in der Apotheke seines Vaters arbeitete, und würde gewiss nicht grausam zu ihr sein. Die Familien, Brahmanen, kannten einander, hatten Kinder im passenden Alter. Roshanara und ihr zukünftiger Gatte waren von den Eltern sogar um ihr Einverständnis gefragt worden. Je mehr glückliche Umstände Rakesh zu dieser Angelegenheit einfielen, desto unglücklicher fühlte er sich. Er sah seine Schwester von der Seite an. Wie geduldig sie die farbigen Musterreihen auf dem Leinenstoff ausprobierte, verschiedene Stempel kombinierte. Hatte sie sich je etwas anderes gewünscht? War sie glücklich oder vielmehr doppelt unglücklich, wie ein Denker aus Europa, Kierkegaard, meinte: Man ist es, wenn man nicht einmal weiß, dass man unglücklich ist. Roshanara konnte ebenso lesen und schreiben wie Rakesh. Warum las sie nicht? Sie hätte aus ihrem doppelten Unglück ein einfaches machen können. Sie war eine Frau, das war ein entscheidender Nachteil. Rakesh erinnert sich, wie ihm erst an diesem Abend auf dem Dach mit seiner Schwester völlig klar wurde, dass er keinesfalls hierbleiben konnte. Er würde zugrunde gehen. Das einfache Unglück genügte dafür vollends. Er würde morgen in den Durga-Tempel gehen, Roshanara zuliebe. Sie würde es gleich dem Vater erzählen. Egal. Schaden würde es nicht mehr können.

»Lass mich nur noch ein paar Minuten in Ruhe hier sitzen. Alles ist sehr seltsam heute. Ich habe wohl ein mieses Tageskarma.«

Er und Sonja sind miteinander glücklich genug, um sich über schwer Sagbares mit Scherzen hinüberzuretten. Sie holt ihm eine Decke, berührt ihn kurz an der Schulter. Er bringt ein Lächeln zuwege. Anders als er zu Hause glaubte, war jener jederzeit Sanfte und Freundliche, zu dem man ihn erzogen hatte, nicht endgültig verschwunden, sondern zeigt sich hier in der Fremde wieder öfter und leistet gute Dienste. Hier lernte Rakesh auch, seiner charmanten Maske gegenüber gnädiger zu sein. Er muss sich hier vor ganz anderen Dingen schützen und lernt täglich. Auch hier ist das Lächeln eine Basis. Er zwinkert Sonja noch zu.

»Ihr Frauen seid einfach zu gut. Kein Wunder, dass ihr überall auf der Welt den Kürzeren zieht. Ich komme wirklich gleich, versprochen.«

Wenn sein Vater hier wäre, würde er den Sohn wohl sofort in eine seiner Geschichten einwickeln, die er zu erzählen begann, egal, wovon man zuvor gerade gesprochen hatte, ein schier unendliches Gewebe, in dem man sich herrlich verlor: Hanuman-Geschichten, Shiva-Geschichten, die Upanishaden, das Ramayana, die Kaurauvas und die Panadavas aus dem Mahabaratha, Tiger, Drachen, Dämonen, Elefanten, Gurus. Es ist nicht eine bestimmte Geschichte, die sich Rakesh vielleicht zum Trost erzählen ließe, es ist einfach der Klang der immer etwas belegten, tiefen Stimme seines Vaters, den er vermisst. Obwohl Roshanara und Rakesh irgendwann bemerkten, dass die Geschichten des Vaters weder Antwort noch Lösung boten und außer in irgendeiner nebensächlichen Verbindung gar keinen Bezug zum gerade Besprochenen herstellten, mochten sie sie sehr. Manchmal war es zum Beispiel nicht mehr als eine Farbe, so wie jetzt die Kombination aus Türkis und Cyangelb. Vielleicht ist es gut so. In den letzten Monaten hat er wenig an Zuhause gedacht. Wenn ihm Bilder seiner Eltern, seiner Schwester oder anderer Verwandter und Freunde vor Augen traten, war es so, als wisse er zwar genau, was er empfinden müsste, er fand aber keinen Zugang mehr zu seinen Gefühlen.

Der Priester aus dem Durga-Tempel war ein Freund seines Vaters. Er saß abseits des Hauptaltars der Göttin auf einer Stufe und winkte ihm freundlich. Als sich Rakesh neben ihm niederließ, blieben beide eine ganze Weile still. Der Gelehrte, ein rundlicher, schon ergrauter Mann um die vierzig, war immer freundlich zu ihm und seiner Schwester gewesen, hatte sich bei Besuchen in ihrem Haus stets nach der Schule erkundigt und ihnen oft Bücher geschenkt. Es kam keine Frage, wieso Rakesh sich so selten im Tempel sehen ließe, auch keine unausgesprochene, das spürte er. Die Stille, die stumme Fragen oder gar Vorwürfe schufen, war aus ganz anderem Stoff. Der Pandit klopfte mit dem Fingernagel einen Rhythmus auf den Stein, ein helles, leises Klacken, das Rakesh beruhigte und ihn vielleicht dazu verleitete, von den Zahlen, den Touristen und wieder von den Zahlen zu sprechen.

»Wir sind nicht nur eine riesige, sondern vor allem eine junge Nation, 1,2 Milliarden Menschen, durchschnittlich nur dreiundzwanzig Jahre alt. Stellen Sie sich vor, die Gebete eines einzigen Tages in diesem Land, die Hoffnungen, die damit verknüpft sind, die Summe all der gemurmelten Verse und Mantren, die Niederwerfungen, die Meditationen, die Andachten, die geopferten Blumen und Speisen von Hunderten Millionen, diese gewaltige verschwendete Kraft und Energie eines einzigen Tages, was ließe sich damit alles anfangen! Stattdessen betäuben wir uns Tag für Tag.«

Der Pandit widersprach nicht, redete ihm nicht zu, er sagte nur: »Rakesh, wenn du keine Götter willst, dann mach nicht die Zahlen zu deinen neuen Göttern.«

»Aber sie sind wahr! Das kann man nicht vergleichen.«

»Es ist wahr, was man für wahr hält.«

»Ich wusste, dass Sie das sagen würden.«

Das war dreist, aber der Priester ließ sich nicht verärgern.

»Hör zu, ich sage weder, dass nicht wahr ist, was du über Armut und Ungerechtigkeit sagst, ich sage auch nicht, dass an deinen Zahlen irgendetwas falsch ist.«

»Was dann?«

»Ich sage dir, gib nicht die Entscheidung aus der Hand, was du die Zahlen mit dir machen lässt.«

Rakesh antwortete nicht. Der Pandit klopfte eine Weile weiter in die Stille hinein. Um sie herum das übliche Kommen und Gehen, der Geruch von verbranntem Fett und welken Blumen, Gemurmel, das kräftige Orangerot der Durga, eine Farbe, die jeden Widerspruch zunichte machte. Eine Weile, so lange das Klopfen währte, fühlte er, wie der Priester mit seiner Aufmerksamkeit noch bei ihm war, dann ließ sie nach, und er war wieder allein, obwohl der Mann noch genauso wie zuvor neben ihm saß. Gerade ging ein prächtig gekleideter junger Bräutigam gesenkten Hauptes an ihnen vorbei, hinter ihm hertrippelnd, wie es Brauch war, die mit einem Tuch an ihn geknüpfte, in Rotgold verhüllte Braut. Ihr Gesicht war hinter dem Schleier nur zu ahnen, und wie immer war es das Geheimnis, das alle Blicke auf sie lenkte. Ihre Armreifen und Fußkettchen klirrten leise, einmal, zweimal, dreimal. Rakesh schien es, als nähmen sie den Rhythmus auf, den der Pandit eben geklopft hatte.

Bald würde die Familie auch ihn drängen, zu heiraten. Bald würde er auch hier stehen und ein an ihn geknotetes Mädchen hinter sich her ziehen. Vielleicht wäre sie ja hübsch und sanft und würde geduldig zuhören, wenn er von seinem Zorn erzählte. Das Erzählen würde mit der Zeit aber nicht mehr helfen, und ihre Geduld wäre früher oder später ohnehin erschöpft. Das würde er ihr dann verübeln, obwohl ihm das nicht zustände. Vielleicht würde sie sogar lesen, was er ihr zu lesen gab. Vielleicht würde er auch sie damit unglücklich machen. Vielleicht würde sie ihm die Bücher zurückgeben und sagen, sie sei leider nicht klug genug dafür. Vielleicht würde er sie verachten. Vielleicht würde er es kommen sehen und geschehen lassen, aus mangelnder Widerstandskraft und weil er sich nach dem Körper einer Frau sehnte. Sie würden Kinder haben, denen er die Last seiner Bitterkeit und mehr als das, sein Karma und das seines Landes, aufbürden würde. Es war egal, wie man es nannte. Nein, er konnte keinesfalls bleiben. Es würde ihn töten.

Durga, hilf mir! Mahadevi, hilf mir! Die Worte waren schneller gekommen als jeder Gedanke.

Mahadevi, Durga, Amba, Jaya, Jagatmata, Bairavi, Camunda, Kali, Gauri, Uma, Lakshmi, Parvati, Buddhida, hilf mir. Mahadevi, Durga. Hilf mir. Immer wieder. Er hatte die Namen so oft gehört, dass sie jetzt wie von selbst aus seinem Mund kamen. Vielleicht waren es nicht hundertacht, aber viele. Rakesh vergaß die Zahlen.

Hinter ihm stimmte eine Gruppe Frauen einen Gesang an, zu Ehren der Göttin, die gestaltlos in verschiedenen Eigenschaften und Tugenden von Menschen gegenwärtig war, als Weisheit, Glaube, Anmut, Bewusstsein und vieles andere mehr. Aber auch als Irrtum oder Fehler. Er hörte die Frauen singen, rezitierte währenddessen immer weiter die vielen Namen der Durga, ohne es zu bemerken. Sein Adamsapfel zitterte und sein Herz schlug schnell. Sich zu widersetzen würde es nur schlimmer machen, das wusste er von anderen Gelegenheiten, wenn jemand während einer Puja in einem Tempel in Trance fiel und sich im Alltagsbewusstsein zu halten bemühte. Es war besser, es geschehen zu lassen. *Hilf mir.* Er saß der blumenbekränzten Statue gegenüber, ein grob stilisiertes, rundes Gesicht mit übergroßen, schwarzgeränderten Augen, der Körper in rotgoldene Stoffbahnen gewickelt. Wenig Menschliches war an dieser Darstellung der Göttin, schon gar nichts Liebliches. Sie erinnerte an Kinderzeichnungen, die ihre Kraft aus ihrer Einfachheit und Entschiedenheit beziehen. Der Gesang der Frauen beschleunigte sich und Rakesh meinte, die Stimme seiner Schwester herauszuhören. Er drehte sich um, suchte sie in der Menge der am Boden hockenden, rosa, rot, orange und gelb gewandeten Sängerinnen, aber sie war nicht darunter. Seine Lippen bebten noch eine ganze Weile und brannten, als hätte er etwas Scharfes gegessen. Nach einiger Zeit blieb ein warmes Kribbeln zurück. Er sollte jetzt gehen. Etwas mühsam stand er auf, die Beine steif vom langen Sitzen. Aus dem Augenwinkel sah er, wie der Pandit rotgelbe Wollbänder um die Handgelenke der Betenden knüpfte, ein Zeichen des Segens. Er nickte ihm grüßend zu. Erst als er wieder zu Hause war, bemerkte er, dass er die ganze Zeit über an nichts gedacht hatte, keine Zahlen, ohne dass etwas von dem, was sie ausdrücken, unwirklicher oder unwichtiger geworden wäre. Er würde fortgehen können, das war jetzt klar. Er würde nicht abwarten müssen, ob seine Befürchtungen sich bewahrheiteten. Er würde Sonja besuchen und dann sähe man ja.

Rakesh zittert ein wenig, aber er fühlt sich nicht schlecht. Er sieht das Türkis nicht mehr. Die Erinnerungen haben ihn angestrengt, doch er hat wieder eine Geschichte. Auch das Heimweh ist noch da, in einer Intensität, die einen vergewissert, dass etwas da ist: Gedächtnis, eine Seele, nennt es, wie ihr wollt. Und ich war Zeuge. Wahrscheinlich ist es falsch anzunehmen, meine bloße Zuhörerschaft würde nichts verändern, wo sich doch schon Elementarteilchen unter Beobachtung anders verhalten. Rakesh streckt sich, sieht auf die Uhr. Er bemerkt das Rauschen des Regens, der schon den ganzen Tag anhält. Aus den fünf Minuten sind beinah zwanzig geworden. Er traut sich den Rest des Abends zu. Ein, zwei Gläser Wein wird er noch mit Sonjas Freunden trinken. Als er aufblickt, um sich der Wohnungstür zuzuwenden, schnappt er erschrocken nach Luft: Vor ihm steht eine gepflegte ältere Dame mit grauem Lockenkopf und in kräftigem Rot geschminktem Mund. Sie trägt einen knöchellangen, dunklen Mantel mit Pelzbesatz an Kragen und

Ärmeln, etwas, das selbst ihm, der hier ständig friert, trotz des nasskühlen Wetters ungewöhnlich erscheint.

»Entschuldigung, ich habe Sie nicht kommen gehört.«

Sie schüttelt den Kopf, lächelt. »Sie müssen sich doch nicht entschuldigen, schließlich war ich es, die Sie erschreckt hat.«

Wie alt mag sie sein? Ihr Haar ist grau und sie stützt sich auf einen Regenschirm, wohl um zu verbergen, dass sie eine Gehhilfe benötigt, aber ihre Haut ist beinahe faltenlos und ihre Haltung so aufrecht, wie er es von den Frauen zu Hause kennt, wenn sie Lasten auf dem Kopf tragen. Dass ihre Kleidung altmodisch ist, kann er nicht erkennen, dafür ist er zu kurz hier. Ihre Augen sind groß und sehr hellblau. Sie mustert ihn ihrerseits. Dass ihm Frauen, egal welchen Alters, so geradewegs und unverhohlen ins Gesicht blicken, ist etwas, woran er sich noch nicht gewöhnt hat.

»Sie konnten mich ja auch gar nicht heraufkommen hören«, setzt sie hinzu.

Das verwirrt ihn, und er fragt scherzend: »Wieso das denn? Ich höre doch noch ganz gut!«

Sie nimmt seinen Ton auf, tippt ihn jetzt sogar mit der Spitze ihres Regenschirms an: »Junger Mann, Sie sitzen schon eine geraume Weile da. Ganz in Erinnerungen versunken, wie?«

Hat sie ihn beobachtet? Ältere Menschen sind hier oft einsam, das hat er mitbekommen. Vielleicht werden sie deshalb so seltsam wie die hier. Er möchte gehen, macht einen Schritt Richtung Tür, will aber nicht unhöflich erscheinen. Der Respekt vor dem Alter ist tief in ihm verwurzelt, das ist etwas, dessen er sich wie vieler anderer Dinge erst hier in der Fremde bewusst geworden ist. »Nie war ich so sehr Inder wie jetzt, seitdem ich hier bin«, hat er kürzlich zu Sonja gesagt.

Für eine Ausrede ist er zu ausgelaugt und noch zu sehr bei den Bildern seiner Vergangenheit, so bleibt er eben bei der Wahrheit: »Die Farbe hat mich an die Kleider meiner Mutter erinnert. Dann ist mir noch einiges andere von Zuhause eingefallen, eines nach dem anderen, wissen Sie. Und ich hatte schreckliche Sehnsucht.«

Ist er jetzt verrückt geworden? Was redet er denn da mit dieser Fremden? Sie sieht nicht einmal warmherzig oder mütterlich aus mit ihren schwimmenden, schimmernden Wasseraugen. Jetzt lächelt sie nicht mehr, nickt aber bedächtig, als verstände sie.

»Sehnsucht nach zu Hause?«

Er nickt.

»Heimweh also.«

»So heißt das auf Deutsch?«

Er wiederholt das Wort ein paar Mal, wie er es sich beim Vokabellernen zur Gewohnheit gemacht hat. »Heimweh. Das klingt schön. Weiche Buchstaben und ein offenes Ende. Das Wort klingt sanft, aber das Gefühl –«, er sucht nach dem richtigen Ausdruck, findet ihn nicht. »– kann sehr bitter sein, scharf«, vollendet sie seinen Satz. »Glauben Sie mir, ich weiß, was Heimweh ist. Bin nach der Flucht als Habenichts hierher gekommen.«

Jetzt sollte er vielleicht nachfragen, rein aus Höflichkeit, aber er kommt kaum von diesen Augen los. Er könnte nicht einmal sagen, ob sie schön sind. Dann ist der Zeitpunkt verstrichen. Als er sich schließlich doch mit einem höflichen Gruß und etwas verlegen abwendet, ist ihm zumute, als hätte sie ihn mit ihrem Nicken entlassen wie eine Königin einen Untergebenen, nicht unfreundlich, aber hoheitsvoll.

»Wohnen Sie auch hier?«, fragt er noch, um das Gespräch nicht so abrupt abzuwürgen.

»Allerdings«, sagt sie, kramt in ihrer Henkeltasche nach einem Taschentuch und tupft sich die Nasenspitze, »schon seit Menschengedenken. Gleich da hinten.« Sie deutet vage über ihre Schulter.

Rakesh kennt das Wort »Menschengedenken« nicht, und als hätte sie seine Gedanken gelesen, fügt sie hinzu: »Das sagt man, wenn man meint, seit sehr langer Zeit. Ihr Deutsch ist übrigens sehr schön.«

Sie hat nicht »gut« gesagt, viel hat sie ihn ja noch nicht reden gehört. Sie scheint es genau zu nehmen. Vielleicht war sie Lehrerin, denkt Rakesh, eine, mit der nicht zu spaßen ist.

»Ich mag unser Stiegenhaus auch gern. Wenigstens etwas, das sich nicht verändert! Sogar die Farbe ist beinah dieselbe geblieben. Nicht auszudenken, wenn sie es plötzlich anders streichen würden, weil das irgendwem so einfällt.«

Die Dame scheint zum Plaudern aufgelegt zu sein. Jetzt muss er wirklich gehen, sonst erzählt sie ihm noch ihre Lebensgeschichte, und dafür hat er jetzt weder Zeit noch Kraft.

»Aber ich halte Sie auf, verzeihen Sie. Wir sehen uns bestimmt bald einmal wieder.« Er hat eine winzige Bewegung mit der Hand in Richtung seines noch auf den Treppen liegenden Pullovers gemacht, vielleicht hat er aber auch den Blick für einen ganz kurzen Moment abgewandt. Sie hat es sofort bemerkt und bringt ihn damit ein weiteres Mal zum Erstaunen. Diese Sensibilität für Andeutungen, für die feinen Abstufungen mimischer und gestischer Signale, die es vermeiden, den anderen zu brüskieren, das ist etwas, was Rakesh hier kaum kennt. Ein ums andere Mal hat er erlebt, wie direkt die Menschen hierzulande sind, und oftmals bewundert er das. Allerdings hat er manchmal den Verdacht, dass sie es aus purer Unkenntnis sind, gewissermaßen als

Analphabeten jener leiseren Sprache, die man von Kind auf lernen muss. Oder *er* versteht einfach noch nicht genug und zu viele Zwischentöne entgehen ihm. Sonja begriff nicht, was er meinte. »Was, wir sollen direkt sein? Das ist wirklich lustig. Wir Österreicher gelten doch als die, die nie auf den Punkt kommen, weil sie sich eben gern alle Türen offen halten. Wie kommst du denn bloß auf so etwas?« Er hätte es ihr sehr wohl erklären können, bemerkte aber, dass sie schon dabei war, eilig Zutaten für das Kochen zusammenzusuchen und im Moment keine Geduld für ausführlichere Erklärungen aufbringen würde. Genau. So etwas zum Beispiel war es.

Er wünscht noch einmal einen schönen Abend, bückt sich endlich nach seinem Pullover, schon ist die Dame ein paar Schritte entfernt. Sie dreht sich noch einmal halb nach ihm um, schaut über die Schulter, hebt grüßend den Schirm, keine Wassertropfen, überhaupt keine Spur von Nässe, obwohl es doch schon den ganzen Tag schüttet, der Regen ist plötzlich so laut, ungedämpft, als würde es nicht draußen regnen, sondern drinnen, in seinem Kopf, das Sausen in den Ohren schwillt an zu einem Trommeln. Zwinkert sie ihm jetzt gar zu, bevor sie sich abwendet, sich weiter hinten im Gang in Richtung Tür dreht, den Schlüssel aus der Manteltasche fingert, den rechten Türflügel öffnet und hineinhuscht?

Nichts Ungewöhnliches, absolut nichts, und auch nichts Erinnernswertes. Und natürlich gäbe es auch keinerlei Grund, jenen alltäglichen und banalen Vorgang Dutzende Male, in einzelne Momente und Bilder zerlegt, vor dem inneren Auge ablaufen zu lassen, als bestünde die Chance, einen Fehler im Gedächtnis, einen winzigen Filmriss, einen Irrtum, einen schlichten Sehfehler aufzudecken. Sicher, es ist düster hier, in seinem Stockwerk ist eine der drei Deckenlampen ausgefallen. Trotzdem, wie kann es sein, dass es eindeutig die Wohnungstür neben seiner war, durch die die Dame verschwunden ist, ebenso geräuschlos, wie sie aufgetaucht ist? Rakesh zieht den Pullover über die Schultern, wischt sich die Augen. Es muss ein Irrtum gewesen sein. Aber! Er hat es doch gesehen, gerade eben. Er horcht ins Halbdunkel. Sehr plötzlich muss der Regen nachgelassen haben, nur mehr ein leichtes Gluckern und Tröpfeln ist auszumachen. Die Nachbarwohnung steht doch seit Monaten leer, hat er gehört, die alte Dame, die darin wohnte, sei letzten Herbst verstorben.

Sekunden später ist er vor seiner Tür, späht zu den Nachbarwohnungen hinüber. Außer dem Regen und dem zarten Surren der Glühbirnen ist kein Laut zu vernehmen. Über dem Messingschloss ist die hellgraue Lackierung zerkratzt, und auf der Höhe des leeren Namensschilds sind einige Aufkleber nicht vollständig entfernt worden. Es war diese Tür, keine andere. Nein, es konnte nicht diese gewesen sein. Rakesh macht einen Schritt zur Seite. Drei andere Wohnungen befinden sich noch auf dieser Etage. Die hinteren beiden Türen links und rechts sind von seinem Standort aus gar nicht zu sehen. Die Tür zur anderen, unmittelbar neben seiner liegenden Wohnung ist in mattem Dunkelgrün gestrichen, am linken Flügel ein verstaubter Kranz mit Strohblumen. Soll er läuten? Was sollte er denn sagen, wenn die Frau öffnet, der er eben begegnet ist? Und was, wenn nicht? Er zieht die Hand wieder von der Klingel zurück. Unsinn. Er atmet durch und öffnet die Tür. Sonja balanciert eben ein Tablett mit Firni, einem Mandel-Reis-Pudding, streckt die freie Hand nach ihm aus und zieht ihn näher.

»Geht's dir wieder besser? Du kommst gerade recht zum Dessert. Schau, ist schön fest geworden.«

Sie klopft mit dem Löffelrücken auf die Oberfläche der Masse. Sonja kann ganz im Moment aufgehen. Sie schraubt sich nicht in endlosen Denkspiralen irgendwohin, doch sie ist klug, hat festen Boden unter den Füßen und ein solides Gleichgewichtsgefühl. Sie nimmt ein zweites Tablett mit Gläsern auf, das auf der Schuhkommode im Vorzimmer steht.

»Sag einmal, ist in der leeren Wohnung neben uns vielleicht doch jemand?« fragt Rakesh, eigentlich ohne Hoffnung. »Eine ältere Frau mit langem, dunklem Mantel? Eine Schwester oder Freundin der alten Frau, die hier gewohnt hat?«

»Was? Wer? Eine Frau im dunklen Mantel? Nein, niemand. Wie kommst du denn darauf?«

Er hat es schon geahnt.

»Ich dachte, ich hätte jemanden gesehen. Sie ist wohl nur vorbeigegangen.« Sonja drückt ihm das zweite Tablett mit Gulab Sahabat, einem Rosenwassergetränk, in die Hand. Die Eiswürfel klirren gläsern, die Gäste sind um den großen runden Küchentisch versammelt, jemand stapelt die geleerten Teller, zwei lehnen flüsternd an der Abwasch, eine am Tisch gibt unter großem theatralischem Einsatz und begleitet von Gelächter eine Geschichte zum Besten, irgendeinen komischen Dialog mit ihrem Chef, Rakesh müsste sich konzentrieren, um genau zu verstehen, worum es geht. Die Gerüche haben etwas Tröstendes: Koriander und Kreuzkümmel, Kardamom, Ingwer, Zimt und Nelken, Bockshornklee, Chilipulver und Senfsamen. Knoblauch, Kurkuma, heißes Butterschmalz, Garam Masala. Er kocht fast täglich. Wenn er sich nicht selbst bemitleidet, dass er zu Hause sitzt und auf Sonja wartet, genießt er es. Das Hantieren mit den Lebensmitteln ist eine Pause im Fremdsein. Als Kind hat er oft zugesehen, jetzt kocht er indisch mit Hilfe eines englischen Kochbuchs und aus der Erinnerung.

Sonja roch so fremd, als sie ihn vom Flughafen abholte. Es liegt an der Ernährung, das weiß er ja: Die Weißen riechen anders, ein wenig säuerlich, nach vergorener Milch. Als er sie zum ersten Mal traf, duftete sie wunderbar: nach Minze und Sonne, nach Rosen und Masala, nach frisch gewaschener Seide und einer Spur Zigarette. All das zusammen war ein Geruch nach Entkommen, nach Freisein. Am Flughafen bei seiner Ankunft vergrub sie die Nase in seiner Halsbeuge und sagte ihm ausgerechnet, wie gut er doch rieche. Er wusste nicht, was er antworten sollte.

Jetzt sieht er sich in der Küche um, darauf gefasst, irgendwo die Wasseraugen zu entdecken und den Schirm, mit dem die Frau auf ihn zeigt. Heimweh hat er! Er, der alles daran gesetzt hat, von daheim wegzukommen. Die Hälfte des Fluges hat Sonja bezahlt. Sechs Monate würde er mit dem Touristenvisum bleiben können, dann sehe man ja. Heiraten? Sonja, mit einem golddurchwirkten Tuch an ihn geknüpft und verschleiert, mit hennabemalten Händen und Füßen, die sichere, lachende, fast zehn Jahre ältere Sonja? Überhaupt niemanden kann er sich vorstellen, den er irgendwohin führt. Es wäre ohnehin umgekehrt: Er wäre es, der an sie geknotet wäre. Ist es nicht schon jetzt so? Ziemlich hastig stürzt er ein Glas Rotwein hinunter, isst dazu noch ein bisschen vom Kitshuri, einem Reis-Linsen-Gemüse-Eintopf, und lässt sich bewundern, wie geschickt er die Speise mit den Fingern zu Bällchen dreht und zum Mund führt. Die deutsche Sprache sickert jetzt nicht mehr wortweise ein, sondern kommt in Wellen über ihn und breitet sich sanft, aber unaufhaltsam aus. Er verwendet Wörter und Ausdrücke, die er noch nie aufgeschrieben und nicht eigentlich gelernt und sich eingeprägt hat. Auf einmal sind sie da, und er weiß gar nicht mehr, wo er sie aufgeschnappt hat. Er ist nicht ganz derselbe, wenn er Deutsch spricht, das allerdings weiß er. Er spürt, dass auch sein Körper und seine Wahrnehmungsfähigkeit sich in die neue Sprache hineinbegeben, manchmal nimmt er Platz, und wie jetzt im leichten Geplauder schaukelt er sogar ein bisschen darin. Die neue Sprache ist die Gegenkraft zum Heimweh, das ihn ständig aus der Gegenwart zieht.

»Seit Menschengedenken.« »Habenichts.« »Heimweh.« Nein, er kann sich diese Frau keinesfalls eingebildet haben. Er kannte diese Wörter ganz gewiss nicht. »Glauben Sie mir, ich weiß, was Heimweh ist.« Während das gerade Erlebte noch in ihm nachschwingt, unterhält er sich mit einer von Sonjas Freundinnen. Als er erzählt, dass die Frauen in Indien oft stundenlang gemeinsam kochen, stiehlt sich dieser sehnsüchtige Ausdruck in die Augen seiner Gesprächspartnerin, der ihn oft unduldsam werden lässt. Die Zahlen sind immer noch verfügbar, und wenn sich jemand allzu schwärmerisch über die indische Friedfertigkeit oder über das Zusammengehörigkeitsgefühl in der Familie äußert, dann weiß er, was er zu sagen hat. Für eine Weile vergisst er die Erscheinung vom Stiegenhaus.

Inzwischen ist Sonja auf den freien Platz neben Rakesh geglitten und stochert in seiner Nachspeise herum. Eigentlich mag er das nicht. Sie fragt zwar, aber nur pro forma, und taucht im selben Augenblick schon ihren Löffel ein. Sein Unbehagen bleibt ein vages Empfinden, da er oft nicht weiß, was hier allgemein üblich ist und was Sonjas Vorlieben und Verhaltensweisen sind. Mit den eigenen geht es ihm genauso. Was ist er, was ist »der Inder« in ihm? Wenigstens darüber hat er sich zu Hause keine Gedanken machen müssen.

Er wendet sich wieder Jutta zu: »Es mag schon sein, dass viele Frauen gern miteinander kochen. Wenn du aber keine

Lust dazu hast oder einfach überhaupt etwas anderes mit deinem Leben tun möchtest, hast du keine Chance.«

Der Druck im Inneren ist sofort wieder da. Wie die richtigen Worte finden?

»Nun ja, ich muss ehrlich gesagt auch ziemlich viele Dinge tun, die mir keinen Spaß machen«, meint Jutta leichthin.

»Das glaube ich dir. Es ist nur anders, wenn du fast nichts von dem bestimmen kannst, was du tun möchtest, weder Wichtiges noch Unwichtiges.«

Jutta rudert prompt zurück: »Mir ist schon klar, dass das nicht dasselbe ist. Nicht dass ich so leben könnte.«

»Könntest du nicht? Vielleicht können es viele von uns auch nicht. Niemand fragt uns danach.« Rakesh betont das Wort »können«, als schlüge er auf den Tisch. Außerdem sagt er »wir« und »uns« und kommt sich verlogen dabei vor. Rasch schenkt er Jutta und sich noch Wein nach. Schließlich kommt er aus einer Brahmanen-Familie, keineswegs reich, aber indische Mittelklasse. Er hat ein Motorrad, sein Vater seit drei Jahren ein Auto, zwar nur einen kleinen Tata Nano, aber immerhin. Sie waren sogar schon zweimal auf Urlaub: einmal in Mount Abu, einem Ort in den Avarilli-Bergen mit einem See, und einmal in Manali hoch oben im Norden, um der Sommerhitze in der Ebene zu entfliehen.

»Was für eine Wahl hast du, wenn du zu dem Drittel der Frauen gehörst, die nicht lesen und schreiben können? Welche Entscheidungen triffst du, wenn du nichts weißt?«

Jetzt wäre es wieder so weit und er könnte Zahlen ausspucken, eine nach der anderen. Er hätte den Wein nicht so schnell hinunterstürzen sollen. Aber wieso eigentlich nicht? »Und wusstest du, dass ein Drittel der Einwohner indischer Millionenstädte in Elendsvierteln wohnt? Über dreißig davon gibt es schon. 44 % der Menschen leben von weniger als einem Dollar pro Tag, kannst du dir das vorstellen?«

»Nicht wirklich, natürlich nicht«, murmelt Jutta. Ihr ist unbehaglich zumute. Seine Schuld. Wahrscheinlich wollte sie nur etwas Nettes über das Heimatland dieses Typen sagen, den Sonja da angeschleppt hat, einfach ein freundliches Gespräch beginnen, und er wird gleich patzig. Rakesh meint, ihre Gedanken zu kennen, bevor sie sie überhaupt gedacht hat. Ihr Blick sucht sich an ihm vorbei, um bei Gelegenheit in eines der anderen Gespräche rundherum einsteigen zu können. Das wird nicht schwer sein: Niemand scheint vertieft, der Lärmpegel steigt und sinkt leicht wie Seifenblasen. Rakesh würde lieber zuhören. Jetzt mengt sich Sonja ein: »Jetzt hör mal, Jutta hat doch nur gesagt, dass ihr etwas daran gefällt, dass Frauen gemeinsam kochen. Man darf doch wohl das Essen, die Kleider der Frauen, die Musik und andere Dinge an Indien schön finden, ohne von dir gleich als bornierter Ignorant hingestellt zu werden, oder?« Und zu Jutta: »Er hat einfach zu viele Zahlen im Kopf.«

Ihr Ton ist sanft, aber nachdrücklich. So wie man mit einem Kind redet, das man gern hat, über das man sich aber gerade ärgert, denkt Rakesh. Er bemüht sich um eine gemäßigte Wortwahl und darum, Sonjas Hand, die sie ihm auf den Unterarm gelegt hat, nicht abzuschütteln. Wie hat er sich nach ihren Berührungen gesehnt, als er fast ein Jahr auf den Flug hierher warten musste. Jetzt beugt sie sich zu ihm und flüstert: »Du verträgst wirklich keinen Alkohol.«

»Es tut mir leid«, sagt Rakesh zu Jutta, »ich wollte dich nicht kränken. Vielleicht seid ihr es zu sehr gewohnt, überall hinzureisen und einzukaufen, was euch gefällt. Auch Bilder und Gefühle. Und Indien hat einfach zu viel davon. Wir werfen euch Touristen alles nach, was wir zu bieten haben,

Dinge und Träume. Aber reden wir lieber über das Essen. Wie hat es dir geschmeckt?«

Er spürt Sonja neben sich steif werden. Jutta dagegen ist dankbar, dass er wieder verträglicherer Stimmung zu sein scheint, und hat, anders als Sonja, wohl gar nicht verstanden, was genau er soeben gesagt hat. Zudem will Jutta keine Unannehmlichkeiten mit Sonjas neuem Liebhaber. Ein hübscher Kerl, aber schwierig. Und zu jung. Denkt sie das, oder ist es Rakesh, der Juttas Gedanken zu erraten versucht? Sein geistiger Aggregatzustand ist anders als der der anderen: Einerseits ist er viel durchlässiger, bodenlos, in Gedanken an all das sich klammernd, was nicht ist, andererseits verfestigt bis hin zum Starrsinn. Er braucht seinen Zorn als Hilfsmittel, er ist der Zement, der ihn zusammenhält. Ob Sonja das begreift?

Glücklicherweise versickert das Gespräch mit Jutta nach ein paar Runden, in denen er die Unterschiede zwischen nord- und südindischer Küche erläutert. Auch Jutta hat schon einiges getrunken und wird sich morgen wohl gar nicht mehr an den Wortwechsel mit Rakesh erinnern. Wenn er jetzt endlich Ruhe gibt! Er legt den Arm um Sonja und beschließt, den Unterhaltungen der anderen zuzuhören. Vielleicht fliegen ihm ja noch ein paar neue Vokabeln zu, bessere als »Heimweh«, »Habenichts« und »Menschengedenken«. Er hat die Alte fast vergessen. Unwillkürlich blickt er sich noch einmal suchend nach den hellen Augen um. Hier ist niemand über vierzig. Die meisten der Gäste sind etwa in Sonjas Alter. Alle, auch die Frauen, haben einen Job, der sie so sehr zu beschäftigen scheint, dass sie auch in ihrer Freizeit sehr viel davon sprechen. Zwei Kinder, vier und sechs Jahre alt, turnen über die Sessel und richten sich gerade unter dem Tisch ihre eigene kleine Unterwelt ein. Zwei

Kinder auf zehn Erwachsene, das ist nicht viel. Eine Weile ist von Wein die Rede: Dieses Anbaugebiet versus jenes, dieser Jahrgang versus jenen. Sie reden so, als würden sie sich gleichzeitig lustig darüber machen, so als müssten sie sich in eine Ironie retten, die sich Rakesh nicht erklären kann. Ihn langweilt das Thema, aber er ist sich nicht sicher, ob es nicht sie selbst ebenso langweilt. Außerdem reden sie noch von moderner Kunst in irgendeinem Park, über die sich Anrainer empören, von Urlauben im Ausland, ob man zum Baden besser in die Türkei oder nach Griechenland fährt, von den steigenden Benzinpreisen, von der Politik Israels. Rakesh weiß, dass Sonjas Freunde nicht wirklich reich sind, aber so vieles ist ihnen selbstverständlich. Zu ihren Themen hat er wenig oder gar nichts zu sagen. Es ist anstrengend, zuzuhören und darauf zu warten, bis die Rede auf eine Sache kommt, zu der er etwas beizutragen hat. Schon wieder Israel. Die Siedlungspolitik. Die jüngsten Äußerungen aus Washington dazu. Rakesh hört sich sagen: »Wieso redet ihr hier denn dauernd über Israel? Das sind doch weniger als acht Millionen Menschen.«

Ein grober Fehler, das ist ihm sofort klar. Nachgeschobene Erklärungen nützen nicht viel. Es wird kompliziert, sie wechseln zwischen Deutsch und Englisch. Er erzählt von den Landenteignungen im Interesse internationaler Konzerne durch die Regierung im Bundesstaat Orissa und über den Zulauf, den maoistische Rebellen in manchen Gebieten dadurch gewinnen. Doch, einige interessieren sich. Sie wollen mit ihm nicht nur über Israel reden, ihn überzeugen, dass seine Äußerung dumm war. Sie reden mit ihm auch über Indien. Nicht alle tun, als wüssten sie Bescheid. Er ist der Inder hier, was sonst? Auf unbestimmt anstrengende Weise repräsentiert er den gesamten Subkontinent.

Das wollte er doch, jetzt hat er es: Mother India ist so weit weg, und ihre gewaltige Last erdrückt ihn beinahe. Rakesh spürt, die Größe des Themas und seine Kleinheit und Verlorenheit passen nicht zusammen. Zu viel Ressentiment stiehlt sich auch in seine Argumente, die Leidenschaft hat längst ihr Ziel aus den Augen verloren. Er ahnt deutlich genug, dass er mit richtigen Argumenten unrecht hat oder aber recht aus den falschen Gründen. Manchmal muss man es sein lassen: Sie verstehen einander nicht und sind zu träge, um dem auf den Grund zu gehen, alle miteinander.

»Das sind nicht der richtige Ort und die richtige Zeit, um das auszureden«, sagt Sonja, als die Diskussion schon am Abflauen ist. Sie gähnt, offensichtlich hat sie sich gelangweilt. Wer kann es ihr verdenken? Sie kennt seine Argumente und mittlerweile beinah sein gesamtes Repertoire an Zahlen, die übrigens gleich bleiben, seitdem er hier ist. Er ist zu sehr mit anderem beschäftigt, mit etwas, das sich nicht in klaren Verhältnissen ausdrücken lässt.

Rakesh blickt noch einmal in die Runde, die sich zum Glück wieder anderen Themen zuwendet. Die Frauen sehen alle gut aus für ihr Alter, aber auch nach drei Monaten, die er hier verbracht hat, erscheinen sie ihm immer noch seltsam farblos. Sie verdienen Geld wie Männer, aber vor Farben haben sie Angst. Sonja trägt anlässlich des Abendessens ein Salwar Kamiz, das sie von der Reise damals mitgebracht hat, ein Kleid mit passender Hose in Orange und Lila. Sie gefällt ihm darin.

Bei ihm zu Hause hob die Umgebung ihr Aussehen hervor, sie setzte sich ab, groß und hell, wie sie ist. Hier muss er in einer Menschenmenge viel genauer schauen, dass er sie von hinten gleich erkennt. Wenn sie das wüsste, wäre sie vielleicht gekränkt. Zum Glück gibt es hier kaum Menschenmengen. Jeder scheint mehrere Meter Raum um sich herum zu beanspruchen und tut so, als ob ihm dies zustehe. Rakesh schätzt, dass er am heutigen Abend der Einzige unter fünfundzwanzig, wahrscheinlich sogar der Einzige unter dreißig ist.

»Toy boy«. Der Ausdruck war ein Schlag in die Magengrube. Sie benutzten ihn, wenn sie merkten, dass einer der Kollegen einer Touristin intensiver schöne Augen machte. Rakesh gehörte nicht zu denen, die Frauen mit dem hunderttausendsten »Where do you come from?« und »You've got such a beautiful smile« in die Flucht schlugen. Wenn die Frau klug aussah, hätte er sich eines solchen Spruchs geschämt, wenn nicht, interessierte sie ihn ohnehin nicht. Tatsächlich in das Zimmer und dann in das Bett einer Touristin zu gelangen, war ohnehin nicht so einfach, wie es manche Großmäuler glauben machen wollten: Erstens schlossen sich alleinreisende Frauen öfters zusammen, teilten die Schlafgelegenheit und gaben aufeinander Acht, wenn die eine oder andere sich zu irgendetwas verleiten ließ. Zweitens war es schwierig, ungesehen ins Hotel oder Guest House mitzukommen. Die Guides arbeiteten zumeist an ihrem Heimatort, und beim Personal gab es immer jemanden aus der Nachbarschaft, aus dem eigenen Viertel, aus der Verwandt- oder Bekanntschaft: Dort arbeitete der Cousin des Nachbarn, hier sein bester Freund, dort die Schwester der Gemüsefrau und so fort. Leute, die viel auf der Straße leben, haben auch viel Zeit zum Tratschen. Oftmals wussten Rakeshs Eltern, ohne ihn kontrollieren zu wollen, abends schon, mit wem er an jenem Tag unterwegs gewesen war. Wie sei das australische Paar mit den zwei gelangweilten Teenagern denn gewesen? Großzügig? Habe der Mann wirklich kurze Hosen bis unter die

Knie getragen und tatsächlich einen riesigen Sonnenbrand an den Waden gehabt? Solche Fragen waren durchaus normal, und Rakesh sagte dann nur scherzend: »Wieso fragt ihr denn, wenn ihr ohnehin schon alles wisst?«

Die Fragen der Eltern waren aber nie bohrend. Es war nicht ihre Art, und außerdem gab es über Rakesh kein Gerede. Seine Eltern waren nie unangenehm. Sie waren eben Eltern. Warum aber verfing er sich bei Sonja? Sie wirkte sehr unabhängig. Aufmerksam und kein bisschen schwärmerisch. Sie wusste einiges und fragte viel. Er sah ihr nach, wenn sie vom Guest House in die Stadt hinunterlief, flott, geradlinig, so als wüsste sie immer wohin. Wenn sie angesprochen wurde, flackerte ihr Blick kein bisschen. Als er sie fragte, warum sie nach Indien gekommen sei, folgte keine der üblichen Antworten. Keine Selbstfindung, keine Sinnsuche, keine liebenswürdig naiven Vorannahmen, von denen er schon mit so großer Wahrscheinlichkeit ausgehen konnte, dass ihn nur mehr selten ein längeres Gespräch mit einem seiner Kunden interessierte. Unterwegssein und Neugierde, sagte Sonja, das genüge doch. Sie unterrichte Kinder, gesunde und behinderte, und brauche eine Pause. Weil sie ihm gefiel, versuchte er, sie zu provozieren, sie sogar abzuschrecken, als ahnte er, dass von ihr Gefahr ausging. Natürlich war er auch ihr mit all seinen Zahlen gekommen. Sie war nicht abzuschrecken gewesen. Sie hatten einander geküsst, viel mehr nicht. Locker nahm sie es nicht, das gefiel ihm, obwohl es schwierig war: ihre Haut, ihre warmen, geduldigen Augen. Am liebsten stand er ganz nahe bei ihr, Seite an Seite, spürte den leisen Druck ihres Körpers. Sie waren gleich groß. So könnte es sein. Immer wieder ließ er ihre langen, hellen Haare durch seine Finger gleiten. Er traute sich nicht zu fragen, warum sie denn noch nicht verheiratet oder zumindest verlobt sei, in ihrem Alter und bei ihrem Aussehen. Sie mochte Kinder und redete, als hätte sie noch ewig Zeit, welche zu bekommen. Als sie ihn drei Tage vor ihrer Abreise fragte, ob er sie in Europa besuchen wolle, bekam er vor Freude eine Gänsehaut: anderswohin. Es war doch möglich. Die folgenden Nächte schliefen sie kaum.

»Du gibst jetzt auch den toy boy?«

Es war nur eine unbedachte Äußerung eines Kollegen, als sie am Fuß der Festung herumstanden und auf eine Tour aus Australien warteten. Ein anderer mit einer großen Zahnlücke lachte dazu, nicht einmal aggressiv, sogar gutmütig. Sie gönnten dem etwas schrulligen Rakesh mit seinen Büchern ruhig auch einmal ein bisschen Spaß, das zumindest sagte ihr Grinsen. Irgendjemand sah einen immer, es war hoffnungslos. Sehr langsam packte Rakesh den Kollegen am Kragen, zog ihn zu sich, wies auf den anderen: »Wenn du noch ein einziges Mal etwas in dieser Art von dir gibst, schlage ich dir die Zähne ein, dass du schlimmer aussiehst als dieser grinsende Vollidiot hier.« Er sprach leise und bestimmt. Rakesh war nicht stark, aber wie ernst es ihm war, das spürten sie. Damit war Ruhe. Zumindest ihm gegenüber fiel kein Wort mehr über Sonja. Sie hatte noch einen Monat, wollte eigentlich weiter in den Süden. Drei Wochen blieb sie noch in der Stadt. Roshanara wusste es. Seine Eltern? Jedenfalls sagten sie kein Wort.

»Dur ke dhol suhavane lagte hain«, sagt er zu Sonja. »Das ist ein Hindi-Sprichwort. Es bedeutet ungefähr: *Die Trommel klingt am schönsten aus der Ferne.* Sie sollten einfach genauer hinsehen, wenn sie reisen.«

»Sie sollten dies, sie sollten jenes. Du bist ganz schön arrogant.« Sonjas Augen tadeln ihn aber keineswegs, und so ist er nicht überrascht, dass sie ihn an sich zieht. »Habe ich dir denn genau genug hingesehen?«

Das also jetzt wieder: Sie will hören, wie besonders, wie anders sie gewesen ist. Dieser bittende Ausdruck in ihren Augen ist ihm so fremd wie ihr Geruch bei der Ankunft. Sie möchte eigentlich etwas Harmloses, nichts weiter als den rituellen Austausch symbolischer Gaben unter Liebenden: Ich versichere dich deiner Großartigkeit und du tust dasselbe für mich. Es ist nicht so, dass Rakesh keine Lust dazu hat, er hat einfach nichts. Er ist ein Habenichts. Ein Habenichts mit Heimweh. Die neuen Wörter, die er von dem alten Gespenst gelernt hat, passen auf geradezu unheimliche Weise genau zu seiner derzeitigen Lage. Nur mit »Menschengedenken« tut er sich schwer. Er ist noch zu jung, um zu begreifen, dass er sich mit Fragen herumschlägt, die schon seit Menschengedenken unbeantwortet sind.

Was ist mit seiner Liebe nur passiert? Klingt die Trommel wirklich immer aus der Ferne am schönsten? Wer ist Sonja minus Europa, wer er minus Indien? Ist eine Frage, die nirgendwohin führt, zwangsläufig eine falsche Frage?

Noch einen Schluck Wein. Er nimmt sich vor, sich keinesfalls mehr eine unbedachte Äußerung zu gestatten. Alkohol kann doch auch beruhigen. Sonja lehnt sich an ihn. »Lass uns ins Bett gehen.«

»Weißt du eigentlich, dass heute Halbzeit ist?«

Sie setzt sich auf, sieht ihn an. Sie weiß nicht, was er meint.

»Mein Visum. Genau heute in drei Monaten läuft es ab. Es ist mir gerade aufgefallen, als ich auf den Kalender da an der Wand gesehen habe.« Der Kalender stammt aus seiner Straße zu Hause. Handgeschöpftes, blaues Papier mit aufgeklebten symbolischen Darstellungen der Ragas, den melodischen und rhythmischen Grundmustern der klassisch-indischen

Musik, gesungen und gespielt in endlosen Variationen. Auf dem Bild trägt eine Frau eine Rudra Veena über der Schulter, ein Saiteninstrument aus einer Bambusröhre und zwei kugelförmigen Kürbiskalebassen zur Schallverstärkung. Diese Veena wird nicht mehr oft gespielt. Dennoch hat Rakesh den tiefen Klang genau im Ohr, mit dem sich wunderbar langsam melodische Räume aufbauen lassen, ein unaufhaltsam ansteigendes Fluten von Tönen. Irgendeiner der Dutzenden Fernsehsender, die sie zu Hause empfingen, spielte immer klassische Musik, und die Mutter schaltete sie fast täglich zum Abendessen ein. Musik wäre jetzt gut, denkt Rakesh, keine Worte. Es ist, als gäbe es keine richtigen mehr und reden würde sie voneinander entfernen. Er legt eine CD ein. Nach einer Minute drückt er jedoch die Pause-Taste. Sonja blickt zur Seite, zieht Fasern aus einem Bananenblatt, auf dem die Salate angerichtet waren. Sie ist ziemlich still heute. Für gewöhnlich ist sie eine, die ausspricht, was es zu sagen gibt.

Wenn sie schweigt, ist es eben nicht der richtige Moment, sagt sich Rakesh. Wenigstens darauf muss er sich verlassen können: dass er sie kennt. Er hat volle drei Monate lang jeden Tag und jede Nacht mit ihr verbracht. Also kennt er sie.

Damit ist bei Weitem nicht jeder Zweifel beseitigt. Ohne ein Wort zu wechseln, stehen beide auf und beginnen, den Tisch abzuräumen. Wenn das Reden schwer wird, mag Rakesh es, wenn sie miteinander arbeiten. Irgendetwas tun oder Sex bringen die Dinge meistens wieder für eine Weile ins Lot. Sonja würde das nie zugeben, aber das macht nichts. Halbzeit. Er weiß nicht, wie es steht. Nach Hause zurückkehren? Die dummen Bemerkungen der Kollegen, die Süffisanz des Chefs, wenn er wieder anriefe. Roshanara wird bald ihr erstes Kind bekommen. Natürlich möchte er sie wiedersehen, sie, seine Eltern und Verwandten, auch den verkrüppelten Sunil, den Pandit, die Kollegen. Das Heimweh ist ein gieriges Untier, das sofort zuschnappt, wenn man ihm auch nur den kleinsten Erinnerungshappen offeriert. Aber nicht so. So möchte er nicht zurückkehren, mit nichts. Sein Erspartes ist längst weg. Er lebt von Sonja, seit einiger Zeit schon. Erst letzte Woche hat sie ihm neue Schuhe und eine Regenjacke gekauft. Natürlich ist er ihr dankbar, sehr sogar, es ist nur so, dass die Dankbarkeit etwas mit seinem Verlangen nach ihr macht. Es sei ja nur für eine Weile, sagte sie. Er gebe ihr ja auch, was er könne. Und wenn das nicht hilft: Er tue sich schwer, weil es eben einmal umgekehrt sei, nämlich, dass sie, die Frau, mehr Geld habe. Oder: Was habe er denn gedacht, wie es sein würde?

Dass sie recht hat, bringt sie einander keineswegs näher, im Gegenteil. Er schämt sich. Ja, was hat er gedacht? Nicht viel. Verlangen macht blind, als wüsste er es nicht. Nicht alles, was in den alten Schriften steht, ist Unsinn. Nicht alles, was die Spatzen von den Dächern pfeifen, begreift man wirklich. Sie kauft ihm Schuhe, er schläft mit ihr. Nicht dass sie es nicht gerne täten. *Toy boy.*

»Du denkst zu viel.«

»Ich kann nicht anders.«

»Du willst nicht anders.«

Er zuckt mit den Schultern. Mag sein, dass er immer noch glaubt, Denken sei das Mittel, mit dem sich aus allem ein Ausweg finden ließe. Keine Freiheit ohne Erkenntnis der eigenen Lage, er hat seine Existenzialisten genau studiert. Aber es gelten auch andere, simplere Wahrheiten: *Panam illadu pinam.* In der Schusterwerkstatt eines Nachbarn arbeitete ein Brüderpaar aus Madurai. Als er noch Kind war, hatten sie ihm diesen Spruch in ihrer Sprache, Tamil, beigebracht: *Ohne Geld bist du eine Leiche.*

Mahadevi, was soll ich nur tun? Hier funktioniert das nicht. Hier bleibt die Göttin stumm, ein Popanz, bloßes Abbild einer großen Sehnsucht.

Hier bleiben. Aber wie denn? Als was? Studieren. Das ginge vielleicht, sie haben sich erkundigt. Später heiraten. Sonja. Oder eine andere große, helle Frau. Er muss lachen über die Hässlichkeit seines letzten Gedankens. Was macht dieses kalte Land nur aus ihm?

Zurückgehen. Aber nicht heim, besser nach Delhi. Dort könnte er neu anfangen. Ein Bruder seiner Mutter lebt seit Jahren in der angrenzenden neuen Satellitenstadt Gurgaon. Zu dritt mit Frau und Tochter in einem winzigen Apartment zwar, aber immerhin. Inzwischen ist der Geschirrspüler eingeräumt, er lehnt sich an den Küchenschrank. Sonja wischt den Tisch ab, kehrt sorgfältig und bedächtig die Brösel in ihre Hand. Sie sieht sehr müde aus. Es ist weit nach Mitternacht. Sie dreht sich nach ihm um, wirft ihm ein kleines, verzagtes Lächeln zu. Er nimmt sie in die Arme. »Komm, wir lassen den Rest hier stehen.«

Er hebt sie hoch, trägt sie gespielt pathetisch über die Schwelle ins Bett. Ihre Körper sind gut aufeinander eingespielt. Seine Hände und sein Mund haben die Geduld, die seine Gedanken längst verloren haben, und allmählich weicht der fragende Blick aus ihrem Gesicht. Auch die Dosis Wut, die er sich beim Sex auszuleben gestattet, macht sich gut.

Später liegen sie eine Weile mit offenen Augen da, die Finger ineinander verflochten. Natürlich geht es ihm jetzt besser. Der menschliche Geist ist durch körperliche Annehmlichkeiten manipulierbar, ein voller Bauch, ein weiches Bett, schon ist alles nicht mehr ganz so hoffnungslos. Nicht dass Rakesh grundsätzlich anders wäre, aber sein Fall ist komplizierter: Das weiche Bett und der volle Magen sind Teil des Problems geworden. Es ändert nichts, denkt er. Hier bin und bleibe ich ein Habenichts, ein Habenichts mit Heimweh. Dazu kommt ihm wieder die grauhaarige Frau aus dem Stiegenhaus in den Sinn. Die seltsame Begegnung von heute Abend scheint schon wieder weit zurückzuliegen. Kann er sich nicht doch getäuscht haben, als er sie in die Wohnung hier verschwinden gesehen hat? Unwahrscheinlich. Aber weniger unwahrscheinlich als das, was er gesehen zu haben meint. Wenn sie jetzt plötzlich auftauchte, sich auf die Bettkante setzte, ihn ins Visier nähme mit diesem blauen Blick. Dann wüsste er wenigstens sicher, dass sie wirklich ein Gespenst ist. Ach was. In den nächsten paar Tagen wird er wahrscheinlich ohnehin viel zu Hause sein. Wenn er jemanden im Stiegenhaus draußen hört, wird er nachsehen, ob sie es ist, und irgendwann wird er sie noch einmal treffen. Es ist doch lächerlich: Ausgerechnet in Europa muss er einem Geist begegnen. Er ist kein abergläubischer Idiot, er glaubt nicht an Gespenster oder Götter. Es heißt nichts, wenn sie einen in einem Moment der Schwäche einmal erwischen, rein gar nichts. Vage ist ihm die Unlogik seiner Gedankenfolge bewusst. Macht nichts. Morgen, irgendwann, nie. Drei Monate noch. Spätestens dann wird etwas anders werden, so oder so.

Sonja hat sich jetzt an ihn gekuschelt, und sie löschen das Licht. Wie gut es wäre, ein paar Tage oder Wochen einfach verschlafen zu können!

Ich weiß zwar nicht wie, aber es kann nur mehr die Zeit sein, die mich rettet, denkt Rakesh.

»Ich bin verloren«, sagt er in Sonjas Haar hinein.

»Was für ein Unsinn«, murmelt sie schon im Einschlafen.

Die Zeit rettet einen nicht, niemals. Sie allein heilt auch keine Wunden. Das liegt daran, dass das größte Reich im Inneren keine Zeit kennt. Oh, die Menschen sind geschickt! Jeder von ihnen, selbst der, der nach oberflächlichen Maßstäben wenig alert und erfolgreich wirkt, ist auf seine Art ein wahrer Artist, Seiltänzer, Dompteur, was immer. Den meisten gelingt es, ihre Dämonen in Schach zu halten, aber keiner kommt durchs Leben, ohne ihnen ein gewisses Terrain zuzugestehen und ihnen zumindest dann und wann gehorsam zu sein.

Der nächste Morgen verläuft zunächst ruhig für Rakesh, zu ruhig.

»Warum bist du denn immer noch so still?« Besser fragen als warten, bis das Schweigen allzu zähflüssig wird. Er und Sonja haben heute einen Termin in einer Beratungsstelle für Ausländer. Das kann es doch nicht sein, was ihr so die Sprache verschlägt. Die rechtliche Lage ist nicht rosig, aber das ist ihnen schon länger klar. Er ist nicht verfolgt, außer von sich selbst. Es gibt genug Europäer, die europäische Sprachen beherrschen, und Kenntnisse über die Entwicklung der Mogul-Architektur oder die indische Kolonialgeschichte sind von geringem Marktwert.

Sie bestreicht das Brot, fängt den heruntertropfenden Honig mit dem Kaffeelöffel auf, leckt die Finger ab.

»Ich bin schwanger.«

Jetzt bloß nichts Falsches sagen. Das sind Momente, die sich ins Gedächtnis graben, und er möchte nicht, dass sie ihm irgendwann einmal den Vorwurf macht, er habe unangemessen reagiert, hätte vielleicht gar geflucht, denn genau das ist es, was er jetzt von ganzem Herzen gerne täte. Ja, von ganzem Herzen, jetzt zumindest, denn als er einen Augenblick tief durchatmet und versucht, in sich hineinzuhören, ist da tatsächlich nichts anderes, keine Spur.

»Bist du sicher?«

Sie nickt. »Ich weiß es seit gestern Nachmittag.«

»Seit gestern Nachmittag? Du hast den Schwangerschaftstest gemacht, während wir gekocht haben?«

Sie nickt wieder.

Er beißt die Zähne zusammen. »Du hast nichts gesagt. Wieso nicht?« Es wird jetzt mühsam, nicht einen Teller zu nehmen und ihn auf den Fliesenboden zu schleudern. Noch fünf Sekunden, und er tut es.

»Wir hatten Gäste, wie hätten wir denn darüber reden können?«

»Behandle mich bitte nicht wie ein Kind.«

Ein Kind. Die Zeit wird gar nichts retten, wie hat er so dumm sein können.

»Willst du es denn?« Das wird sie ihm übel nehmen.

»Du willst es nicht.« Sie sagt es sehr ruhig, als Feststellung.

Zwölf Millionen getöteter Mädchen in zwanzig Jahren. In ein paar Stunden wäre es vorbei.

Es kommt nicht infrage.

Was ging es ihn eigentlich an, was seine Landleute taten?

Das war etwas anderes.

In seiner Lage jedoch –

Es kommt nicht infrage.

»Doch«, sagt Rakesh und schließt die Augen.

Er würde sich bemühen, nicht abzuhauen. Viel ist das nicht, aber alles, was er im Moment hat. Er sieht Sonja an und merkt, dass sie etwas hören will, beinah egal was. Wenigstens seine Stimme soll sie festhalten. Jetzt ist sie es, die sehr verloren aussieht. Sie zieht die Decke vom Küchensofa und wickelt sich ein. Die Worte kommen dann wie von selbst, er wird gar nicht mehr wissen, was er alles gesagt hat. Viele schöne Lügen, während die Wahrheit auf der Lauer liegt.

Aber dies wäre nicht die erste Wahrheit, die bald nicht mehr wiederzuerkennen ist.

Hin und wieder in den folgenden Wochen und Monaten sieht Rakesh die grauhaarige Dame vor sich die Treppen hinaufgehen und um die Ecke verschwinden. Einmal sitzt sie sogar auf der Treppe, als er an ihr vorbeigeht. Er grüßt sie jedes Mal freundlich, spricht sie aber nicht an, kein einziges Mal.

6
SAPIENS SAPIENS

Einmal war da einer, der zeigte mir Wüsten und Meeresengen, tief eingeschnittene Täler, rot und grau gestreifte Canyons, Landzungen, die von Mittelmeerkiefern und hartlaubigem gelbem Ginster bewachsen waren, Bäche, zu türkis schimmernden Mäandern gefroren, endlose Grasbahnen und Distelfelder, den dichten mitteleuropäischen Mischwald vorindustrieller Jahrhunderte. Vor allem bot er mir neue Horizonte, aus gezackten Gipfeln, aus sanften Hügelbändern mit niedrigem, verfilztem Buschwerk, oder Sanddünen, die das Licht je nach Tageszeit anders einfärbte, alles, was mir nur vom Hörensagen vorstellbar war, ohne je gesehen zu haben. In gewisser Hinsicht zeigte er mir mehr als sonst jemand und beschenkte mich über die Maßen. Womit? Mit Gegenden ohne Menschen. Mit der Idee, dass sie dort die längste Zeit nichts als Randerscheinungen waren, dass sie sehen mussten, wie sie überlebten, vergleichsweise schlecht ausgestattet, dort, wo sie die längste Zeit mit nichts anderem beschäftigt waren. Orte, an denen sie nichts zu sagen und die sie nicht geschaffen hatten. Man weiß, wie es weiterging.

Nun, er ist nur ein Kind, genaugenommen ein Pubertierender, nicht unbeliebt bei seinesgleichen. Noch kichern die Mädchen über seine großen Schaufelhände, seinen unbewegten Blick, der sie höchstens streift und sogleich fallen lässt. Sie kichern ja, weil er sie in Gedanken beschäftigt, sie kichern nervös, keineswegs verächtlich, und wissen nicht recht, ist er ein Spinner oder einer, der ein entdeckenswertes Geheimnis hat. Das Pendel schlägt einmal in die eine, einmal in die andere Richtung aus, wenn sie nach den Treffen zum Mathematiklernen zu zweit oder zu dritt im Stiegenhaus über ihn tratschen, dabei Haarsträhnen um die Finger wickeln, einander belauern und scharf beobachten, wenn eine von ihnen eine Bemerkung über ihn fallen lässt. Obwohl sein Körper dabei ist, das Kindsein ziemlich energisch abzustreifen, legt er nicht viel Wert darauf, was die Mädchen von ihm halten, das ist ein unschätzbarer Vorteil.

Er hätte allen Grund zu hoffen, aber seltsamerweise tut er es kein bisschen. Er schließt die Augen, atmet tief ein wie vor einem Sprung, versucht sich zu konzentrieren. Seine Stirn ist hoch und rund, die Wangen haben noch die rundliche Frische, die er hasst, aber die markante Nase zeigt schon ein wenig fettigen Glanz, und seit ein paar Wochen räuspert er sich in einem fort. Das mausfarbene Haar ist wuschelig und wächst in alle Richtungen, er beachtet es einfach nicht mehr, was seiner Mutter auch wieder nicht recht ist. Sie kann nicht aufhören, ihm in die Haare zu greifen, obwohl er eine richtig gute Technik entwickelt hat, sich unter ihrer Hand wegzuducken. Seit Kurzem ist er größer als sie, trotzdem funktioniert das noch ganz hervorragend. Er setzt dazu ein Kinderlächeln auf, das sie für einen winzigen Moment innehalten lässt, vernarrt, wie sie ist in diese Kindernummer, dann macht er mit Schultern und Kopf eine flinke Drehbewegung zur Seite und weg ist er, und sie ist enttäuscht. Das Räuspern und Kieksen hat bei diesem blöden Spiel auf einer Party begonnen, als man sich selbst beschreiben musste, ohne das Wort »ich« zu verwenden, was ihn derart irritierte, dass er die Anweisungen zum nächsten Spiel, irgendeine Geschicklichkeitssache, bei der er viel bessere Chancen gehabt hätte, komplett durcheinanderbrachte und sich bis auf die Knochen blamierte.

Jetzt muss er sich aber zusammenreißen. Wenn er ständig an etwas anderes denkt, kann er sich nicht konzentrieren, und sie zeigen sich nicht. Er braucht sie aber. Es sind immer dieselben. Anstelle einer Hoffnung hat er sie.

Weite, zunächst muss er sich nichts als die Weite einer noch vagen Landschaft vorstellen. Das ist nicht so einfach, wie es sich anhört. Dazu braucht man einen langen Atem, und man darf die Nerven nicht verlieren. Schon die leiseste Ablenkung führt dazu, dass man sich an irgendeiner Einzelheit festbeißt, und dann ist das Ganze verdorben. Wenn Linus schließlich die Augen öffnet, ist da nichts anderes als sein Zimmer, das in Richtung Innenhof liegt, mit dem zerkratzten Parkett und den hohen, gelbstichigen Wänden, der Verputz da und dort abgeblättert, und dem weit verzweigten Philodendron, den die Vormieter dagelassen haben. Wenn gegen Abend für kurze Zeit die Sonne in den Raum fällt, zeichnen die großen Blätter bizarre Schatten auf den Boden, die ihm dabei helfen, sich zu konzentrieren. Gegenüber der Fensterseite das Poster mit dem Weltmeister im Einradfahren und der Riss in der Mauer, der sich von der Zimmerdecke herunterzieht und genau im Kopf des ernst dreinblickenden Champions scharf nach links abbiegt. Die Weite ist das Wichtigste, besonders am Anfang. Sie fordert nicht nur Vertiefung, sondern auch Fantasie. Der Horizont darf keinesfalls immer gleich aussehen, die Gruppe zieht ja herum, Wetter und Jahreszeiten ändern sich. Dies ist keine Fantasy-Welt, kein fremder Planet mit rotem Gewölk und erfundenen Formen, nein, dies ist unsere gute alte Erde vor rund 150 000 Jahren, als Horden unserer Vorfahren die ausgedehnten Grassteppen des afrikanischen Kontinents durchstreiften und sich allmählich nach Norden vorschoben.

Bevor Linus mit seiner Mutter hierherzog, wohnten sie ein Stück außerhalb der Stadt, ziemlich genau in der Einflugschneise. Mit sieben kannte er alle Linien, die den Flughafen anflogen. Seitdem war er zu viel unterwegs gewesen, um noch vom Fliegen zu träumen. Seine Mutter liebt Fernreisen, obwohl sie nicht viel Geld haben. Ein paar Mal besuchten sie jemanden, der für eine Firma nach Hongkong gezogen war und ihnen den Flug bezahlte. Aber Asien ist billig, jedenfalls dort, wo sie hinfahren. Sie waren außerdem schon auf Bali und in Malaysia, in Nepal, Thailand. Letzten Sommer waren sie sogar in New York, wo seine Mutter einen Kurs besuchte, er weiß nicht mehr, was für einen, etwas mit Heilung. Seit einem halben Jahr wohnen sie jetzt mit Sonja zusammen, die ganz in Ordnung ist. Sie ist Lehrerin für ziemlich anstrengende Kinder und Jugendliche mit irgendwelchen Defiziten, was den Vorteil hat, dass sie nicht an ihm herumerziehen will. Sie kochen öfter zusammen oder backen Brot, und wenn Linus Koriandersamen und Anis im Mörser zerkleinert oder Sesam röstet, während Sonja vor sich hin summend den Teig in die Länge zieht und mit einem Schmatzen auf die Arbeitsfläche klatscht, nimmt er an, dass er ihr überaus geschickt und klug erscheint. Das versetzt ihn in gute Laune, weil es ganz ohne Anstrengung geht. Und sie riecht so gut. Wenn sie fernsehen, sitzt er gern neben ihr, atmet tief ein und hält heimlich die Luft an. Neulich hat er ihr Parfumfläschchen im Badezimmer aufgeschraubt, um überrascht festzustellen, dass das Parfum allein ihren Geruch nicht ausmacht. Von der Seite betrachtet ist Sonja hübscher als von vorne, mit ihrer kleinen geraden Nase und den vollen Lippen. Mit seiner Mutter verträgt sie sich gut. Sie kennen einander von irgendeinem Kurs her. Sie behandelt ihn mit leicht koketter Herablassung, aber freundlich, freundschaftlich sogar, eine Mischung, die ihn manchmal ganz stumm und steif werden lässt. Zum Glück fällt das nicht auf. Jetzt aber ist Rakesh da, den Sonja letztes Jahr auf einer Reise kennengelernt hat. Seitdem ist alles, was sie sagt und tut, selbst wenn sie Zwiebeln schält oder durch die Fernsehkanäle zappt, irgendwie auf ihn ausgerichtet. Sie bewegt sich anders, hat einen anderen Tonfall und schaut anders, als wäre ihre gesamte Aufmerksamkeit an der Hautoberfläche gesammelt, darunter immerzu ein leises Schwirren, Gurren und Lauern, etwas wie ein dauerndes Kitzeln im Hals, die Bereitschaft, loszulachen oder die Arme um Rakesh zu werfen und ihn entzückt anzustarren, als wäre er ein Prinz, der durch das Reiben von Aladins Wunderlampe hierher gezaubert worden ist, und als sähe sie ihn gerade jetzt zum ersten Mal. Ob Rakesh das gefällt, ob er es überhaupt bemerkt, kann Linus nicht sagen. Zum ersten Mal beobachtet er Verliebtsein aus der Nähe, und es kommt ihm nicht mehr so abgrundtief dumm vor wie noch vor Kurzem, eher beunruhigend. Wenn Sonjas Seele unter der Haut herumzappelt und nach Rakesh giert, dann ist die von Rakesh irgendwo tief in seinem Inneren zusammengerollt und späht von einem sicheren Ort aus nach draußen, so würde Linus den Unterschied beschreiben. Aber das ist Blödsinn, denkt er im selben Augenblick, viel zu sehr davon beeinflusst, wie seine Mutter es sähe, die sich gerne mit Wiedergeburt, Karma und anderem Seelenzeug beschäftigt.

»Bin gespannt, wie lange das dauert«, sagt sie, fast täglich kommt etwas in der Art, obwohl sie nett zu den beiden ist, fast zu sehr, findet Linus. Von Rakesh ist sie angetan, sie scheint zu glauben, weil er aus Indien kommt, muss er schon deswegen von außergewöhnlicher Weisheit und Seelentiefe sein. Rakesh schwingt aber keinerlei weise Reden, tut überhaupt nichts Besonderes, was Linus' Mutter in ihren positiven Vermutungen noch bestärkt. Vielleicht ist es nur Sonjas Schwirren und Flattern, das Rakesh auch in den Augen der Mutter zu einem exotischen Wesen macht. Linus sieht sie von der Seite an: groß, knochig um Schultern und Hüften, hellbraunes, glattes, in der Mitte gescheiteltes Haar, in das sie sich fasst, wenn sie unsicher ist, sehr helle, runde, müde Augen. Unter der Iris ein kleiner Streifen Weiß, das ist bei ihm genauso. Wenn er sie anspricht, ist es manchmal, als würde sie ein wenig unwillig auftauchen, aus einer ihm nicht zugänglichen Welt, und sie blinzelt für einen Moment, um sich wieder zurechtzufinden. Dabei hat sie nur an den Fingernägeln gekaut oder ihre Haarspitzen mit der Nagelschere geschnitten. Man müsste sie beschützen, und selbst wenn sie gerade in guter Stimmung ist, scheint sie immer ein wenig empört oder traurig darüber zu sein, dass das nicht geschieht. Ist sie hübsch? Er weiß es nicht. Sowohl er als auch sie selbst sind im Grunde ihres Herzens davon überzeugt, dass ihretwegen niemals irgendjemand so ins Flöten geraten könnte. Das ist keine Gemeinsamkeit von der Art, die Menschen einander näher bringt. Früher fühlte sich Linus immer irgendwie erhoben, wenn ihn seine Mutter ins Vertrauen zog und ihn lobte, dass man »beinah wie mit einem Großen« mit ihm reden könne. Über das »beinah« kam er hinweg, wenn sie den Arm um ihn legte und ihn ihren großen Schatz und Ähnliches nannte, belangloses Gerede, das aber schmeckte wie heißer Kakao mit Schlagobers vor dem Zubettgehen. Aber er mag mit seiner Mutter nicht über Sonja und Rakesh reden. Er weiß gar nicht, wogegen sich sein Unwillen richtet, ob er sich nicht womöglich als Grundgefühl in ihm festsetzt. Sonst hat sich nicht viel geändert, alle in der Wohnung vertragen sich. Überhaupt ist es okay hier, findet Linus, die Schule ist besser als die alte, sein Zimmer ist groß, seine Mutter nervt nicht mehr ständig, dass er hinaus an die frische Luft gehen soll. Sie sind mitten in der Stadt, und es gibt keine frische Luft, jedenfalls nicht so, wie sich das seine Mutter vorstellt. Wenn er heimkommt, ist fast immer Rakesh da, der Linus als Gesprächspartner jedenfalls sehr viel lieber ist als seine Mutter mit ihrem »Wie-war-es-denn-in-der-Schule-Schatz«. Neulich hat er in Sozialkunde gelernt, was ein Ritual ist. Sie sollten Beispiele aus ihrem Leben finden. Linus kamen viele in den Sinn, aber die konnte er nicht anführen.

»Geht so«, antwortet er meist.

Vorhersehbar, was dann folgt: »Was heißt *geht so*? War dir langweilig, hat dich etwas interessiert, hattest du Spaß, hast du dich geärgert?«

»Von allem etwas, Mama.« Der Kinderblick, den er verzweifelt versucht, zieht dann meist nicht mehr. Warum zum Teufel gibt er ihr nicht einfach, was sie will, erfindet irgendetwas, biegt irgendeinen Vorfall aus dem Unterricht oder einer Pause in eine muttergemäße Episode um, das ist doch nicht so schwer. Er kaut auf seiner Unterlippe, bis er einen Tropfen Blut schmeckt. Während dieser Küchengespräche tut seine Mutter meist irgendetwas, starrt angestrengt auf den Bildschirm ihres Laptops oder hantiert mit Lebensmitteln. Heute schneidet sie Karotten und Lauch. Die Klinge saust so schnell auf das Gemüse nieder, dass Linus nur ein silbriges Zickzackmuster sieht, das den Händen der Mutter zu entspringen scheint. Er bewundert ihre Technik. »Wo hast du eigentlich so gut Gemüseschneiden gelernt?«

Die Mutter seufzt, schaut in den Topf mit dem siedenden Wasser. »Und wie war es mit den anderen?« Wie seine

Mitschüler, die sie meint, zu ihm stehen, interessiert sie am meisten, mehr als Lehrer, mehr als Noten, mehr als das, was Linus interessiert und wen Linus mag. Er versteht nicht wieso. Er merkt aber, dass sie die ersten Fragen nur stellt, um eine unauffällige Einleitung für ihre Hauptfrage zu finden. Er macht sich steif.

»Seit wann muss ich dir jedes Wort aus der Nase ziehen? Du bist doch sonst nicht so und« –

Und so weiter und so fort. Was meint sie mit »sonst«? Wieso lässt sie ihn nicht in Ruhe? Nachzufragen würde nur eine weitere Runde provozieren. Vielleicht sollte er sie lieber fragen, seit wann sie so ist. Aber auch das hätte keinen Zweck, sie würde es nicht als Frage verstehen, sondern den Gegenangriff wittern. Er ärgert sich über den geschwätzigen Trottel, der er bis vor Kurzem ja tatsächlich war, ein Bubi, das seiner Mama jede Kleinigkeit erzählte, jedenfalls zu viel. Solange er das tat, war zumindest mehr in Ordnung als jetzt. Aber die richtige Mischung zwischen Erfundenem und Wahrheit will in letzter Zeit nicht mehr recht gelingen, immer erwischt er von dem einen zu viel oder von dem anderen zu wenig. Er weiß nicht, woran es liegt. Ist es der Umzug, ist es die neue Klasse, mit der es eigentlich recht gut läuft? Warum sagt er ihr das denn nicht? Dann gäbe sie vielleicht einmal Ruhe. Oder verbringt er doch zu viel Zeit mit der Gruppe? Doch sie brauchen ihn ja. Ohne ihn würden sie gar nicht existieren. Ihm gefällt der Gedanke, dass er sie nur in bestimmten, von ihm exakt festgelegten Situationen trifft, es gefällt ihm, sich dabei jeder Einzelheit zu widmen, von der Wolkenstimmung am Himmel bis zu den Haarsträhnen, die dem Kleinsten ins Gesicht fallen, der Position, die jedes Gruppenmitglied einnimmt, angewinkelte und ausgestreckte Arme, die Neigungswinkel der Körper, die Blickrichtung, der Gesichtsausdruck, Gegenstände, Kleidung, Werkzeuge, all das Zeug, das man braucht, damit die Sache echt wirkt. Und am meisten gefällt ihm die Vorstellung, dass die fünf Auserwählten dann da draußen in einer Parallelwelt oder in irgendeiner Vergangenheit ihr Leben weiterleben, weil ausgerechnet er es in Gang gesetzt hat. Es bedarf ziemlicher Ausdauer, alles im Gedächtnis zu behalten. Ab und zu fertigt er Skizzen an, zum Beispiel um sich eine bestimmte Körperhaltung besser vorstellen zu können, oder er zeichnet eine Waffe, ein Werkzeug, eine Pflanze aus einem Buch ab, um sie dann in seiner Vorstellung richtig in das Ganze einzufügen. Das Endergebnis, die gesamte Szenerie, in der er die fünf dann arrangiert, hat er noch nie festgehalten. Gäbe er sich Mühe, könnte er es, es heißt, er sei ein hervorragender Zeichner. Aber irgendetwas sagt ihm, dass die Sache besser funktioniert, wenn er sie so weit wie möglich in seinem Kopf abhandelt.

Die Stunden mit Rakesh sind oft die angenehmsten des Tages. Sonja und Linus' Mutter arbeiten meist noch, und der niederländische Austauschstudent, an den sie das fünfte Zimmer für ein paar Monate vermietet haben, ist selten da. Bei Rakesh gibt es kein Nachfragen, für ihn muss er sich keine Antworten einfallen lassen. Er hat auch keine Vorstellung, was Rakesh gerne hören würde. Nach seiner Ankunft saß Rakesh oft wie betäubt in der Küche herum, wenn Sonja in der Arbeit war, ohne dass er irgendetwas anfasste außer das Radio, an dem er alle paar Minuten einen anderen Sender einstellte, tippte andauernd in sein neues i-Phone, ein Geschenk von Sonja, um das ihn Linus höllisch beneidete, und warf hin und wieder schnelle Seitenblicke auf Linus, wenn er meinte, dieser bemerke es nicht. Aber gerade seine anfängliche Schüchternheit und Schwäche machten es für Linus viel einfacher, mit ihm Freundschaft zu schließen. Themen fanden sich mühelos, das Handy, diverse Apps, Lieblingsseiten, Lieblingsmusik und immer wieder die deutsche Sprache. »Du bist jetzt mein Lehrer«, befand Rakesh am dritten oder vierten Tag, und Linus freute sich darüber. Rakesh ist genau zehn Jahre älter als er. »Wenn du siebzig bist, werde ich achtzig sein, also sind wir dann beide alte Männer«, sagt Rakesh, lacht lautlos, indem er den Mund beiläufig verzieht, was sehr lässig aussieht. Vor ihm auf dem Tisch liegt ein Grammatikheft, die Seite mit den Konditionalsätzen ist aufgeschlagen. Linus übt dieses fantastische Nebenbeilächeln vor dem Spiegel, aber es wird nichts daraus. Vielleicht liegt es an Rakeshs zimtfarbenem Teint zu den weißen Zähnen und an etwas in seinen Augen, das Linus nicht definieren kann, weil er zwar das Wort, nicht aber den Zustand kennt: Bitterkeit. Es verschwindet auch nicht, wenn Rakesh lächelt. Linus wird so etwas niemals hinbekommen, auch in hundert Jahren nicht, davon ist er überzeugt. Er lacht über Rakeshs Bemerkung, verblüfft, dass man es auch so betrachten kann. »Weißt du denn, was der Satz, den ich dir gerade gesagt habe, in Wirklichkeit bedeutet?«, fragt Rakesh. Jetzt bedeutet zehn Jahre älter zu sein in Linus' Augen jedenfalls fast so viel, wie auf einem anderen Kontinent zu leben oder einer ganz anderen Menschenart anzugehören. Wenn er abends beobachtet, wie Rakesh Sonja von hinten umarmt und manchmal, wenn sie ihn nicht bemerken, seine Hand unter ihren Rock gleiten lässt, ist er wieder sicher, dass er mit seiner Sicht der Dinge doch richtig liegt. So etwas kann er Rakesh aber nicht sagen, es wäre auch kaum eine passende Antwort. Also schüttelt Linus stumm den Kopf. »Sag es mir, wenn dir eine Antwort einfällt.« Eigentlich hasst er es, wenn jemand die Lösung eines Rätsels kennt und nicht damit herausrückt.

Trotz Sonja ist Rakesh einsam hier, so etwas spürt Linus. Er sitzt zwar nicht mehr untätig in der Küche herum, stattdessen wandert er jetzt in der Wohnung umher, manchmal in sich gekehrt und zögernd, manchmal mit einem körperlichen Elan, der ohne Ziel verpufft. Wenn man ihn dabei ertappt, wird er verlegen. Am Küchentisch liegen Rakeshs Vokabelhefte. Sein Deutsch ist sehr gut, er macht kaum Fehler, nicht einmal bei den Artikeln und den Kasusendungen, nur die Betonung kriegt er noch nicht richtig hin. Wenn er länger ohne Unterbrechung spricht, klingt es ein bisschen monoton und zugleich hektisch, wie eine zu schnell sprechende Computerstimme, und man erkennt oft nicht, ob er etwas als Frage oder als Feststellung meint. Was ihm in die Finger kommt, liest er in erstaunlichem Tempo. Die Zeitungen türmen sich auf der Küchenbank, Linus darf nichts davon zum Altpapier bringen. Rakesh tut, als stände in jedem Käseblatt womöglich etwas Wichtiges, das er, der Fremde, auf gar keinen Fall übersehen dürfe. In so manchem ist er etwas sonderbar: Morgens spült er sich ewig den Mund und die Nase mit kaltem Wasser, er stellt sich mit verschränkten Armen an den Straßenrand und beobachtet die Umgebung, bis ihn Linus am Ärmel weiterzieht, er sitzt auch auf hölzernen Kaffeehausstühlen im Schneidersitz, und sein Lächeln ist manchmal wie eine Gummiwand und kann sehr Verschiedenes bedeuten. Linus ist ziemlich gut im Lesen von Gesichtern, auch deshalb hat er mit Lehrern nie Probleme. Rakesh ist eine kleine Herausforderung, doch Linus hat früh eine Vorliebe für Sonderlinge entwickelt. Als bewiese ihre Existenz, dass ein jeder einfach so sein könne, wie er nun einmal war. Wäre das nun das Paradies? Aber was ist mit denen, die nun einmal so waren, dass sie andere nicht in Ruhe lassen konnten? Rakesh ist vielleicht gar nicht sonderbar, nur einer, der das Pech hat, ein Fremder zu sein, der die Kälte nicht verträgt, und das Glück hat, zehn Jahre älter zu sein, so jedenfalls sieht es Linus. Gerade einsame Menschen tun meist so, als würden sie nichts und niemanden brauchen, und reden dann doch ohne Punkt und Komma und lassen einen kaum los. Auch mit Rakesh ist das manchmal so, bevor er sich wieder hinter sein Lächeln zurückzieht. Linus kann sich die Welt, von der ihm Rakesh erzählt, gut vorstellen, er hat schon einige Übung darin. Sie ist farbig, eng, fürchterlich laut, und überall sind Augen, die einen beobachten. Man träumt von Geld und Göttern dort, der Müll verstopft die Straßen. Rakeshs Stimme und das, was er über seine Stadt sagt, passen nicht zusammen, bemerkt Linus. Er kennt die anfallsartige Redseligkeit fremder Menschen, er hat anscheinend etwas an sich, das ältere Herren auf Bänken und Damen, die im Park Tauben füttern, magisch anzieht. Wenn ihn seine Mutter dann aus einer solch unversehens geknüpften Bekanntschaft befreit, die entsteht, während er zum Beispiel ein paar Minuten vor einem Geschäft auf sie wartet, streicht sie ihm vor aller Augen übers Haar oder drückt ihm gar einen lauten Kuss auf die Wange. Das geht gar nicht, nie mehr. Ist sie stolz auf ihn oder will sie nur zeigen, dass er zu ihr gehört? Mit seiner Mutter ist es ohnehin mühsam geworden. Was seit Neuestem ständig in seinem Kopf auftaucht, wenn er mit ihr redet oder auch nur an sie denkt, erschöpft entsetzlich, da es, kaum gedacht, schon vom nächsten Zweifel oder der nächsten Frage abgelöst wird und ohne Antwort wegkippt, als würde irgendein Unbekannter, der seinen Kopf kontrolliert, plötzlich einen Schalter umlegen. An unvermuteter Stelle taucht es dann wieder auf. Linus erklärt es dem Ältesten der Gruppe, einem nicht allzu großen, kräftigen Mann mit unbeirrbar ruhigen Augen, der gerade einige tanzende Baumstämme an einer Flussschlinge beobachtet. »Es ist, wie wenn du von Autoscheinwerfern geblendet wirst, wenn du gerade in einer warmen Sommernacht voller Sterne draußen stehst und an etwas Angenehmes denkst, oder als ob du beim Sonntagsausflug an einen elektrischen Weidezaun fasst, einen Schlag kriegst, und deine Mutter wird hysterisch und macht damit das Ganze erst wirklich schlimm.« Der Älteste nickt nicht und spricht nicht. Das ist auch nicht nötig. Er lebt vor 150 000, vor 5000 oder 800 Jahren und kennt weder Autoscheinwerfer noch Weidezaun. Er lebt aber auch in Linus' Kopf. Also ist alles gut: Er versteht schon. Auch das, was hinter den Worten liegt, aber ohne Linus anzufassen und sein Haar zu zerstrubbeln. Neben seiner Mutter kann Linus nicht richtig denken, anders als neben Rakesh in der Küche, der auch einfach einmal den Mund halten kann. Immerzu soll Linus ihre bohrenden Fragen beantworten, und gleichzeitig darf er auf keinen Fall den Verdacht schüren, es gäbe irgendein Problem. Dabei gibt es doch immer irgendeines! »Das ist das Leben«, blaffte er sie an, als sie sich wieder einmal über eine vermeintliche Ungerechtigkeit in der Schule aufregte. Dabei imitierte er nur Rakesh, der diesen Spruch immer anbringt, egal ob eine Serviette vom Tisch fällt oder ob sie beim Abendessen halb resigniert, halb zornig über die Aufenthaltsgesetze im Land reden. Rakesh drückt sich vielleicht nur deshalb so aus, weil sein Deutsch noch nicht für mehr Abwechslung in seinen Kommentaren reicht, aber darauf kommt es nicht an, weil es schon richtig ist, was er damit sagen will: Sinnlos, sich über etwas aufzuregen, was man nicht ändern kann. Außerdem ändert man kaum etwas, indem man sich lauthals um die Ruhe und um einen kühlen Kopf bringt. Linus hat ohnehin den Verdacht, dass sich seine Mutter über vieles fürchterlich beklagt, das gar nicht weiter schlimm ist: Man rutscht aus, schlägt sich das Knie auf, vergisst die Lateinhausübung, die man ausnahmsweise gemacht hat, auf dem Schreibtisch, versäumt den Bus, man wird zur Party eingeladen oder nicht, macht sich lächerlich – warum gibt es so unendlich viel mehr Gelegenheiten dazu, als sich gut zu fühlen? –, man hat keinen Mann oder keinen Vater und man schafft es nicht ein einziges Mal, wirklich lässig zu reden, lässig dazustehen, lässig zu lächeln. Ja, das ist das Leben. Es gibt niemanden, der dafür sorgt, dass einem das eine oder andere erspart bleibt. Und was das Entscheidende ist: Es gibt niemanden, der es auch nur könnte. Die Zuständigkeiten sind lückenhaft, ungefähr, unerfüllbar. Im Irrglauben, es wäre anders, leben nur Kinder. Oder Eltern, die sich einbilden, sie hätten auch nur irgendetwas von Bedeutung im Griff. Es hat nicht einmal Sinn, auf die Erwachsenen wütend zu sein. Doch füllt ihn das Gefühl aus und demütigt ihn.

Die Erkenntnis überfällt ihn vor dem Spiegel im Gang, er starrt mit zusammengebissenen Zähnen auf sein blödes Vierzehnjährigengesicht mit den Kinderwangen, die ihre perfekte Apfelrundung schon weitgehend verloren haben, was er nicht erkennt. Auch sieht er die tektonischen Verschiebungen nicht, die schon im Gang sind, das Anheben der Jochbeine, die Verbreiterung des Unterkiefers, der Schulterblätter und des Brustkorbs, die mit der Verbreiterung und Vertiefung seiner Vorstellungen wundersam korrespondiert, wenn auch noch in schmerzhaften Schüben und begleitet von unvermeidbaren Irrtümern: Aber so ist das Leben. Wird er irgendwann später so weit sein, den Vierzehnjährigen, der er war, freundlich zu betrachten, auch wenn der für den Trost des Älteren unerreichbar ist, der dann so leicht gewährt werden könnte? Doch nur ein Verrückter käme auf den Gedanken, das wäre möglich. Genau jetzt spürt Linus etwas Unvermeidliches und Unkorrigierbares, etwas geht vor, Unruhe flackert durch den Körper, mehr als Unruhe,

Unmut, Wut auf alles, was seine Mutter sagt, verlangt und für erstrebenswert hält, Wut auf die entfesselte Fragerei in seinem Kopf, Wut auf das Gefühl, keinen Schritt vorwärts und keinen zurück tun zu können.

Er denkt: Das alles ist zum Kotzen. Zum Davonlaufen. Zum Durch-die-Wand-Brechen. Er denkt es wieder und wieder. Selbstverständlich erkennt er nicht, was die Wut noch ist, eine Art von Hoffnung, von Zukunft, ein pflanzenhaft langsames sich Herausdrehen, träge und noch nicht wahrnehmbar, um vieles stärker als diese große Blindheit. Und dann ist da noch etwas unter der Wut, in einem Moment ist es noch ganz und gar undenkbar, dann schon in der Luft, die man atmet, im Boden, auf den man jeden einzelnen Schritt setzt, überall.

Es war zu erwarten, dass seine Mutter nichts davon hinnehmen will: Es würde zu ihr passen, gegen die Kugelform der Erde zu protestieren, bis ihr vor lauter Klagen die Luft wegbliebe. »Wo hast du denn diese blöden Sprüche her?«, fragt sie mit verengten Augen, »und außerdem, was weißt du denn schon davon, wie das Leben ist?« So bösartig ist sie selten. Er hat es wieder nicht auf die richtige Art hingekriegt, im Gegensatz zu Rakesh, der die beiden Frauen fast immer zum Lächeln bringt. Nicht die Art Lächeln, die sonst für Linus abfällt, nein, das andere, eines, das man nur bekommt, wenn – wenn Linus nur wüsste! –, wenn man jedenfalls nicht er ist. Beim Reden ist es wie auch beim Lächeln viel mehr das Wie als das Was oder das Worüber, soweit begreift es Linus allmählich. Er schaut Rakesh in letzter Zeit noch öfter an als Sonja. Zehn Jahre. Uneinholbar, unüberwindbar.

Nach ein paar Wochen löst sich Rakesh allmählich aus seiner Erstarrung. Sein Deutsch ist besser geworden, auch dank

Linus, der ihm Phrasen und ganze Satzgruppen vorspricht, bis er sie praktisch akzentfrei und mit der richtigen Intonation nachsagen kann. Ein paar Mal geht er sogar mit ihm in den Park, wo er ihm auf dem zugefrorenen Teich Schlittschuhlaufen beibringt, damit sie Eishockey spielen könnten. Es klappt bald gut, und Rakesh beklagt sich nicht einmal über die Kälte. Zu Hause trinkt er drei oder vier Tassen Tee mit Honig und Ingwer und schämt sich für sein Zittern. Seit ein oder zwei Wochen kocht er täglich das Abendessen, köstliche Gerichte aus Gemüse mit Linsen oder Reis, mit selbstgemachtem Frischkäse und einer ganzen Palette von Gewürzen, die er in großen Mengen mitgebracht hat. »Die Frauen arbeiten, und wir kochen«, sagt Rakesh zu Linus, »hier ist die Welt verkehrt herum«, und boxt ihn in die Seite. Es hätte ein scherzhafter Schlag sein sollen, aber versehentlich schlägt Rakesh zu fest zu oder trifft eine ungünstige Stelle direkt unterhalb der Rippen. Jedenfalls bleibt Linus für einen Moment die Luft weg, aber das macht ihm nichts aus. Sobald sich ein bestimmter Duft in der Küche verbreitet, ist Rakesh guter Stimmung und singt seltsam eiernde, aber schöne Melodien vor sich hin, wiederholt die Silben geduldig für Linus, der sie lernt und nachzusingen versucht, bis er seine Mutter an der Tür hört. Wenn Sonja kommt, werken sie eine Weile zu dritt, für kurze Zeit ist das auch richtig schön, aber dann stimmt plötzlich nichts mehr, Linus versteht es nicht. Jedes Mal verpasst er den Moment, in dem die Stimmung umschlägt, in dem eine merkwürdige und hässliche Verwandlung vor sich geht, die alle Anwesenden ergreift. Rakesh: ein zu groß geratenes, hübsches Kind, das entweder mürrische Zicken macht oder billige Kunststückchen, um, man weiß nicht recht wen, zu beeindrucken und um etwas zu bekommen, das nicht zu haben ist. Wenn er dann spürt, dass Linus ihn anschaut, wirft er ihm entschuldigende Seitenblicke zu, die Linus verwirren, so wenig scheinen sie zu Rakesh zu passen. Als er einmal mit seinem Handy Fotos von jedem Zimmer macht, sogar von Bad und Klo, und Linus nicht hinter sich näherkommen hört, fährt er ihn zuerst an, besinnt sich dann und erklärt grinsend, dass er die Bilder seiner Familie schicke, die sich nicht vorstellen könne, dass vier Erwachsene und ein Kind auf 150 Quadratmetern wohnen, ohne dass sie reich seien.

Und Sonja: Linus versteht überhaupt nicht mehr, wie er sie je hübsch finden konnte. Entweder riecht sie nach gar nichts oder Garam Masala und Ingwer haben ihren Duft verschlungen, sie bleckt die Zähne, dreht Pirouetten, ihre Augen haben etwas Verzagtes und zugleich Gieriges. Sie legt Rakesh den Arm um die Mitte und schiebt mit der freien Hand an Linus herum, der ohnehin nur im Weg ist. Als ihn Sonja praktisch aus der Küche bugsiert, macht er einen Schritt zur Seite, steht pötzlich einen Augenblick ganz nah neben Rakesh und bemerkt mit einem stummen Triumph, dass sie beide beinah gleich groß sind. Als tags darauf alle fort sind, zieht Linus eines der weißen Leinenhemden von Rakesh an und stellt sich im Zimmer seiner Mutter vor den Spiegel. Noch passt es an den Schultern, aber lange wird es nicht mehr dauern, dann ist es zu eng. Na also! Ein schlechtes Gefühl ist das nicht. Aber auch nicht gut genug. Linus streicht sich die Wangen nach unten, als könnte er so die Fülle loswerden, schiebt das überschüssige Fett mit den Fingern probeweise unter den Kieferknochen. Bei der gestrigen Szene am Abend war auch noch seine Mutter zugegen, irgendwo im Halbschatten zwischen Gang und Küche, Linus hatte den Eindruck, als schwanke sie ein bisschen, vielleicht hatte sie den Prosecco, der auf der Anrichte stand, einfach zu schnell hinuntergekippt, jedenfalls räusperte sie sich ständig, kicherte und redete von irgendetwas, das keinen interessierte, und als Linus sich nach ihr umdrehte und ihr mit Blicken – vergeblich, er wusste es im Vorhinein – bedeuten wollte, sie solle bitte still sein, kam sie ihm wie eine monoton zeternde Eule vor, mit ihrem runden Gesicht und den großen, kreisrunden, leeren Augen, die nichts, aber auch gar nichts begriffen.

Das Ganze ist eigentlich völlig bedeutungslos, wozu sich auch nur daran erinnern. Seit Linus die Gruppe und vor allem den Ältesten hat, weiß er das, und er ist unendlich froh darüber. Er weiß, dass es auf Gerede nicht ankommt, weniger als auf Blicke und Berührungen, und auf die weniger als auf Taten. Die Unterhaltungen mit seiner Mutter geraten immer öfter zu Verhören, und würde er ihr erzählen, was er über sie denkt, wäre sie am Ende unglücklich und er auch, aus doppeltem Grund sogar, erstens wegen ihres Unglücks, zweitens, weil Reden gefährlich ist. Solange man über gewisse Dinge nicht redet, kann man so tun, als existierten sie nicht. Sein Vater. Hongkong, eine Schweizer Firma, kein Vater: ein »Erzeuger«, so das Wort seiner Mutter. Die Alimente bezahlt er regelmäßig. Er will ihn nicht sehen, schreibt auch keine Geburtstags- oder Weihnachtskarten. Was bitte sollte es darüber zu labern geben? Für die Mitschüler: »Mein Vater arbeitet in Hongkong.« Der Satz gelingt ohne Weiteres, obwohl Linus nie mit den Worten »mein Vater« an ihn denkt. Es ist aber auch nicht so, dass er gar nicht an ihn denkt. Falls man an ein Nichts, an einen Niemand, an ein Nie denken kann, denkt er an ihn, hin und wieder.

Schweigen ist eine feine Sache. In der Welt des Ältesten steht es an erster Stelle. Sie müssen Holz oder anderes sammeln, sie müssen warten, sie müssen Spuren lesen, den Blick stets abwechselnd auf den Boden und in die Ferne richten.

Sie müssen Ausschau halten, Tag für Tag Entscheidungen treffen, die wirklich etwas bedeuten. Wo sie ein Gewässer überqueren, welche Route sie wann nehmen, kann überlebenswichtig sein. Nicht so wie hier: Sehe ich mir diesen oder jenen Film an, nehme ich Ketchup oder Salsa zum Burger? Linus sehnt sich nach Entschlüssen, von denen etwas abhängt, und wären auch falsche darunter, solche, die ihn in ernsthafte Schwierigkeiten brächten. Das wäre immerhin etwas: Gegebenheiten oder Zustände, gegen die man kämpfen, an denen man sich aufrichten könnte. Das Hier und Jetzt, das ist ein Schwimmen, ein Trudeln und Treiben, und nicht einmal nur er schlingert dahin, auch die anderen, seine Mutter, Rakesh und Sonja, keiner von denen weiß, worum es geht, keiner trifft Entscheidungen, nach denen die anderen sich richten können. Es ist nichts, das hier. Linus steht in seinem Zimmer und schwitzt, während die Gedanken ihn schmerzlos und präzise in Stücke schneiden. Noch ist kein Ende in Sicht. Irgendwann wäre ihm zum Weinen, er würde es hinunterdrücken. Irgendwann würde es vorbei sein. Er würde gerne mit Rakesh reden. Wenn es einen Weg gäbe, wie man etwas Wesentliches vom Unwesentlichen unterscheidet, wie man verhindert, dass einen lauter Unwichtigkeiten verrückt machen? Er weiß aber nicht, wie man so ein Gespräch beginnen könnte. Und auch nur ein einziges Lachen von Rakesh, gerade so ein lautloses, unendlich cooles, spöttisches Lächeln, das alles weiß, was Linus wissen will, und nichts davon preisgibt, das könnte er jetzt nicht ertragen.

Das Unglück seiner Mutter hat seines immer schon an die Wand gespielt, da hätte er gar keine Chance, und das ist vielleicht nicht einmal so schlecht. Wenn er früher zum Beispiel wegen eines verlorenen Spielzeugautos weinte, regte sie das dermaßen auf, dass ihm nach kurzer Zeit der Grund für seine Traurigkeit ganz abhanden kam, so beschäftigt war er damit, sie zu trösten. Später kam noch etwas dazu, wofür er sich schämt: Angesichts der Gefühlsausbrüche seiner Mutter sah er nicht selten, wie lächerlich und unverhältnismäßig der jeweilige Anlass für den Aufruhr war. Sie konnte eben nicht anders. Und er muss vorsichtig sein, was ihm nicht schwerfällt, denn er ist ein ruhiger Typ. Das sei sein Charakter, sagen die Lehrer, sagt seine Mutter, sagen seine Freunde, eigentlich alle, die ihn kennen. Dabei hat Linus sich ganz allein und bewusst dafür entschieden, einer zu werden, den die anderen für einen Stillen halten. Er weiß auch noch genau, wann und wo. Es war hier in der Wohnung, gleich nachdem sie eingezogen waren und er sich einen verregneten Nachmittag lang einem seiner erfundenen Dioramen gewidmet hatte. Für Linus ist das Ruhigsein etwas, das ihm der Alte – anders nannte er ihn nie – mitgegeben hat, natürlich nicht mit Worten, sondern eher durch die Kraft seines Beispiels und mit einem langen, unbeirrbaren Blick. Der Alte war der Älteste der Fünfergruppe, die seine Dioramen besiedelte. Wer sie sind? Eine Art Familie bestimmt, der Rest hängt davon ab, was Linus gerade gefällt: Dann sind sie Cromagnon-Menschen oder Avaren oder Bretonen, Perser, Siedler im Zweistromland zwischen Euphrat und Tigris, Wikinger, Trojaner, Vandalen, ganz egal, sie bleiben immer dieselben, egal ob vor 150 000 oder vor 5000 Jahren, sie werden einfach wiedergeboren. Das hat Linus irgendwann beschlossen, und das funktioniert klaglos: Der Vater der Sippe, der Älteste, bleibt immer der Vater, egal ob als Früheuropäer des Nordens, in Felle und Häute gehüllt, ob als etruskischer Heerführer mit Brustpanzer und breiten Ledermanschetten um die Handgelenke, mit langem, verfilztem Haar unter dem glänzenden Helm, oder als Siedler in einer neuseeländischen

Dschungellandschaft zu Beginn des 18. Jahrhunderts. Sie haben keine Namen. Man kann sie verfolgen und töten, sie können an Krankheiten oder anderen Unglücksfällen sterben. Linus hat schon Dutzende Male Derartiges geschehen lassen. Er legt gewissen Wert auf Details. Ständig blättert er seine Geschichtsbücher nach neuen Einzelheiten durch, mit denen er seine Dioramen ausstatten kann. Auch das Internet ist natürlich hilfreich. Wer hat je von diesen Völkern gehört? Die Landschaften sollten in etwa stimmen, auch Kleidung und Werkzeuge sollten möglichst plausibel sein. Gut, seine Hand würde er nicht für jede Kleinigkeit ins Feuer legen: Aber er ist vierzehn und kein Wissenschaftler. Und außerdem ist das Ganze etwas sehr Privates, eine Art Hobby, eines, über das man nicht reden kann.

Manchmal hilft der Himmel, sich eine fremde Landschaft vorzustellen, gibt einen Impuls, der die Bildermaschine in Linus' Kopf zum Laufen bringt. Er linst aus dem Fenster seines Zimmers. Um auch nur einen schmalen Streifen davon zu sehen, muss er sich ein Stück verdrehen. Verwaschenes Weißgraublau. Linus drückt die Daumenkuppen fest auf seine Lider. Heute dauert es lange, aber das erste deutliche Bild wischt die Ungeduld weg. Das Blau seines Himmels ist klar, selten zart und transparent. Warum muss es jedes Mal mit einem Himmel beginnen? Der ist das Einfachste, der ändert sich auch nicht in Tausenden von Jahren. Keine Flugzeuge natürlich, keine Kondensstreifen, keine Dunstglocken über Städten. Aber sonst? Als Kleinkind hat man ja stundenlang nichts anderes getan, als auf dem Rücken zu liegen und zu schauen. Essen, schlafen, schauen: himmlische Zeiten. Vielleicht träumt man sich deshalb ein Leben lang so gerne dort hinauf. Aber das ist ganz und gar vorbei. Die paar fedrigen Wolken, die der Älteste der Gruppe mit einem beiläufigen Blick registriert, sind keinen Kommentar wert. Überhaupt wird nicht viel geredet. Fast immer weiß jeder, was er zu tun hat. Wie Linus das liebt! Der Alte bearbeitet in Hockstellung einen flachen, an einer Kante scharf und dünn geschliffenen Stein zu einer Axtklinge. Auf seiner Stirn glitzern Schweißtropfen, bilden feine Rinnsale in den kreuz und quer verlaufenden Falten. Es ist ziemlich warm, Frühling, der noch nicht so genannt wird, den sie aber riechen, die feuchte, warme Erde, die Biegsamkeit der Zweige, die winzigen grünen Spitzen daran. Das niedrige Buschwerk formt hier in der Talsohle eine nicht allzu große Lichtung, auf der sich die fünf zur Rast niedergelassen haben. Der Ausblick heute darf nichts Geringeres als das Meer sein. Das gönnt sich Linus nicht oft. Der Fluss im Tal greift mit seinen vielen Seitenarmen in den Horizont hinein. Die Mutter? Die Mutter ist tot. Linus hat schon Dutzende Begräbnisszenarien für sie erfunden. Auch sie wird irgendwann wiedergeboren. Aber dafür zu sorgen, ist nicht seine Aufgabe, hat er beschlossen. Vielleicht ist das falsch, und sie muss jetzt für immer in ihrem Grab ruhen: ausgeweidet, sorgfältig in getränkte Bandagen gewickelt, ausgestreckt auf dem Rücken oder in Seitenlage, mit angewinkelten Beinen, aufrecht sitzend in geräumigen Kammern, in der bloßen Erde mit einer Münze im Mund, in verschlossenen Höhlen, nackt oder bekleidet, aber niemals ohne Beigaben, zumindest ein wenig Getreide und ein versiegeltes Gefäß mit Öl oder Wein, besungen, beweint, beschwiegen. Schwer zu entscheiden, was wirklich brauchbar ist für die Reise hinüber. Die Idee der Wiedergeburt gefällt Linus besser als alles andere, was er zum Thema Tod bis jetzt gehört hat. Er hat gelesen, dass sie von den Taten im vorigen Leben bestimmt wird, das scheint ihm logisch. Was nicht gelöst werde, kehre immer wieder, heißt es warnend in einem der Bücher über Buddhismus und Göttinnen, die seine Mutter liest, komisches Zeug, das er manchmal durchblättert auf der Suche nach irgendetwas, das ihm vielleicht erklären könnte, was in ihr vorgeht. Aber wie sollten die Bücher irgendetwas über seine Mutter wissen, und tatsächlich findet er nichts, was er nicht schon weiß, nämlich dass sie sich aus dem Hier und Jetzt nicht viel macht und sich irgendwohin träumt, genau wie er. Mit dem Unterschied allerdings, dass er in ihren Träumen nicht vorkommt, darauf möchte er wetten. Was sollte sie auch mit ihm, einem verdrossenen Jungen mit heftigen Wachstumsschüben und affenartig langen Armen und Beinen, kein niedliches Kleinkind mehr, das sie schmückt, sondern ein formloses Etwas, ihr Sohn, alt genug, dass sie als seine Mutter sich allmählich alt vorkommen kann, obwohl sie jung war, als sie ihn bekam, erst zweiundzwanzig. Das mit der Wiederkehr des immer Gleichen kann er sich nicht vorstellen. Was nicht gelöst wurde, steht doch einfach nur irgendwo herum wie Gerümpel aus Gedanken und Gefühlen, über das man genauso stolpern kann wie über etwas Feststoffliches, das weiß Linus. Wie in der physischen Welt kommt es darauf an, den Hindernissen klug aus dem Weg zu gehen. Die Wiederkehr des Gleichen solle möglichst überwunden werden, heißt es. Er versteht nicht warum. Man fühlt sich doch besser in einer bekannten Situation, mit Leuten, die man wiedererkennt. Überhaupt steht laut dieser Bücher alles, was geschieht oder was man fühlt und denkt, nie einfach für sich selbst, das verwirrt Linus. Eine Freundschaft sei nicht einfach eine Freundschaft, sondern eine Aufgabe. Was immer man tut, auch ohne besonderen Grund, sei immerfort ein Schritt auf dem richtigen oder falschen Weg, wer weiß wohin. Alles, wirklich alles, findet als symbolisches Geschehen statt, verweist auf etwas Verborgenes, die wirkliche Bedeutung. Als wäre die Wirklichkeit nichts als eine Kulisse. Ständig ist von Entwicklung die Rede, gut genug ist man ohnehin nie. Auch die Liebe geistert dauernd über die Seiten, wie ein Gespenst, dem man letztlich nicht entkommt. Die Worte erscheinen Linus wie ungeschickte Finger, die ungefähr in ihre Richtung zeigen. Aber wahrscheinlich liegt es nur an ihm. Die Liebe ist kein Gespenst, für ihn ist sie eine Fremdsprache, von der er keinen Ton versteht, ebenso wenig wie vom Rest dieses Zeugs hier, und er sieht auch überhaupt nicht, wozu das alles gut sein soll. Das Ziel des Ganzen? Glückseligkeit, allein das Wort ist schon wieder zum Erbrechen. Am Ende werden sie alle an Langeweile sterben, aber sie werden gar nicht bemerken, dass sie tot sind. Linus legt das Buch auf die leere Seite des Doppelbetts seiner Mutter zurück. Er geht in sein Zimmer, setzt sich auf den Boden, öffnet das Fenster. Es geht ziemlich starker Wind.

Durch eine schmale Schneise überblickt man die etwas tiefer gelegene Ebene gut, ein sicherer Aufenthaltsort vor dem nächsten längeren Abschnitt, der bewältigt werden muss. Es ist saftig grün dort unten, der Bewuchs aber niedrig, man kann kaum ungesehen passieren. Das Wetter ist gut, die Zeit drängt. Schon eine ganze Weile, bevor die Sonne im Zenit steht, wird es für manche Ältere oder Kinder zu anstrengend, aber es nützt nichts, sie müssen weiter. Der Wind trägt Lärm herauf, Rufe, Gelächter, ein metallisches Rasseln, das aus mehreren Richtungen zu kommen scheint, sich wieder entfernt. Sie alle halten den Atem an. Vereinzelte Raubvogelschreie, der Wind greift in die Blätter, sonst nichts mehr. Artgenossen, das bedeutet nichts Gutes. Linus spielt mit dem Gedanken, den Schatten eines großen Mannes und einer Frau mit einem Bündel auf dem Rücken, einem Baby vielleicht, in das Bild fallen zu lassen. Die Figuren selbst aber bleiben außerhalb. Ihre Schatten zittern auf dem hüfthohen Huflattich, riesige, grob geäderte Blätter, die sich die Kinder als Schutz vor der Sonne und einfach so zum Spaß auf den Kopf setzen. Die Stengel ragen über die behüteten Köpfe hinaus, und weiter weg lachen ein paar Halbwüchsige und zeigen aufeinander. Hatten die Menschen damals keinen Spaß? Sie sind immer alle sehr ernst in den Dioramen, die Linus kennt. Die im Naturhistorischen und im Völkerkundlichen Museum seiner Stadt kennt er so gut wie auswendig, und in allen großen Städten, in denen er mit seiner Mutter war, haben sie die Orte besucht, wo es welche gab, zuletzt das American Museum of Natural History in New York City. Zwei volle Tage verbrachte er dort, zum Glück ganz allein, bis eine freundliche Lautsprecherstimme ankündigte, das Museum werde in dreißig Minuten schließen. Dass seine Mutter nichts dagegen hatte, war das Wunder. Es hieß eigentlich Jeff, ein Jazzmusiker, den sie beim Frühstück im Diner gegenüber ihrem Hotel kennengelernt hatten. Ihr Zimmer war winzig, wie ein begehbarer Kleiderschrank, entweder heiß und stickig oder von der Klimaanlage eiskalt, sodass sie sich nur zum Schlafen dort aufhielten und morgens und abends zum Ausruhen oft lange in dem von Griechen geführten Lokal saßen, wo es die besten Pancakes und Burgers gab. Das war erst letzten Sommer gewesen, aber es kommt Linus vor wie eine Ewigkeit. Anfangs redete Jeff mehr mit ihm als mit seiner Mutter, aber Linus merkte genau, dass er nur an sie herankommen wollte und aus dem Augenwinkel beobachtete, wie sie auf jeden seiner Witze, auf jede Bewegung und auf seinen griechischen Smalltalk mit dem Kellner reagierte. Er kann sich nicht daran erinnern, ob er sich darüber geärgert hat. Auch an Jeffs Aussehen erinnert er sich nur vage: glattes, schwarzes Haar, zu einem Pferdeschwanz gebunden, ein im Gesicht schaukelndes Dauerlächeln, breites Kreuz, langsame Bewegungen. Ein ganz netter Angeber, so in etwa. Sein Arm lag immer über der Rückenlehne des Platzes neben ihm, wie eine Dauereinladung, die Beine ausgestreckt, sodass Linus darübersteigen musste, wenn er aufs Klo wollte. Jeff war ihm ziemlich egal und Mittel zum Zweck, erstens um, so lange er wollte, im Museum bleiben zu dürfen, während seine Mutter mit ihm unterwegs war, zweitens um sich uneingeschränkt durch die Speisekarte des Diners zu futtern. Eine King-Size-Portion war sagenhaft viel, und zwei Mal schaffte er sie, obwohl er Magendrücken bekam. Und sonst? Die Stadt dröhnte, flackerte und brauste in einem fort, und wäre das Museum nicht gewesen, hätte man schon nach kurzer Zeit vergessen können, dass nicht die ganze Welt im rechten Winkel angelegt war. Einmal ließ ihn seine Mutter nicht einschlafen, fragte ihn flüsternd wieder und wieder, ob es ihm wirklich nichts ausmache, wenn Jeff hierhin und dorthin mitkäme. Ihm war kalt wegen der Klimaanlage, er hatte Halsschmerzen, und am liebsten hätte er nach ihr geschlagen, stattdessen biss er die Zähne zusammen und sagte nur »Nein, nein« und »Überhaupt nicht«, bis sie ihn endlich in Ruhe ließ. Nichts macht ihn wütender als Fragen, die er nicht beantworten kann, das hat sich nicht geändert. Zum Glück gibt es Standardsätze, die man variieren oder ein bisschen aufmotzen kann. Die Wahrheit ist, dass er oft einfach nicht weiß, ob ihm eine Sache etwas ausmacht oder nicht. Er hat es schon so versucht: ein bisschen Zeit herausschlagen, nicht gleich antworten. Das nützt leider gar nichts. Wenn er die Antwort hinauszögert, spürt er sogar noch deutlicher als zuvor, was jemand anderer hören will, und das übertönt zumeist seine eigenen Vorlieben. Er liegt auch meistens richtig damit, das hat schon seine Vorteile. Trotzdem, er ist also auch nach innen still. War das schon immer so? Nichts als Nebel, wenn er sich zu erinnern versucht. Das soll es also sein, das Erwachsenwerden? Bestand es denn wirklich darin, pausenlos über Dinge nachzudenken, auf die man keinen Einfluss hatte und von denen man wusste, dass man sie niemals begreifen würde? Würde man größer werden und sich ständig kleiner fühlen?

Die Wohnung verändert sich. Sonja hängt oder stellt nach und nach all die Dinge auf, die sie aus Indien mitgebracht hat, einen orangefarbenen Wandteppich mit gestickten Elefanten und kleinen Spiegeln im Vorzimmer, in allen möglichen Winkeln Lampenschirme aus buntem Papier, Kerzenleuchter mit Drachenköpfen. Vom Plafond in der Küche baumeln ein paar Marionetten. Als Rakesh einmal in Linus' Zimmer kommt, um ihm ein paar Zeitschriften zurückzugeben, sieht er sich um, lächelt wie immer und meint: »Das ist der einzige indienfreie Raum hier in der Wohnung, kann ich zu dir ziehen?«

Jetzt soll auch noch Jeff zu Besuch kommen, der mit seiner Band durch Europa tourt, nur für ein paar Tage, wie die Mutter versichert. Linus findet heraus, dass sie es schon länger weiß, ihm aber nichts davon gesagt hat. Er zuckt mit den Achseln, als die Mutter fragt, ob er sich freut: »Ist ja dein Besuch.« Leider rutscht ihm die Frage heraus, ob Jeff nicht doch länger bleibe. Sie lächelt, als verstünde sie etwas, sagt: »Ganz bestimmt nicht«, in einem Ton, als wollte sie ihn trösten, und drückt ihn seit Langem wieder einmal an sich. Sie ist weich, fast hat er es vergessen. Für einen Moment ist es ganz angenehm.

Nicht nur die Wohnung verändert sich. Wäre er so wachsam wie sonst, hätte er es gleich bemerkt. Linus' Aufmerksamkeit verlagert sich, ganz plötzlich und keineswegs vorhersehbar. Seit ein paar Wochen setzt er sich am Nachmittag, bevor die Frauen nach Hause kommen, gerne für eine Weile in den Gang hinaus. Neben der Wohnungstür ist ein Fenster, von dem man gut auf die Gasse hinuntersehen kann. Die Fensterbank ist breit genug, um es sich darauf bequem zu machen. Der moderate Verkehr dort unten, dem er mit dem Blick träge folgt, hilft ihm, sich zu konzentrieren, wenn er wieder einmal in die Vergangenheit abtauchen will. An einigen Stellen ist das Glas unregelmäßig gewellt, was die Sicht verzerrt, als würden sich die Fahrzeuge in Schlangenlinien bewegen. Außerdem steht hier draußen kein Krempel herum, und niemand will etwas von ihm. Es ist kühler, riecht schwach nach Putzmittel mit Zitrone, manchmal nach Essen aus irgendeiner anderen Wohnung. Die Geräusche von der Straße sind deutlicher zu hören, das mag er eigentlich ganz gerne. Rakesh lässt ihn ohnehin in Ruhe und geht in letzter Zeit sogar öfters aus. Vor Kurzem hat er mit ein paar Landsleuten Kontakt aufgenommen, die hier in der Nähe leben.

Klar, dass sie ihn nicht beachtet. Wieso sollte sie auch? Dabei sieht sie überhaupt nicht hochnäsig aus, nur als ob sie in Gedanken wäre. Sie trägt immer das Gleiche oder etwas Ähnliches, die langen Haare irgendwie zusammengebunden oder hochgesteckt, über der Schulter einen vollgestopften, verblichenen Stoffbeutel, wohl mit Schulzeug und ihren Trainingssachen. Dass sie tanzt, weiß er von seiner Mutter, die sie zufällig in einer Aufführung beim Stadtfest gesehen hat. Sie fällt ihm zum ersten Mal beim Blick aus dem Gangfenster unten auf der Straße auf, nicht herinnen im Stiegenhaus beim Vorbeigehen. Schneller als alle anderen schlängelt sie sich geschickt zwischen den Passanten hindurch, ihre leuchtend blaue Baskenmütze ist ein auf und ab hüpfender Farbtupfer, der weit vorne um die Ecke verschwindet. Erst als sie eine gute Stunde später nach Hause kommt, während er zufällig gerade hinuntergeht, wird ihm klar, dass die blaue Mütze zu dem Mädchen aus dem dritten Stock gehört. Bei der dritten oder vierten Begegnung winkt sie ihm zum ersten Mal zu, vielmehr hebt sie grüßend die Hand, was ihn einen fahrigen Querstrich in sein Skizzenbuch machen lässt, als hätte sie ihn gestoßen. Es war aber nur eine winzige Bewegung aus der Distanz, die gleiche übrigens, die ihr Vater auch immer macht, ein komischer Kauz, der meist mit einem Plastiksackerl herumrennt. Wie sie heißt, weiß er nicht, an der Glocke steht nur der Nachname. Nach oben gehen, um nachzusehen, will er nicht, was, wenn sie plötzlich herauskäme?

Linus kann die Geräusche der verschiedenen Wohnungstüren im Haus genau unterscheiden. Wo das Mädchen wohnt, haben sie noch eine von den alten Türen, an deren Außenseite ein schwerer Messingring hängt, innen eine Kette. Sie wirft die Tür immer recht fest zu, und ihre Schritte sind flott und zielstrebig. Obwohl sie mit ihren Turnschuhen Marke No Name kein Klappergeräusch macht wie fast alle anderen Frauen, erkennt er sie immer gleich. Die bunten Ballerinas mit den Ledersohlen, die sie manchmal trägt, sind besser zu hören. Hin und wieder hüpft sie in einem komplizierten Rhythmus die Treppen hinunter und summt etwas dazu, das klingt dann fast wie Musik. Auf dem Weg nach oben nimmt sie gerne zwei Stufen auf einmal und rennt fast, was nicht gerade elegant aussieht, eher sportlich und eilig in einem. Sie hat einfach kein Getue wie andere Mädchen. Ihre

Beine sind lang und dünn, er sähe sie gerne tanzen. Er würde ihr auch die schwer aussehende Tasche hinauftragen, wenn sie blass und verschwitzt vom Training zurückkommt und trotzdem so schnell läuft. Manchmal beißt sie sich auf die Lippen und starrt zu Boden, dann bemerkt sie ihn gar nicht. Sie käme hoffentlich nie auf die Idee, er würde auf sie warten. Er möchte ihr die aus der Frisur gelösten Haarsträhnen gerne vorsichtig wieder feststecken. Dass er sich so etwas wünscht, kann er nicht fassen. Die Wünsche formen einen riesigen Kloß, der nicht hinunterzuschlucken ist. Herzklopfen hat er auch, ganz ohne zu rennen oder auf dem Sieben-Meter-Brett zu stehen, Herzklopfen im Sitzen. Ohne Grund.

Ihre Stimme kennt er gar nicht. Kein Wunder, wenn er immer nur stumm nickt und die Hand hebt, was sicher blöd aussieht, so als würde er ihre Geste nachahmen, wenn sie ihn grüßt. Bloß Hallo sagen und nach dem Namen fragen, das kann doch nicht so schwer sein. Garantiert würde aber seine Stimme genau dann wieder kippen, wenn er es versuchte, und sie müsste schon ein Engel zu sein, um bei seinem Gekrächze nicht zu grinsen. Vielleicht ist sie ja einer und sie begänne ein Gespräch mit ihm, zuerst nur aus Mitleid. Er würde genau das sagen, was ihr gefiele, bloß nichts Angeberisches, er wäre einfach sehr, sehr nett. Und witzig. Er könnte sie aus der Nähe anschauen, und sie würde ganz auf das Mitleid vergessen. Was für ein Schwachsinn. Sie ist mindestens sechzehn, vielleicht älter. Eine Frau. Und er ist gar nichts.

Auf einmal macht es keinen Spaß mehr. Nicht einmal die Bronzezeit, nicht die Palisadenbauten, nicht einmal das Neueste, worauf er gestoßen ist, die Clovis-Kultur, die mit mindestens 11 500 Jahren als früheste Kultur Amerikas gilt, er hat gerade eine Menge darüber gelesen. Sie lebten zwischen den Anden und dem Pazifischen Ozean im Süden Chiles, Linus hat sich im Internet Landschaftsbilder dieser abgelegenen Gegend angesehen.

Katharina heißt die Tänzerin. Er weiß es seit gestern. Sie ist mit einer Freundin gekommen, es war reiner Zufall, dass die andere ausgerechnet vor seiner Tür im Gespräch ihren Namen nannte. Er stand direkt dahinter, die Tür leicht angelehnt, er weiß, wann sie donnerstags normalerweise von der Schule nach Hause kommt. Manchmal verzichtet er darauf, sich draußen hinzusetzen, um sie vorbeigehen zu sehen, auch wenn es schwerfällt, damit sie nicht etwa denkt, er sei wegen ihr hier. Seit letztem Dienstag grüßen sie einander richtig. Sie fing damit an, ganz beiläufig und selbstbewusst, er antwortete mechanisch, zum Glück schnell genug an der aufkommenden Verlegenheit vorbei. Sie schminkt sich nicht oder so, dass es ihm nicht auffällt. Zumindest keinen Lippenstift. Es hat etwas Ekeliges, wenn Frauen vor dem Spiegel die Lippen aufeinanderpressen, um die Farbe zu verteilen. Und der nervöse Kontrollblick, den sie sich selber zuwerfen. Er glaubt nicht, dass Katharina viel in den Spiegel schaut. Wozu auch, sie ist perfekt.

In der Zwischenzeit sind die Küsse in der Küche seltener geworden und Rakesh ist wieder so schweigsam wie vor Monaten. Wenn Sonja lobt, was er kocht, in der Wohnung etwas neu streicht, umstellt, dekoriert, wovon sie offenbar nicht genug bekommen kann, hat die Munterkeit ihrer Aktivität und ihres Geplappers etwas Bemühtes. Manchmal, wenn Linus spät nachts wach liegt und an Katharina denkt, hört er beide in ihrem Zimmer miteinander reden, wobei das akustische Muster immer ähnlich ist: Die tiefe Stimme versiegt irgendwann, und die Sonjas wird lauter und schneller. Wenn sie beim Essen sitzen, hört man dagegen minutenlang nur das

Kratzen des Bestecks auf den Tellern und das Klirren der Gläser beim Absetzen. Dann stehen sie wieder eng umschlungen am Herd, scherzen, schauen einander in die Augen. Aber was immer sie tun, ist nur Nachahmung, das verzerrte Echo eines Sounds, den sie nicht mehr finden. Zwischen den Schweigephasen beim Essen ist oft von Geld die Rede. Allein das zu hören, fühlt sich schon erschöpfend an. Rakeshs Lächeln wird mechanischer, Sonjas Blick starrer. Sie hat zwei zusätzliche Kindergruppen am Nachmittag übernommen und ist wenig zu Hause. Rakesh hilft stundenweise in der Küche eines indischen Restaurants aus. Wenig Geld, illegal, aber er ist gut gelaunt, wenn er nach Hause kommt. Die Pflanzen, die Sonja im Winter besorgt hat und die sich überall in der Wohnung breitmachen, verstauben. Wenn Linus zwischen Gangfenster und Wohnung hin und her pendelt, nimmt er ein Tuch mit und wischt die Blätter des Gummibaums, des Avocados und der Zimmerlinde sorgfältig ab. Nicht dass der Staub ihn stören würde, aber etwas zu tun hilft beim Warten. Auch die Wäsche stopft er in die Maschine, den Geschirrspüler räumt er aus, und am Gang draußen macht er nebenbei seine Hausaufgaben, während er nach der Haustür horcht. Jeff ist wieder fort. Für ein paar Nächte bunkerten Linus' Mutter und er sich in ihrem Schlafzimmer ein. Ab und zu kam sie herausgestürzt, um plötzlich nach Linus zu sehen, als wäre er ein Kleinkind. Sie trug eines von Jeffs langen karierten Hemden und hatte etwas Abwesendes und Entrücktes an sich. Wenn sie auf Linus traf, begann sie sogleich auf ihn einzureden, ob alles okay sei, ob er Hunger habe, was er gerade so mache, wartete die Antwort kaum ab, wollte sich sogleich in der Küche zu schaffen machen. »Lass doch, bestellen wir uns lieber Pizza«, sagte er, und nach einigem rhetorischen Gefuchtel gab sie nach, froh und erleichtert, nicht mehr die besorgte

Mama spielen zu müssen. Linus war überzeugt, dass sie gar nichts von dem interessierte, was sie ihn fragte, sie wollte etwas anderes. Gleich begriff er nicht, was es war, er spürte nur ihren Sog und seinen Widerstand. Der Vorschlag mit der Pizza war lediglich ein Test gewesen, und sie war durchgefallen, gleich beim allerersten Versuch. Aber es führte dazu, dass sie schließlich alle fünf in der Küche die Pizza direkt aus dem Karton aßen, plauderten und Bier tranken, auch Linus bekam ein Glas. Er wurde müde davon, zwang sich aber, wach zu bleiben, denn zusammen mit den anderen um den Tisch zu sitzen fühlte sich an diesem Abend gut an wie schon lange nicht, beinah nach Familie, jedenfalls nach den angenehmeren Seiten davon, ohne Sonjas Blüten und Servietten auf dem Tisch und ohne ihr Gesülze, wie gut und wundervoll doch alles sei. Jeff würde morgen fahren, er holte die Gitarre, seine Stimme klang ein wenig wie feines Sandpapier, es war gar nicht peinlich, sondern schön. Unwirklich, dachte Linus. Während Jeff spielte, fiel ihm seit Langem wieder einmal die Gruppe ein, die er ganz aus den Augen verloren hatte. Die Graslandschaften, die der Wind zerzauste, der weite Himmel, Linus blinzelte zur angelehnten Küchentür hin, weil er eine Bewegung im Gang wahrnahm. Für einen Moment schien es ihm, als winke ihm der Älteste von weit her zu. Die Teelichter ließ Sonja sich doch nicht nehmen, da standen sie nun zwischen den Pizzaschachteln und sahen völlig deplatziert aus, aber das machte nichts, nicht an diesem Abend.

Das Verliebtsein stiftet bei Linus keinerlei Chaos, sondern hat im Gegenteil ausgesprochen positive Auswirkungen auf seinen Ordnungssinn. Die Mutter stellt deutlich weniger Fragen als üblich, ein erfreulicher Nebeneffekt. Nie fiele ihm ein, sich selbst als verliebt zu bezeichnen. Neben den Gedanken an Katharina hat nichts Platz, was nicht praktischer Natur ist, auch er selbst nicht. Er leidet kaum, dazu fühlt er sich viel zu erhoben. Dass es sie überhaupt gibt! Dass er sie fast jeden Tag sehen kann! Einmal ist sie verschwunden. Drei oder vier Tage wartet er vergeblich, er zieht alle möglichen Gründe für ihrer Abwesenheit in Betracht, Krankheit, Auszug, dass sie mit einem Freund durchgebrannt ist – Letzteres doch als quälende Vorstellung –, dann kommt er auf die rettende Idee, auf der Homepage ihrer Schule nachzusehen. Tatsächlich, die Klasse ist auf Kulturreise in Rom. Als Katharina zurückkommt, sind ihre Beine braun, und sie ist noch ein bisschen dünner geworden.

Einmal bleibt sie stehen und schaut ihm über die Schulter, als er mit dem Skizzenblock draußen sitzt. Eigentlich braucht er ihn ja nicht mehr. Sie fragt: »Darf ich?«, und er nickt, sie blättert darin, sieht die Schnürsandalen aus grobem Leder, die Faustkeile, die Farnblätter, das Mammutkalb, alles, was er gezeichnet hat. Es fühlt sich großartig an und gleichzeitig traurig. Ersteres natürlich, weil sie neben ihm steht. Ihr Stoffbeutel berührt seine Unterschenkel, er hört ihren schnellen Atem, schon wieder ist sie die Stiege hinaufgerannt. Sie riecht nach Pfefferminzkaugummi und Haarshampoo. Die Trauer, die er zugleich empfindet, hat nichts mit ihr zu tun, sie ähnelt dem Gefühl gegenüber abgelegten Stofftieren, die man früher einmal innig geliebt hat, Büchern oder Spielen, die einen für eine gewisse Zeit fesselten: Sie sind noch verfügbar, jederzeit zum Einsatz bereit, aber es geht nicht mehr, ihre Wirkung ist verpufft. Nicht die Dinge haben sich verändert, man selbst ist ein anderer geworden, und die beschützenden, ewig treuen Augen des Teddys sind nur leblose Glaskugeln, die Abenteuer auf der Burg Finstergrün sind läppisch und schal geworden, und es gibt nichts, was man dagegen tun könnte. Die beiden Empfindungen füllen ihn vollkommen aus, es ist, als hätte er den Mund voller Wasser. Wieder bringt er kein Wort heraus, sie muss ihn inzwischen für debil halten. Die Sonne wirft schöne Streifen auf den Boden und über Katharinas Gesicht, sie kneift die Augen zusammen, hält Linus' Heft weiter weg: »Wie alt bist du eigentlich? Wie heißt du? Ich bin Katharina, ich wohne im dritten Stock.« Sie hält ihm die Hand hin, er schafft es, sie mit der richtigen Festigkeit zu drücken, rechtzeitig wieder loszulassen und seinen Namen zu sagen. »Du zeichnest wirklich gut«, antwortet sie, lächelt. Es ist dieses Lächeln, das ihm nicht passt. Er verdächtigt es, gönnerhaft zu sein, lieb, aber wie zu einem Kind. Ohne sich auch nur einen Millimeter zu rühren, sinkt er innerlich bis auf den Grund. »Es ist kindisch«, sagt er, es kommt wütender heraus als beabsichtigt. Jetzt wendet sie sich ihm ganz zu, ihm ist, als sähe sie ihn zum ersten Mal richtig. Klar dass er ganz schnell wegschauen muss.

»Wieso sagst du denn so etwas?« Was soll man darauf antworten? Da müsste er schon eine ganze Stunde reden, und dann wäre noch nicht das Wesentliche gesagt. »Du zeichnest wirklich gut, nicht wie ein Fünfzehn- oder Sechzehnjähriger«, setzt sie nach.

»Ich bin vierzehn.« Er könnte sich auf die Zunge beißen. »Und du?«

»Siebzehn.«

Sein Herz hat gerade mindestens zwei Achterbahnschleifen hinter sich: aus Freude, weil sie ihn älter geschätzt hat, aus Ärger wegen seiner blödsinnigen Ehrlichkeit. Und dann ein unselig klarer Gedanke: Sie ist schon siebzehn, also ist es ganz und gar hoffnungslos.

»Du kannst ja etwas anderes zeichnen, wenn dir das zu kindisch vorkommt. Aber du kannst es«, sagt sie, lächelt wieder, diesmal kommt es ihm glaubhafter vor. Er schafft es zurückzulächeln und Danke zu sagen.

»Ich muss dann.« Er ist ganz froh, dass sie geht, weil er ohnehin nichts mehr zu sagen wüsste. Sein Hirn fühlt sich in ihrer Gegenwart lächerlich leer an. Von wegen, genau das zu sagen, was ihr am besten gefiele. Er hat nicht die geringste Ahnung und wird nie eine haben. Trotzdem ist er euphorisch, wie betrunken. »Du kannst es«, hat sie gesagt, das hat sie wirklich gesagt, und es kommt ihm mächtiger vor als alle Zauberformeln der Welt.

Er hätte nicht gedacht, dass er sie alle noch einmal wiedersehen würde, zumindest nicht so. Den Kleinen sucht er noch vor dem Ältesten, hofft auf ein Jammern, ein Kinderweinen, aber vergeblich. Dass die Stille neben Toten eine ganz eigene Färbung hat, hat er wohl irgendwo einmal gelesen. Jetzt bemerkt er, dass es tatsächlich so ist. Das Strömen und Gluckern des Wassers an dieser Engstelle des Flusses und das unausgesetzte Gekreisch großer Vögel, die noch zögernd, aber immer zahlreicher über der Szenerie kreisen, ein Geräusch widerlich wie das Quietschen von Kreide auf einer Schultafel, sind das einzig Hörbare: laut, aber ohne Widerhall und völlig fehl am Platz inmitten dieser Stille, die am ehesten mit einem jähen Abbruch vergleichbar ist, mit einer plötzlichen Stufe in der Landschaft, Hunderte Meter tief, wie sie in manchen Gegenden Amerikas zu finden ist. Gegen die Schockstarre, die über dem Ganzen liegt, behauptet sich einzig und allein Linus' Herzschlag. Sein Herz hämmert, als würde es dagegen protestieren, was hier geschehen ist. In den Ohren rauscht das Blut. Während Linus die Augen fest geschlossen hält, ist er einen Moment lang versucht, das Bild, in dem er sich befindet, mit Willensanstrengung ändern zu wollen, ein Kinderrufen hineinzudenken, damit wenigstens der Kleine überleben könnte, obwohl er doch schon seit Langem weiß, dass so etwas nicht funktioniert, egal wie sehr er es sich wünscht. Das könnte er niemandem erklären, niemand würde begreifen, dass die Gruppe und das, was ihr zustößt, zwar Schöpfungen seines Kopfes sind, dass er die Geschehnisse aber keineswegs mit dem Willen steuern kann. Vorstellungen, die er den Figuren aufzwingt, lösen sich auf, bleiben flach und papieren wie schlechte Skizzen. Das Ganze ist eher ein Geschehenlassen, ein allmähliches Scharfstellen des schon Vorhandenen, so ist es immer gewesen. Auch für eine Flucht ist es zu spät, er weiß, spätestens beim Einschlafen stände ihm alles wieder lebhaft vor Augen. Diesmal also wird es keine Wiedergeburt geben. Diesmal ist es endgültig.

Die hingestreckten Körper bilden eine Art Teppich zum Ufer hin, so viele sind es. Die Knochen von über hundert Opfern werden sie in Linus' Zeit in wenigen Wochen ausgraben, 3200 Jahre später. Vermuten werden sie die zehnfache Opferzahl, und sie werden damit annähernd richtig liegen. Eingeschlagene Schädel zuhauf. Da ist er. Das Loch in seiner Stirn ist golfballgroß, die Augen stehen offen, aber das ist kein Blick, nicht einmal einer durch Linus hindurch oder an ihm vorbei. Der Schädel des Ältesten wird die Registrierungsnummer ALM/96/855,8 zugeordnet bekommen und fotografiert werden. Die Verletzung, eine sogenannte Impressionsfraktur im vorderen zentralen Teil des Schädels, stammt von einem einzigen Hieb mit einem stumpfen Gegenstand, wie es in der kühlen Diktion der Gerichtsmedizin heißt. Über die Täter weiß man nur, dass sie einer anderen Menschengruppe angehörten: Die Kohlenstoff- und Stickstoffmuster in den Knochen belegen andere Ernährungsgewohnheiten. Dieses Mal ist der Ort des Geschehens nicht ein fiktives und ungefähres Irgendwo, sondern ein breites Tal in Mecklenburg-Vorpommern. Der Fluss, an dem es geschehen ist, heißt heute Tollense und hat so viele Windungen, dass es in der Gegend die Sage gibt, dort habe der Teufel seine widerspenstige, im Zickzack laufende Großmutter vor den Pflug gespannt. Vor 3200 Jahren, noch in der Bronzezeit, hat hier eine Schlacht stattgefunden. Vielleicht die größte organisierte Gruppengewalt dieser Epoche, deren Spuren man bis jetzt in Europa gefunden habe, hieß es fast ehrfürchtig in dem Artikel, den Linus darüber gelesen hat, die Archäologen sind enthusiastisch. Bald findet Linus auch die anderen, alle mit durchschnittenen Kehlen. Der Junge liegt halb unter seiner älteren Schwester, die einen Arm um ihn legt, oder er ist einfach nur über ihn gerutscht, als sie unter den Hieben fiel. Linus ist ganz Auge, Ohr und Herzschlag und fühlt gar nichts. Ob sie den Kleinen noch schützen wollte? Ihr Gesicht ist weniger schmerzvoll verzerrt als das der anderen. Der jüngere Mann, der ständige Begleiter des Ältesten, treu wie ein Hund, liegt halb im Wasser auf dem Bauch. Linus erkennt ihn an den langen blonden Haaren, die elegisch an der Oberfläche treiben. Die Alte bleibt verschwunden, mit ihrem verkrüppelten Fuß hatte sie noch weniger Chancen zu entkommen. Tatwaffen waren Keulen aus Eschenholz und kurze, handliche Schwerter, die ebenso häufig zum Einsatz kamen, wie die Forscher feststellen werden. Dort vorne, wo sich das Wasser in einer Art Staubecken sammelt, ist es rotbraun verfärbt. Linus geht ans Ufer hinunter. Der Boden fühlt sich matschig an unter den Füßen. Er sinkt in die Knie. Bevor er die Hand ins Wasser tauchen kann, schlägt er die Augen auf.

Er sitzt in der Küche, die Beine auf der Tischfläche, den pochenden Kopf an die Wand gelehnt. Wenn er ihn nur ganz leicht hebt, knackt es im Nacken. Auf der Anrichte steht ein Stapel Geschirr, in der abgestandenen Luft liegt ein schwacher Geruch nach Fett und Tomatensauce. Als ihm das bewusst wird, krampft der Magen. Hier ist es nicht besser als dort. Aber es gibt kein Zurück. Er lässt kaltes Wasser über die Handgelenke laufen und trinkt mehrere Gläser hintereinander. Mit dem Fuß lässt er das Rollo hinaufschnurren. Allmählich wird es hell. Er weiß nicht, wie spät es war, als es passiert ist. Ist er etwa eingeschlafen, hier in der Küche? Sein Körper fühlt sich so an, schwer bis in die Fingerspitzen, aber er erinnert sich nicht. Sie müssten bald wiederkommen. Und Rakesh? Oder sie wollen Linus nicht sehen, solange sie nicht wissen, was sie zu ihm sagen, wie sie auf ihn reagieren sollen, weder Sonja noch seine Mutter. Das würde zu ihnen passen. Linus kann sie sich vorstellen, wie sie in irgendeinem Café unter taumelnden Nachtschwärmern sitzen, gelbgesichtig, aufgeregt, ganz und gar daneben, und doppelte Espressi bestellen, die ihnen nicht guttun und sie noch flatteriger machen, als sie ohnehin schon sind. Wie sie flüsternd die Köpfe zusammenstecken und Phrasen dreschen, die pure Ratlosigkeit. Dass Sonja so hysterisch geworden ist, wundert ihn im Nachhinein. Er hat sie für stärker gehalten. Seine Mutter wird sich eine Zigarette nach der anderen anzünden, obwohl sie schon fünfzehn Mal mit dem Rauchen aufgehört hat. Dann fragt ihn Rakesh gestern noch, ob er eine alte Dame mit auffallendem Lippenstift und langem, dunklem Mantel kenne, die angeblich nebenan wohne. Als Linus fragt, wieso ihn das interessiert, behauptet Rakesh, er habe sich mit dieser seltsamen Alten zwei Mal unterhalten und wüsste gerne mehr über sie. Was war das für ein dämliches Ablenkungsmanöver? Für dumm halten lässt sich niemand gern.

Taka, takite, takadimi, takajuno. Rakeshs Stimme hallt im Stiegenhaus wider, und Linus erschrickt über die Lautstärke. Das passt gar nicht zu Rakesh, der sich fast geräuschlos bewegt und kaum einmal eine Tür zufallen lässt. Was er da singt, erkennt Linus inzwischen, es sind Konnakol-Silben, eine Gesangsform, die Trommelrhythmen nachahmt und zum Lernen indischer Perkussionsinstrumente dient. Er stürzt von seinem Platz am Gangfenster zum Stiegengeländer und schaut die Spirale hinunter. Zwei Etagen unter ihm sieht er Rakesh stehen. Seine Finger klopfen den Rhythmus am Handlauf mit, wobei der Ring, den er trägt, ein metallisches Klicken erzeugt. Das weiße Hemd hat er bis zu den Oberarmen hochgekrempelt, es leuchtet im diffusen Licht des Treppenhauses. Dass neben ihm Katharina steht, sieht Linus, bevor er ihre Stimme hört. Er schlüpft aus den Schuhen und schleicht einen Halbstock hinunter. Nur um die Kurve muss er es schaffen, ohne dass einer von den beiden ihn sieht, dann ist er nahe genug, um zu hören, was sie sagen.

»Genau so bist du die Treppe hinuntergelaufen, exakt in diesem Rhythmus«, sagt er, »hör zu!« Und er wiederholt das Muster noch zwei Mal, klatscht dazu, fordert Katharina auf, es doch auch zu versuchen. Von Katharina kommt ein ganz fremdes Lachen: verlegen, vielleicht geschmeichelt. Mädchenhaft. Linus hat sie noch nie so gesehen, und einen Moment lang ist er von ihrer Verwandlung so fasziniert, dass er den Schrecken, den ihm der Anblick der beiden bereitet, gar nicht mehr spürt. Sie schüttelt abwehrend den Kopf, sagt etwas wie, das könne sie doch nicht. Kurzes Schweigen von beiden. Linus kennt das von Rakesh, der ein Meister der bedeutungsvollen Pausen ist. Dann setzt der Schock wieder ein, es ist wie das Gefühl, wenn man beim Einschlafen zuckt, mit einem Bein ins Leere tritt und für eine Sekunde den Eindruck hat zu stürzen. Nur dass es anhält: fallen und fallen, ein kalter Griff an die Kehle. Und Scham darüber zu lauschen, sie zu bespitzeln. Mehr noch darüber, dass er gedacht hat – nein, viel hat er sich nicht erhofft, fast gar nichts. Zumindest hat er das geglaubt. Aber damit hat er sich etwas vorgemacht, sein Entsetzen verrät es: Er hat sich etwas ersehnt, erträumt – und erhofft, zumindest dass sie ihn interessant findet und vielleicht dann doch: ein Wunder. Die Ausnahme von der Regel. Ausgerechnet er. Es ist bodenlos peinlich, ganz und gar zum Verschwinden. Aber zuvor muss Linus hören, was die beiden zu bereden haben. Nichts darf ihm entgehen, kein Blick, keine Atempause, kein Zwischenton, wenigstens Bescheid wissen will er. Sicher könne sie den Rhythmus nachsingen, immerhin hätten ihre Füße genau das gemacht, sie solle es doch versuchen, flötet Rakesh. Noch mehr Gekicher, zurückgeworfene Haare, Hinundhergerede, dann versucht sie es. Er applaudiert übertrieben. Die Stimmen senken sich, die Köpfe neigen sich einander zu. Jetzt kann Linus nicht mehr genau verstehen, was sie sagen, aber er sieht sie gut genug von seinem Platz fast genau über ihnen. Rakeshs schmale, lange Finger liegen auf dem Geländer, nur Zentimeter von Katharinas Ellbogen entfernt, den sie auf das Stiegengeländer gestützt hat, als könne sie nicht mehr gerade stehen. Genau in dem Moment sagt sie irgendetwas von Müdigkeit und Training. Oder Traurigkeit? Sie erzählt, holt aus, Linus hört, dass es um den Vater und die Mutter geht, dann wieder um das Tanzen, um das sich alles bei ihr zu drehen scheint, so viel hat auch er mitbekommen. Sie gestikuliert ziemlich heftig beim Reden, zupft an ihren Haaren und an ihrer Jacke, Linus hat das schon x-mal gesehen bei Mädchen. Wenn er einatmet, tut es in der Kehle weh. Er dachte, sie wäre anders. Jetzt möchte er weg, aber etwas schraubt ihn fest. Dann scheint Rakesh mit dem Erzählen dran zu sein. Er ist wiedererkennbarer, viel weniger gekünstelt als Katharina. Sehr konzentriert, leise, ganz bei der Sache. Sie nickt andauernd, hält den Kopf schief, gibt zustimmende und ermunternde Laute von sich, als sollte er bloß nicht aufhören weiterzureden. Endlich schicken sie sich an, sich zu verabschieden, treten einen Schritt auseinander. Dann dauert es wieder eine Ewigkeit. Linus hält die Luft an. Sosehr er darauf brennt, alles im Blick zu behalten, will er nicht entdeckt werden, muss er sich sofort davonmachen. Rakesh kommt vielleicht eine halbe Minute nach ihm in die Wohnung, summend und pfeifend.

Die nächsten zwei Wochen werden im Nachhinein gesehen wie ein Gefängnis gewesen sein, aus dem nur ein Weg hinausführte. Das mit dem Handy hatte Linus nicht geplant. Als er es dort auf dem Waschbecken liegen sah, war die Versuchung einfach zu groß. Dabei wäre es so einfach gewesen, denkt Linus. Rakesh hätte doch nur Katharinas Nummer unter dem Namen eines seiner vielen neuen indischen Bekannten einspeichern müssen. Er hätte doch nur die SMS löschen müssen. Nur Verabredungen. Ob er diese und jene Musik mitbringen könne, »Gruß, Katharina«, »ganz liebe Grüße, Katharina«, »liebsten Gruß, Katharina«. War das eine Geheimsprache, eine Art Code? Rakesh hatte diese zehn Jahre mehr und vielleicht noch etwas anderes, was Linus nicht begriff. Die Tabla, die Mdrangam, die Veena, auch das war es nicht, das waren nur Begleiterscheinungen für etwas wie eine ganze Sammlung von Liedern, die Linus nicht kannte, von Pausen an Stellen, an denen Linus nicht wusste, dass man eine machen musste. Rakesh war doch wegen Sonja hierhergekommen, oder nicht? Die ging seit ein paar Wochen in der Wohnung herum wie ein Schatten und schien ständig über etwas nachzugrübeln. Wenn Linus mit ihr sprach, lächelte sie zerstreut und hielt ihre Antworten knapp.

Rakesh hätte doch nur nicht so aufgeräumt, mit etwas weniger penetranter Fröhlichkeit Zwiebeln schneiden und dann, während des Kochens, plötzlich für eine halbe Stunde in seinem und Sonjas Zimmer verschwinden sollen, als sein Telefon läutete. Das Gemüsemesser, eine Neuanschaffung von Sonja, ein asiatisches Küchenmesser mit Extraschliff, hätte er nicht auf der Anrichte liegen lassen sollen. Und dann das Geschrei der Weiber. Da lobt er sich Rakesh, der war zwar ein Idiot, aber wenigstens nicht hysterisch. Wenn Linus die Augen schließt, ist da immer noch sein Blick, nicht etwa vorwurfsvoll oder schmerzverzerrt, nein, nur tief, tief verwundert.

7
MAN SIEHT SICH

Wenn etwas geschehe, das einen wirklich aus der Bahn wirft? Die Antwort kommt ohne Zögern: Dann müsse man eben die Geleise wechseln. Was durchaus einige Mühe bereiten könne, das räume er ein. Noch einen Martini? Er schenkt ihr nach, ohne ein Nicken abzuwarten. Beide halten für einen Augenblick den Atem an.

So war es, und so war es nicht. Nicht ungewöhnlich, wie sich Unwahrheiten in so wenigen Sätzen ansammeln. Aber wenn von Unwahrheit die Rede ist, im Verhältnis zu welcher Wahrheit stände sie? Überhaupt: Wahrheit, Unwahrheit, dieses ganz Große. So viel Demut, wie es erfordern würde, gibt die Sprache nicht leicht her.

Sehen Sie, Fragen über Fragen. Wenige Zeilen genügen und wir befinden uns im prächtigsten Dickicht aus Metapher und Substanz. Dass es so etwas wie Substanz gibt und dass sie etwas anderes ist als Metapher, darauf müssen wir uns einigen, weniger als das macht alles Erzählen überflüssig. Und nicht mehr erzählen, das wäre mein Ende.

Also, Vorhang auf: Werners Antwort auf Zeldas Frage kam keineswegs ohne Zögern. Es war da, wenn auch kurz, ein Blinzeln, ein feines Zucken, das aus den Augenwinkeln über die Stirn huschte, leicht zu übersehen. Werner war lange Zeit Schauspieler gewesen, beides nicht ohne Erfolg. Ob Zelda es bemerkte, war nicht zu erkennen, obwohl man es annehmen durfte. Sie war eine große, biegsame Frau in den Vierzigern mit einer schönen Stimme. Sie sprach Texte für Werbungen und Radiosendungen ein. Bekannte sagten über sie, sie sei das personifizierte Taktgefühl. Ihr größtes Talent war, dass sich andere in ihrer Gegenwart wohlfühlten. Im Allgemeinen hasste sie sich dafür. Jetzt nippte sie am Martini, den Werner ihr nachgeschenkt hatte, schob die Flüssigkeit ein wenig im Mund hin und her, versuchte ein Lächeln.

»Ich wundere mich über deine Frage«, sagte Werner, lächelte ebenfalls. Er mochte Zelda nicht das Gefühl geben, sie zu tadeln, empfand er doch etwas für sie, was man eine kleine Schwäche nennt. Zelda und ihr Mann Ludwig hatten vor zwei Jahren eine Wohnung im vierten Stock gekauft. Allmählich kamen die beiden in das Alter, in dem sich die Auswahl an möglichen Freunden und Bekannten merkbar erweiterte, denn ihr Lebensstil glich sich dem kinderloser Paare wieder an. Die Kinder waren erwachsen und außer Haus oder mehr oder weniger mürrische Jugendliche mit dem Hang, sich unsichtbar zu machen. Wenn sie vorbeischlurften und die Gäste der Eltern höflich grüßten, war denen die Erleichterung anzumerken. Manchmal, während anhaltender Krisen, geisterten sie aber immerzu durch die Konversation und zogen als Abwesende derart viel Aufmerksamkeit auf sich, dass an ein anderes Thema kaum zu denken war. Solche Abende waren meist mühevoll. Nicht unbedingt, weil sie zu intim und zu aufwühlend waren, die Beschwerlichkeit lag im Gegenteil im Mangel an Tiefe, in der Vorsicht, mit der jede Frage vermieden wurde, die bestehende Überzeugungen oder Befürchtungen gefährdet hätte. Die klagenden Eltern wurden selbst zu Kindern und suchten Trost, nicht Erkenntnis. Alles in allem eine unerfreuliche Phase, gut, dass sie vorüberging.

»Entschuldige, ich bin abgeschweift«, sagte Werner. »Ich dachte, es muss angenehm sein, dass ihr wieder mehr Zeit für euch zu habt.«

Zelda wiegte den Kopf hin und her. »Bei Manuel war es kein Problem. Aber Mimi, weißt du«, sie senkte ein wenig die Stimme, »Mimi ist schon ganz die Meine. Sie fehlt mir, sehr sogar.« Mimi war knapp über zwanzig und studierte seit ein paar Monaten in Oslo. Zelda hatte sie dort schon besucht. »Wenn sie sich verliebt, ich meine ernsthaft, dann kommt sie nicht wieder«, sagte Zelda und trank ihr Glas in einem kräftigen Zug leer, als wollte sie ihrer Aussage ein Rufzeichen hinzufügen. Sie legte dabei den Kopf weit in den Nacken, und Werner fielen ihre kräftigen Hals- und Schultermuskeln auf. »Und sie neigt zum Ernsthaften.«

»Das befürchtest du«, sagte er und dachte: Woher willst du denn das wissen? Ihr Mütter und euer Exklusivwissen über das Seelenleben des Nachwuchses!

Sie zuckte mit den Schultern. »Flucht nach vorne. Ich finde mich damit ab.«

Ihr schon etwas schwimmender Blick war nicht so gelassen wie ihre Worte, aber das konnte genauso gut am Martini liegen. Als Werner Ludwig und Zelda die Hausratsversicherung verkauft hatte, war Mimi immer neben ihr geklebt und hatte sich nach allen möglichen Details des Vertrags erkundigt. Vielleicht hatte ihn die Beflissenheit des Mädchens amüsiert. Auch im Auto waren die beiden öfter miteinander zu sehen gewesen, Zelda hatte ihrer Tochter wohl das Fahren beigebracht.

»Ihr steht euch sehr nahe?« Eigentlich mochte er solche Fragen gar nicht. Er wollte Zelda um Gottes Willen nicht in eine Gefühlsduseligkeit hineintreiben. Aber die Alternative schien zu sein, dass sie ihn selbst in diese Richtung drängte.

Schade, sie war sonst nicht so. Er ärgerte sich, dass er kein anderes Thema fand. Die Kommunikation zu steuern war sonst doch sein Metier. Aber die Woche war zäh gewesen, ihm ging wohl allmählich der Saft aus. Zuerst hatte er sich darüber gefreut, eine Stunde mit Zelda alleine zusammensitzen zu können. Ludwig und Werners Frau Margret würden sich heute verspäteten. Sie wurde im Büro aufgehalten, er wollte auf das reparierte Auto warten. Wie jeden ersten Donnerstag im Monat verbrachten die beiden Paare den Abend miteinander, einmal bei Margret und ihm im dritten Stock, einmal eine Etage höher bei Ludwig und Zelda. Natürlich kochte man gut, aber der Aufwand hielt sich in Grenzen. Es waren keine Statuseinladungen, bei denen man seine Weltläufigkeit demonstrierte, darüber waren sie hinaus. Die beiden als Freunde, sogar als beste Freunde, zu bezeichnen, fühlte sich nicht falsch an. Vielleicht genügte das ja als Maßstab. Auf Werners letzte Frage nickte Zelda nur, sie schien nicht gewillt, mehr dazu zu äußern. Da hatte Werner sich doch getäuscht und seine Laune besserte sich schlagartig. Das Rosmarinhuhn duftete und stimmte ihn wohlig. Werners Gedanken schaukelten wie kleine Boote auf der Oberfläche seiner Müdigkeit, Leichtgewichte allesamt, die sich einmal so, einmal so gruppierten. Woher wehte der Wind? Wer weiß. Alle Fragen waren rhetorisch. Bloß nicht nach Antworten angeln.

»Und du, was lächelst du denn so abwesend vor dich hin?« unterbrach ihn Zelda.

»Ach, nichts, das Übliche halt. Die Woche war elend. Schwierige Kunden, die entweder nicht wissen, was sie wollen, oder etwas jenseits des Möglichen. Ich habe eben gedacht, wie wenig es braucht, um sich wieder besser zu fühlen. Nicht dass du mich missverstehst: Deine Gesellschaft ist natürlich immer etwas Besonderes und –«

Sie unterbrach ihn, winkte ab, eine an ihr noch nie gesehene ungeduldige Geste, als würde sie einen Deckel auf ein Gefäß drücken.

»Jetzt hör aber auf. Bei meiner Frage vorhin hast du dich elegant aus der Affäre gezogen, glaub bloß nicht, das entgeht mir.«

Ihr Nachsetzen überraschte ihn. »Ich bin nur bei deinem Bild geblieben, Zug des Lebens«, konterte Werner, surfte weiter auf der Welle charmanten Geplänkels.

Nein, ich habe dich nicht gefragt, was genau du meinst, dachte er. Zelda beugte sich nach vor, schenkte ihm einen warmherzigen Blick. In ihrem Lächeln hätte er keine Spur von Sarkasmus vermutet. »Ich werde dir jetzt sagen, was ich damit meine, obwohl du mich nicht danach gefragt hast.«

Jetzt war Werner verblüfft. »Ob du es glaubst oder nicht, genau das dachte ich gerade. Dass ich dich nicht gefragt habe. Und dass du es mir wohl trotzdem sagen wirst. Eine Art weiblicher Grausamkeit, nehme ich an.«

Zelda lachte. »Ich glaube dir kein Wort.«

»Dieses Mal habe ich die volle Wahrheit gesagt.«

»Dieses Mal!«

»Ja, das ist wohl das Problem. Du bemerkst zu viel. Die ganzen Ober-, Unter- und Zwischentöne. Du bist mir unheimlich.«

»So kriegst du mich nicht dran: mich mit Süßholzgeraspel ablenken. Aber zumindest habe ich dich als angenehmen Lügner kennengelernt.«

Zelda holte eine Flasche Weißwein aus dem Kühlschrank, goss einen ordentlichen Schuss über das Huhn, aus dem Backrohr stiegen Dampfwolken. Sie rieb sich über die Augen, verwischte sich links die Wimperntusche. Ihr Gesicht war in letzter Zeit vielleicht etwas knochiger geworden, fand Werner. Von der zerlaufenen Schminke sagte er ihr nichts. Ein Hauch schlampiger Dramatik stand ihr. Ihrem Stil merkte man sonst meist die Dosis Anstrengung an.

»Danke dir, ist wohl berufsbedingt, oder besser gesagt, ich habe meinen Beruf recht passend zu meiner Neigung gewählt. Jetzt aber raus, was wolltest du eigentlich sagen? Ein Lügner lechzt immer nach ein wenig Wahrheit.«

Zelda fuhr sich durchs Haar, ihr Blick tastete über Werners Gesicht, sprang weg, kehrte zurück, vorsichtig, skeptisch. Es war ihr ernst, auch damit hatte er nicht gerechnet.

»Du wirst dir bitte jede ironische Bemerkung verkneifen«, sagte sie. »Sonst gibt es in den nächsten fünf Jahren nichts als Smalltalk. Obwohl das für dich schwerlich eine Drohung ist, nicht wahr?« Sie schien wieder ein wenig von ihrer Souveränität zurückzugewinnen. Werner atmete auf. Jetzt war es nicht an ihm, etwas zu sagen, jedes Wort wäre kontraproduktiv gewesen. So etwas wusste jeder, der die Bühne kennt.

Sie setzte sich aufrecht hin, konzentriert, fast wie vor einer Prüfung oder gar einem Verhör. Aber nicht doch. Den Teufel würde er! Werner wurde klar, dass es nicht in erster Linie um ihn ging, nicht als Gesprächspartner oder gar als Beichtvater. Das hier war eine Art Experiment, das sie mit sich selber anstellte und für das sie ihn als Mitspieler brauchte. Seine Zeugenschaft war im Grunde irrelevant, diese Erkenntnis beruhigte ihn, trotz der einschüchternden Ernsthaftigkeit in ihrem Gesicht. Haarscharf zielte ihr Blick an ihm vorbei.

»Es ist so: Der Gedanke, dass Mimi niemals mehr bei uns – bei mir – wohnen wird, macht mich unfassbar traurig. Ganz normale Ablösungsprobleme, dachte ich. Denk nicht darüber nach, nimm es hin, tritt es nicht breit, habe ich mir gesagt. Ich habe dies und das darüber gelesen, sogar in einem Internetforum war ich. Psychologische Erklärungen gibt es ohnehin für alles und jedes. Das ist nur eine Phase, ganze Balladen an Selbstberuhigungsfloskeln habe ich mir aufgesagt. Keine einzige davon erreichte mich. Mimi ist jetzt schon acht Monate weg, und es wird nicht besser, kein bisschen.«

Ihre Hände lagen bewegungslos auf den Oberschenkeln. Ihr Blick, den sie jetzt auf ihn richtete, war ruhig und nüchtern. Kein schief gelegter Kopf, keine flehenden Augen. Sie schien nichts von ihm zu erwarten, außer dass er zuhörte. Ihre Kinnpartie und die ovale Gesichtsform fanden sich bei ihren beiden Kindern wieder, erinnerte sich Werner. Mimi war ohnehin eine junge Ausgabe von Zelda, allerdings mit dem breiten Mund von Ludwig und seinem Hang zum Frohsinn.

»Weißt du, es ist fast unerträglich«, fuhr Zelda fort, sie redete ziemlich schnell. »Nachts liege ich wach und stelle mir vor, dass ich mitsterben müsste, wenn ihr jemand irgendein Leid täte. Aber so wäre es nicht. Ich würde weiterleben, und diesen Gedanken ertrage ich nicht. Dabei hatte ich früher nie übermäßig viel Angst um sie. Ich war keine Gluckenmutter, das weiß ich ganz genau. Sie hat mit zehn im Wald gezeltet, mit sechzehn ist sie mit ihren Freunden durch Europa gefahren, ab siebzehn gab es keinerlei Beschränkungen beim Ausgehen mehr. Ich hatte nie ein Problem damit. Warum jetzt? Ich verstehe es einfach nicht.«

Für eine Weile blieb es still, eine Pause wie auf einer Tanzfläche, nach schnellen Figuren und rasantem Schritt, wenn die Bewegung noch in den Körpern nachschwingt. Alles war noch Echo. Es war so ruhig, dass Werner Zeldas beschleunigten Atem hörte. Er war bei ihrer etwas altmodischen Formulierung *wenn ihr jemand ein Leid täte* hängengeblieben, die ihn an den *Erlkönig* erinnerte. Als er sich nach einiger

Zeit räusperte, machte sie einen überraschten Eindruck, als hätte sie seine Anwesenheit für ein paar Augenblicke ganz vergessen. Jetzt kränkte es ihn doch ein wenig, dass sie offenbar nicht einmal einen Kommentar von ihm erwartete, vielleicht nicht einmal einen wollte. Aber im Grunde hatte er tatsächlich nichts dazu zu sagen und war uneitel genug, es nicht trotzdem zu tun. Zelda wirkte blass vor der cremefarbenen Wand, unter dem Make-up waren Augenringe erahnbar. In die Polster zurückzusinken, gestattete sie sich nicht gleich. Sie fischte sich eines der auf den Boden gefallenen Kissen und stopfte es sich in den Nacken, rückte hin und her, bis sie eine angenehme Position gefunden hatte.

»Danke dass du mir keine Ratschläge um die Ohren haust«, sagte sie leise.

»Das kann ich doch gar nicht«, murmelte Werner. »Freut mich, dass meine Unfähigkeit das ist, was du im Moment offenbar am meisten gebrauchen kannst.«

»Perfekt«, meinte Zelda. Beide lachten. Es hätte unangenehm sein können, war es aber nicht. Da war etwas, womit sie nicht weiter wusste. Na und, dachte Werner. Selbst dann nicht, als sie in die geradezu gelöste Stimmung hinein sagte: »Und jetzt du!«

Werner war augenblicklich klar, was sie meinte. Er hätte so tun können, als wäre dem nicht so gewesen. Ein paar Minuten waren mit verbalen Ablenkungsmanövern seiner Einschätzung nach noch herauszuholen. Er hätte sagen können, dass er nur kurz nach unten gehe, weil er doch den besonderen Wein aus Istrien vergessen habe, den er mitbringen hatte wollen, oder dass er, was durchaus üblich war, noch schnell einen Kundentermin bestätigen müsse, so leid es ihm tue, und dann erst wiederkommen, wenn Ludwig und Margret dazugestoßen wären. Zelda würde ihn natürlich durchschauen. Er hätte tief durchatmen können, zum Auftakt die Finger aneinanderlegen, erst demütig seine Schuhspitzen betrachten, dann den direkten Augenkontakt suchen, genauso wie er es in den Fortbildungsseminaren zur Gesprächsführung gelernt hatte, und ihr sagen, dass es selbstverständlich auch in seinem Leben einiges gebe, was er zu beichten hätte, vorausgesetzt, er würde an die Kraft der Absolution glauben, dass er zudem ihre Offenheit wirklich schätze und im übrigen Verständnis für ihre Gefühle habe, aber er ziehe es doch vor, hier und heute blablabla und so weiter und so fort. Sie wäre enttäuscht, vermutlich sogar ärgerlich, aber sie würde es wohl nicht allzu deutlich zeigen. Im Endeffekt wäre sie heilfroh, dass er ihr weitere Peinlichkeiten erspart haben würde, vielleicht nicht sofort, aber spätestens morgen. Ausgeschlafen und ohne Alkohol im Blut schätzte man die Dinge immer anders ein, jeder Teenager wusste das. Indiskretionen und Peinlichkeiten! Manchmal hast du eine Diktion wie eine Figur von Schnitzler, dachte er. Die Fähigkeit, aus jeder Situation zu entwischen und sich selbst auf Distanz im Visier zu behalten, war gewiss manchmal ein Fluch, oft erlaubte sie aber Gelassenheit und ein bisschen Amüsement, auch dort, wo es nach allgemeiner Vorstellung nicht mehr viel zu lachen gab. Was nun anfangen mit diesem merkwürdigen Auftakt zum Abend, der als entspanntes Miteinander zweier befreundeter Paare ohne große Überraschungen gedacht war? Etwas machte Zelda unberechenbarer, als er es gewohnt war. Nur wegen Mimi? Werner hatte seine Zweifel. Er kannte Zelda ziemlich zurückhaltend, sogar vorsichtig. Aber in Angst? Noch nie hatte er etwas Furchtsames oder auch nur Nervöses an ihr wahrgenommen. Gerade ihre Ruhe machte einen wesentlichen Teil ihrer Anziehungskraft aus. »Du wirkst gar nicht so, als ob du von solchen Ängsten geplagt wärst«, sagte er.

»Tja, Sein und Schein sind zweierlei, wie wir wissen.« Ihre Augen glänzten, sie wirkte auf befremdliche Art euphorisch.

»Und das Sein ist dreierlei, der Schein mehrerlei«, deklamierte er in Pose, mit erhobenem Glas und in schönstem Bühnendeutsch, zufrieden, ihr ein Lächeln zu entlocken.

»Geschenkt«, sagte sie, »das wissen wir. Aber wo ist der Ausgang, frage ich mich. Wir tun und machen und lassen und tun, und irgendein Teil von uns liegt im Schatten auf der Lauer und wartet auf seine Stunde. Immer der Teil, mit dem wir nichts zu tun haben wollen.« Sie warf ihm einen fragenden Blick zu. Für ein paar Sekunden hielt er stand. »Sag jetzt bitte nichts über den Ausgang aus der selbstverschuldeten Unmündigkeit, ja?«

»Ich muss zugeben, ich bin erstaunt«, antwortete Werner. »Du kennst mich wirklich gut.«

»Nein, gar nicht. Aber ich kenne deine Tricks und Schmähs, die sind mir vertraut.«

Werner horchte auf. Auch die ironische Schärfe war neu. Er war nicht sicher, ob ihm diese ungewohnten Züge an ihr gefielen. Er schielte nach der Uhr. Ludwig und Margret könnten jederzeit auftauchen, blieb abzuwarten, an welcher Stelle dieser eigenartigen Unterhaltung. Wie würden sie den Schwenk in einen ganz normalen, geselligen Abend zu zweimal zwei vollführen? Immerhin, Werners Neugierde war geweckt. Er entschied, sich nicht zu widersetzen.

»Gib mir eine kleine Weile«, sagte er, »lass mich nachdenken.« Er schloss die Augen.

»Denk nicht zu viel«, sagte sie, »lange Zeit haben wir sicher nicht mehr.« Ihr Tonfall war pragmatisch, skrupellos, fast als hätten sie ein Verhältnis miteinander und müssten mit dem baldigen Auftauchen der betrogenen Ehepartner rechnen. In gewisser Weise war dem auch so. Es verlockte sehr wohl etwas, und die Versuchung, das fühlte Werner, war mindestens ebenso groß: Etwas mit jemandem zu teilen, das immerzu das eigene Denken und Handeln färbte und das einem bis jetzt nicht mitteilbar erschienen war. Etwas, das einen nicht letztlich wieder als Gewinner dastehen ließ, und sei es mit Hilfe einer Dosis Selbstironie, die Souveränität vorspiegelte. Etwas preiszugeben, jenseits der Kategorien von Gewinn und Verlust. Gäbe es denn so etwas überhaupt? Die Erinnerung löste in Werner einen ziehenden, nicht lokalisierbaren Phantomschmerz aus. Es war ja alles schon vorbei und überstanden. Warum also nicht?

Er öffnete die Augen und begann unvermittelt zu sprechen. Kein Räuspern, keine Geste, kein Herumrücken oder Zupfen am Hemdkragen als Auftakt. »Du möchtest also wissen, was mich aus der Fassung gebracht hat?«

Sie nickte.

»Dann hör zu: ein kleiner schmetterlingsförmiger Wasserfleck in unserer Küche. Das war der Anfang. Vor ein paar Jahren hatten wir einen Wasserschaden in unserer Wohnung, ich habe euch einmal davon erzählt, du erinnerst dich daran? Aufgezogene Fußböden, kaputte Möbel, jede Menge durchweichten Hausrats. Wenigstens waren wir optimal versichert. Es ist passiert, als wir über das Wochenende verreist waren. Soweit die offizielle Version.«

An dieser Stelle zögerte er. Ihm war klar, dass ihn das, was er Zelda erzählen würde, im schlimmsten Fall seinen Job kosten könnte, vielleicht sogar seine Ehe. Die Frage, ob er weitersprechen sollte, blieb dennoch hypothetisch. Als ob man in dem Moment, in dem man zum ersten Mal im Schwimmbad vom hohen Sprungbrett gesprungen war, noch überlegen würde, ob man nicht doch besser kehrtmachte.

»Die Wahrheit ist, ich rechnete damit, dass genau das

geschehen würde. Ich kenne den Leitungsverlauf im Haus ziemlich genau. Außerdem verstehe ich etwas von derartigen Dingen, versicherungsrelevante Schäden sind ja schließlich mein Metier. Ein paar Tage, bevor wir das Last-minute-Angebot nach Verona buchten, entdeckte ich den Fleck an der Küchenwand. Und so gut ich konnte, sorgte ich dafür, dass Margret nichts davon bemerkte. Ich war wie besessen davon. Es funktionierte tatsächlich, sie war beruflich damals sehr eingespannt und kaum zu Hause. Die Gelegenheit wegzufahren ergab sich auch noch zum optimalen Zeitpunkt. Die ganzen drei Tage über freute ich mich unglaublich auf das, was passieren könnte – wie ein Verrückter freute ich mich. Vielleicht war ich ja damals tatsächlich verrückt: Ich setzte alle meine Hoffnungen in einen Wasserrohrbruch. Er würde etwas in Bewegung bringen, dachte ich, egal was, egal wie. Absaufen, abrutschen, auseinanderbrechen, auflösen: Ich stellte mir alles vor, und mir war alles recht.«

Werner hatte die Augen wieder geschlossen, während er redete. Er wollte keine Ablehnung auf Zeldas Gesicht lesen, die ihn zum Verstummen gebracht hätte, jetzt, da er schon so weit gegangen war. Die Basilika San Zeno Maggiore kam ihm in den Sinn, das stille Triumphgefühl, das ihn dort überkommen war und den Raum in eine lichtdurchtränkte Kapsel verwandelt hatte, die ins Weite driftete. Margret hatte sich von seiner guten Stimmung anstecken lassen. Sie aßen und tranken gut. Er erinnerte sich an eine ganze Reihe von Aperol, Ramazotti, Amari und Caffè corretti an wackeligen Tischchen im Freien, die Vormittage, Nachmittage und Abende ineinander verschwimmen ließen, an das fast weiße, milchig trübe Licht am sehr frühen Morgen, wenn Margret noch schlief und er im Kiesgarten des Hotels seinen Espresso trank, an die angenehme Kühle, die Minute für Minute wich, an die müde aussehende, dickliche Kellnerin mit dem reizenden Lächeln, an die cognacfarbenen Pumps, die er Margret gekauft hatte. Jedes Detail war Teil eines Versprechens, von dem nur er wusste. Und schon war es wieder vorbei.

Nach ihrer Rückkehr hatte Margret in all ihrer pragmatischen Tüchtigkeit und ohne großes Lamentieren die Ärmel hochgekrempelt und getan, was getan werden musste. Hatte er etwas anderes erwarten, geschweige denn erhoffen können? Das Szenario, das sie vorfanden, war tatsächlich ziemlich desaströs. Auch in der darunterliegenden Wohnung waren große, dunkle Flecken zu sehen, und es gab Tropfschäden. Am hartnäckigsten aber hielt sich der Geruch. Die Nässe schien die olfaktorischen Rückstände aus Jahrzehnten aufgeweicht zu haben. Obwohl sie drei Räume vollständig ausräumten und sofort ohrenbetäubend knatternde Trocknungsgeräte in Einsatz kamen, roch es abwechselnd nach vergorenem Obst, Kalk, Kohle, verfaulten Kartoffeln, Essig, modrigem Staub und Schimmel. Margret nahm sich Urlaub, werkte mit zusammengebissenen Zähnen. Das Einzige, was sie von Werner forderte, war, sich jeden Abend die detaillierte Schilderung ihrer Tagesleistungen anzuhören. Natürlich tat er es, ermutigte, lobte, gab Durchhalteparolen aus. Er übernahm seinen Part und mühte sich außerdem durch den Wust bürokratischer Erfordernisse. In den folgenden Wochen hatten sie nicht viel miteinander zu tun. Der Fokus lag naturgemäß ganz auf der Wiederherstellung der Grundlagen. Die frische Farbe trocknete, der Verputz härtete in den Blechgefäßen, der stechende Geruch nach frischer Parkettversiegelung und Putzmitteln vertrieb gemeinsam mit der günstigen Witterung – anhaltende Frühsommerhitze – den ungesunden Atem der Wohnung, ebenso wie die Wirklichkeit Werners Fantasien schwinden ließ. Je öfter er Bekannten und Kollegen die akzeptable Version der Ereignisse erzählte oder Margret dabei zuhörte, desto mehr verblasste die Erinnerung an den Fleck.

Da war allerdings noch etwas gewesen, auch davon berichtete er Zelda mit einem geradezu akribischen Bekenntnisdrang: seine Überzeugung, die Schmetterlingsform des Flecks und die Kontur von Australien, zu der er sich schließlich ausgeweitet hatte, seien als eine Art Botschaft an ihn zu verstehen – ein Zeichen, ganz allein für ihn. Und das, obwohl es in seiner Sicht der Welt keine wie auch immer geartete Botschaften von irgendetwas oder irgendjemandem geben konnte. Da war nichts außerhalb der Projektionen williger Empfänger, und da konnte auch nichts sein. Die Vorstellung passte überhaupt nicht zu ihm, weder war er je religiös noch abergläubisch gewesen. Irgendwann war dann das Ganze überstanden. Während der Renovierungsarbeiten hatten er und Margret für ein paar Wochen bei Bekannten gewohnt, die sie bedauerten und dementsprechend freundschaftlich verhätschelten. Bald darauf nahm der Alltag mit der Selbstverständlichkeit eines Gastes nach den Betriebsferien seines Stammlokals seinen Platz wieder ein. Die Wohnung war schöner und schicker als zuvor, und bei Margret kam sogar eine gewisse Freude über all die Neuerungen auf.

Inzwischen war sich Werner nicht mehr ganz klar darüber, was er wirklich erzählt hatte und was ihm währenddessen durch den Kopf gegangen war. Die Bilder kamen schnell, in unterschiedlicher Schärfe, und folgten keiner erkennbaren Chronologie. Wenn er blinzelte, schwankte der Raum ein wenig. Das letzte Glas hatte er zu hastig gekippt. Zelda stellte keine Zwischenfragen, drängte nicht, schenkte ihm Wasser nach.

»Wie das Ganze ausging, weißt du ja. Wir sind besser

eingerichtet denn je. Und es geht uns gut. Kein Grund zur Klage.« Beim Lächeln spürte er die Kiefermuskulatur.

Er war und blieb ein Idiot. Gut, Zelda war mehr, als ihr angenehm war, eine neurotische Glucke, eine der üblichen harmlosen Selbsttäuschungen, mit denen man weder sich noch anderen nennenswertes Unheil zufügt. Er dagegen war genau genommen ein Betrüger, einmal weil er erheblichen Sachschaden billigend in Kauf genommen hatte, wie es in juridischer Diktion wohl hieß, zum anderen weil er seine Frau im Unklaren über die bestehende Gefahr für ihrer beider Eigentum gelassen hatte. Und zu allem Überfluss lieferte er sich jetzt auch noch ans Messer, indem er einer x-beliebigen Laune Zeldas nachkam, der heute Abend einmal nach Wahrhaftigkeit zumute war.

»Und jetzt? Schuldgefühle?«

Werner schüttelte den Kopf. Eigentlich hatte er das Gespräch an dieser Stelle beenden wollen, endlich einen Punkt setzen unter dieses Spiel, bei dem er viel zu viel riskierte und nur verlieren konnte. Zumindest sah er den möglichen Gewinn nicht. Doch er agierte, als säße an seiner statt ein Doppelgänger da, und er selbst könnte, eingeschlossen in sich, praktisch handlungsunfähig, nichts als zusehen und zuhören. An Zelda konnte es nicht liegen: Sie sagte und tat ja kaum etwas.

»Zumindest bemerke ich nichts davon. Alles abgearbeitet. Und bin noch dabei, glaube ich. Habe mich klein gefühlt, furchtbar mickrig, ohne Recht, auch nur irgendetwas zu verlangen. Aber so befremdlich oder mies es klingen mag, schlecht gefühlt habe ich mich nicht wegen Margret. Ich verstehe es selbst nicht.« Dass ihn Zelda für einen Idioten halten würde, hinderte Werner nicht daran, weiterhin die winzige Hoffnung zu hegen, dass sie ihn nicht verurteilte.

»Sollte man alles verstehen?«, sagte Zelda, schwang die Beine von der Couch. Sie streifte den am Beistelltisch liegen gebliebenen Topfhandschuh über, um den Braten aus dem Rohr zu holen. Im Vorbeigehen berührte sie Werners Schulter, so kurz und beiläufig, dass er nicht wusste, ob ihre Geste überhaupt Absicht gewesen war. Sie blieb stehen, wandte sich ihm zu: »Weißt du, ich habe mein ganzes Leben lang geglaubt, Verstehen hilft. Du weißt schon: Ursachen, Wirkungen, Wechselwirkungen. Familiengeschichten, elterliche Prägungen, die ganze Palette an Erklärungsmustern, die wir alle aus dem Effeff beherrschen.«

Sie ging in die Hocke, stützte sich mit verschränkten Unterarmen auf Werners Knie, was komisch aussah, da sie noch den Topfhandschuh trug. Obwohl die körperliche Nähe zwischen ihnen unüblich war, fühlte sich Werner nicht verlegen oder befremdet. Normalerweise umarmten sie einander flüchtig zur Begrüßung, küssten einander auf die Wangen, alles darüber hinaus waren scherzhaft-ironische Gesten, höchstens ein Schulterklopfen war ernst gemeint. Dies hier war etwas anderes: In jenem Moment waren sie einander nah wie Geschwister, die ein Bündnis hatten, gegen die Eltern, gegen die anderen, gegen die Welt. »Jetzt glaube ich immer weniger daran«, sagte sie, legte ihre kühle, trockene Hand auf seinen Unterarm. »Schon gar nicht den Begründungen, die uns als Erstes einfallen. Wir erzählen uns so viele Geschichten, über einander, über uns selbst. Was aussieht wie Verstehen, ist meistens nur eine raffinierte Form der Täuschung. Außerdem muss Verstehen überhaupt nicht helfen, kein bisschen. Vielleicht bin ich es einfach nur müde, das alles.«

Was genau *das alles* für Zelda wohl umfasste? Werner war keineswegs sicher, dass sie es relativieren würde, wenn er nachfragte, also ließ er es lieber. In der Küche schnitten sie wortlos nebeneinanderstehend Brot und achtelten Birnen für den Salat. Zu schweigen bereitete ihnen keine Mühe. Dann läutete es an der Tür. Margret traf als Erste ein.

Zelda fiel es offenbar auch nicht schwer, sogleich zu dem zwischen ihnen üblichen Ton zu finden. Während sie die Pannacotta mit Karamellsauce verzierte, setzte sich Margret auf ein Glas Wein zu ihr in die Küche. Die Unterhaltung plätscherte dahin, wobei Margrets Stimme öfter zu vernehmen war. Es würde ihr nicht auffallen. Werner setzte sich ins Esszimmer und hörte möglichst nicht hin. Er blätterte in einem Buch über die Höhlenmalereien von Chauvet und den Film, den Werner Herzog darüber gemacht hatte: *Cave of Forgotten Dreams.* Die anmutig geneigten Köpfe der Pferde mit ihren bläulichen Mäulern, expressiv wie von Franz Marc, die gegeneinander anstürmenden Körper wuchtiger Nashörner, geschwungene Stoßzähne an zart umrissenen oder in Jahrtausenden verblassten Mammuts, kleine menschliche Gestalten unter den undeutbaren Blicken gigantischer bärenartiger Wesen, erstaunlich naturalistisch, von zweifellos talentierten Zeichnern vor 32- bis 35 000 Jahren verfertigt, die im Vergleich dazu naiv anmutenden Handabdrücke in der Farbe getrockneten Bluts, die Werner immer als Versuche erschienen, in die Zukunft zu winken, daneben die bekannten Spiralformen. Was jene Unbekannten mitteilen wollten, reichte wohl über ein »Ich war da«, und »Ich habe gesehen« nicht hinaus, seine Bedeutung erlangte es nur über die gewaltige Zeitspanne. Werner blätterte rasch vor und zurück, was den Darstellungen etwas Bewegtes und Lebendiges verlieh, fast wie in einem Daumenkino. Währenddessen rief Ludwig seine Frau an, er sei in zehn Minuten zu Hause. Bis dahin konnte sich Werner noch ohne Aufsehen hinter dem

Buch verschanzen. Obwohl er vom Reden und vom Alkohol müde war, ratterten die Gedanken dennoch weiter.

An ihren Abenden zu viert redeten sie über alles Mögliche, die Bandbreite schien unbegrenzt. Freilich hätte man beobachten können, wer am häufigsten welche Themen einbrachte, wer sich auf wen bezog, welche Allianzen sich an welchen Punkten ergaben und wie die assoziativen Bögen verliefen. Vielleicht wäre man auf Erstaunliches gestoßen. Nur wäre nie jemand von ihnen auf den Gedanken gekommen, so etwas zu versuchen. Tatsache war, dass alle Beteiligten jene Paarabende als harmonisch und entspannend bezeichneten. »Man muss nichts darstellen«, hatte Ludwig einmal gesagt, als sie anlässlich irgendeines Geburts- oder Hochzeitstages, den sie gemeinsam begossen, auf ihre Freundschaft zu sprechen kamen. Damit war er haarscharf daneben gelegen: Keineswegs war es so, dass sie nichts darstellen mussten, vielmehr ergab es sich geradezu glückhaft, dass es jedem von ihnen in dieser Konstellation leicht fiel, das Erwünschte darzustellen, und dass die jeweilige Darbietung dem entsprach, was jeder von ihnen gern im Spiegel sah. Werner hatte damals gesagt – oder nur gedacht, genau erinnerte er sich nicht mehr daran –, dass sie einander Lieblingsrollen vorspielten: Man kennt Stück und Text, hat den einen oder anderen Lacher, diesen oder jenen Moment der Anteilnahme oder Bewunderung sicher, und vor allem gehört man einfach dazu. Wir sind ein erweitertes Zuhause füreinander, hatte Margret zur Überraschung aller eingeworfen. Rundherum Nicken, freundliche Zustimmung. Man konnte sich ein Ei leihen, Salz, einen Schraubenzieher, eine Straßenkarte des Burgenlands, was immer. Man gab einander nicht verwertbare Konzertkarten weiter, Kochrezepte, Hoteladressen und Tipps aller Art. Wie in einer Familie hatte man seine Geheimnisse voreinander. Geheimnisse miteinander, wie es sie in Familien zuweilen auch gab, hatte es bis jetzt nicht gegeben.

Auf bewährte Manier witzelte man über das, was man fürchtete. Warum auch nicht? Noch waren sie nicht so weit, dass das Älterwerden zu den Hauptthemen gehörte, aber das ganze Spektrum an Gesundheitsfragen wurde merklich öfter abgehandelt: Ernährung, Sport, Wellness, Vorsorge. Gemeinsam bewältigten sie auch die Düsternis, die schwere Krankheiten oder der eine oder andere Todesfall im Bekannten- und Freundeskreis auslösten. Derartiges durfte erwähnt, besprochen, nicht aber ausgewalzt werden, so die unausgesprochene Regel, und jeder von ihnen hielt sich daran. Noch hatte es keinen von ihnen getroffen. Die Eltern, sofern noch am Leben, wurden hinfällig, die damit verbundenen Unannehmlichkeiten hielten sich aber in Grenzen. Gemeinsam rückte man in jene Zonen vor, in denen man begann, für sein Alter mehr oder weniger gut auszusehen und sich mit diesen oder jenen Beschwerden herumzuschlagen, aber die Bewegung war bis jetzt so gut wie unmerklich und synchron verlaufen. Die Vorstellung von der Zukunft hatte jedenfalls ihre Strahlkraft verloren, andere, die nächste Generation, hatten sie übernommen. Wann genau das geschehen war, hatte man irgendwie übersehen, aber unweigerlich war es so, und ebenso unweigerlich rückte man vor an den Rand des Grabes. Die Gemeinsamkeit tat jedenfalls wohl. Werners Hang zu schwarzhumorigen Bemerkungen über Krankheit, Alter und Tod war in ihrer kleinen Gruppe wohlgelitten, die Ordnungsrufe waren stets nur halbernst gemeint. Der Hofnarr war ohnehin seine Lieblingsrolle: Manchmal frech, bisweilen sogar unverschämt, war er dennoch keineswegs ein Revoluzzer, vielmehr Nutznießer eines Systems, dessen

Schwachstellen er allerdings bloßlegte. Die entsprach seinem Part, eine andere Macht besaß er nicht, doch er kostete es aus, genoss die Spannung zwischen Provokation und Gefallenmüssen, in der er die Balance halten musste. An Beweglichkeit jedenfalls war er Ludwig, der im mittleren Management eines Großbetriebs für optische Präzisionsgeräte erfolgreich tätig war und sowohl äußerlich als auch von seiner Persönlichkeit her grundsolide wirkte, weit überlegen. Mit seinen Schlupflidern über den runden, braunen Augen im breitflächigen Gesicht, dem noch vollen, blonden Haar und dem trainierten, aber schweren Körper erinnerte er an einen freundlichen Bernhardiner. Wer von den beiden Männern besser aussah, konnte man kaum sagen, zu unterschiedlich die Typen, denen man sie zuordnen mochte: Werner war ebenfalls groß, aber schmal, agil, immer in Bewegung, mit langen, gestikulierenden Armen, wirkte jünger, obwohl der Haaransatz zurückwich und der Bauch nicht mehr ganz so straff war. Dem Interesse, das er bei Frauen erweckte, war stets eine Dosis Mütterlichkeit beigemengt, während Ludwig eher den Eindruck vermittelte, er wisse, dass er im Tausch für Zuwendung etwas zu bieten und zu leisten habe. Ludwig war in Ordnung, ein sympathischer Kerl, dem man ein Auto abkaufen und ein Kleinkind zum Halten geben würde. Außerdem war er über populäre wissenschaftliche Errungenschaften im Bilde, ein unterhaltsamer Gesprächspartner, dessen Hang zum Dozieren nicht allzu groß war, und er hatte die Neigung, seine Mitmenschen so sein zu lassen, wie sie nun einmal waren, worin er gut mit seiner Frau harmonierte. Werner mutmaßte allerdings, dass Ludwigs freundliche Toleranz eigentlich auf Bequemlichkeit und Desinteresse beruhte. Seine Qualitäten waren dennoch einnehmend. In seiner Nähe schwamm man nach einer Weile in dessen

Gleichmut mit wie in einem lauwarmen Bad. Es war schwierig, einem solchen Menschen gegenüber kritisch oder gar intolerant zu sein. Auch Margret mochte ihn.

Bei aller Unterhaltsamkeit ihrer Abende zu viert redeten sie kaum über sich. Das sei ja gerade das Gute, hatte Ludwig einmal gemeint, was sollte man denn dauernd über etwas sagen, das gut war, so wie es war, jede Befindlichkeit zu analysieren sei doch geradezu eine Obsession von Leuten, die sonst nichts anzufangen wüssten, und hatte damit allgemeine Zustimmung gefunden. Zelda hatte damals geschwiegen, Werner war sich ganz sicher. Ludwig hatte schon Recht: Man musste sich miteinander keine nennenswerte Mühe geben, das war schon einmal etwas. Keine Verkrampfung, die einem dann beim Einschlafen als Sperre im Nacken oder Kreuz saß. Man aß und trank, sprach auch gern darüber, ohne allzu lange bei den Feinheiten der Wein- und Speisengüte zu verweilen, was Werner verabscheute, obwohl Essen und Trinken Fixpunkte in der Unterhaltung darstellten, auf die man zurückkam, wenn sie wider Erwarten einmal ins Stocken geriet. Man plauderte, schwadronierte, war witzig, schlagfertig, charmant, informiert, kritisch gegenüber denselben Zeiterscheinungen und Personen, auf diesem und jenem Gebiet sogar versiert, offen, vertraut, unangestrengt, hedonistisch, wer weiß was noch alles. Mit vereinten Kräften boten sie zu viert alles auf, die einen gelungenen Abend mit Niveau ausmachte, sodass sie bei der nicht allzu späten Verabschiedung – meist war es so gegen eins, selten später – das angenehme, nur alkoholbedingt leicht diffuse Gefühl hatten, das Leben im Großen und Ganzen im Griff zu haben. Ja, sie waren bei klarer Sicht und ruhigen Verhältnissen unterwegs, ja, sie teilten vieles. Ja, sie waren auf einer ähnlichen Wellenlänge, wie man so sagte. Ab und an war ein kleines

Kräftemessen unter Männern dabei, nichts Ernstes, oder ein unbedeutendes Konkurrenzscharmützel unter den Damen, harmlos im Grunde. Man verbrachte Geburtstagsabende und den Jahreswechsel miteinander, weil man einander mochte, weil es sich so angenehm fügte, dass man im selben Haus wohnte und vieles gemeinsam hatte, wirklich: Fast nie langweilte man sich miteinander.

Auch heute nicht, obwohl Werner sich immer noch kaum am Gespräch beteiligte. Ludwig hatte ihn mit dem Bildband über Chauvet auf den Knien angetroffen und begonnen, recht kurzweilig über Höhlenmalereien zu erzählen, die ihn ebenfalls begeisterten, was beim Essen dann zu Frankreich, dem Süden im Speziellen, den Katharerburgen und den Pyrenäen als Wandergebiet führte, von dort wieder zurück zu den Höhlen und dann zu einem allgemeinen Rätselraten über das wahre Alter der Hominiden und schließlich des Homo sapiens. Bis auf Ludwig lagen alle ziemlich daneben mit ihren Schätzungen, was diesem eine kleine kindliche Freude verschaffte, die er nicht verbergen konnte. Werner war aufgefallen, dass Zelda Ludwig bei seinen Schilderungen mehrmals unterbrochen hatte. So geduldig, vielleicht auch neugierig sie vorhin ihm gegenüber gewesen war, so wenig Muße brachte sie für ihren Mann auf. Beim dritten Mal hatte Ludwig kapituliert und sich seinem Teller zugewandt, den er mit seiner üblichen konzentrierten Gründlichkeit leerte. Sollte er es bemerkt haben, ließ er jedenfalls keinen Ärger erkennen. Er schien jede Tätigkeit, gleich welche, als Aufgabe zu betrachten, der man sich mit einem gewissen Ernst zu widmen habe. Werner beobachtete ihn und fragte sich zum ersten Mal, was für eine Art Liebhaber Ludwig war. Ludwig und Zelda, nackt, wie sie einander keuchend umschlangen. Werner konnte es sich nicht vorstellen. Er fand, als Paar brachten sie nicht oder nicht mehr die nötige Spannung für ein erotisches Verhältnis auf. Es wirkte eher wie ein freundliches Entferntsein, eine duldsame, sogar liebevolle Ratlosigkeit, jedenfalls von Seiten Ludwigs. Aber Zelda? Ihrem Umgang mit Ludwig war eine Spur forcierte Zärtlichkeit, ein wenig Getue anzumerken. Keine Sticheleien wie bei ihm und Margret, die vor anderen manchmal peinlich waren. Werner befreite einen Hühnerknochen von den letzten Fleischfasern, stach zu fest in eine gegrillte Tomate und spritzte dabei Saft in Zeldas Richtung, die es trotz des cremefarbenen Oberteils locker nahm und nur ein paar Mal mit der Serviette herumtupfte. Sie schien ein wenig betrunken. Ob es Absicht war, dass Ludwig ihr Weinglas während des Redens nach und nach weiter weg schob? Auf seinem Beobachtungsposten gewann Werner wieder etwas Boden unter den Füßen. Die Wohnung war ganz Zeldas Geschmack, Ludwig hielt sich zurück oder interessierte sich kaum für Stilfragen. Erst auf den zweiten Blick sah man die ordnende Hand, leicht und kühl wirkende Materialien, Glas, Plexiglas, matte Seide. Nichts protzte. Jede Menge harmonisch arrangierter Zufälle, Understatement. Keinerlei Restbestände aus früheren Lebensphasen, die noch irgendwo unbeachtet herumstanden und auf das Vergehen der Zeit und die Veränderung ästhetischer Vorlieben verweisen. Zelda hob nicht gerne Dinge von früher auf und entsorgte Überflüssiges mit beinah fanatischem Eifer. Selbst die ersten Bilderbücher und Stofftiere zu retten, blieb Ludwig oder den Kindern selbst überlassen, sie hätte alles weggeworfen. Die Vorstellung vollgestopfter Kellerräume oder Kästen sei ihr unerträglich, hatte sie an einem ihrer gemeinsamen Abende einmal erzählt.

Vor ein paar Jahren war Zelda eine Niere entfernt worden. Ihr Job in der Online-Redaktion eines Fernsehsenders schien recht stabil, aber seit ihrer Krankheit arbeitete sie nicht mehr Vollzeit und verlegte sich mehr auf das Textsprechen. Zelda war immer beliebt gewesen, aber die Krankheit und ihr mäßiges berufliches Engagement hatten neben dem, was sie als angenehme Gesprächspartnerin, Gastgeberin, Kollegin zu bieten hatte, ihren sozialen Marktwert in stabile Höhen geführt: Ein nicht unwesentlicher Teil ihres Geheimnisses war, dass sie überraschend wenig Neid auslöste. Ihre Art, die üblichen Insignien eines gelingenden Lebens, unter anderem recht unproblematische Kinder mit guten Schulnoten und eine gut funktionierende Partnerschaft, nie zum Thema zu machen, hatte daran ihren Anteil. Margrets gegenteilige Neigung nahm sie stets mit freundlichem Gleichmut hin. Auch in Ludwigs Nähe konnte man sich sicher fühlen. Nein, Zelda würde doch gewiss nicht erwähnen, was er ihr, der Teufel weiß warum, vorhin erzählt hatte. Was hätte sie auch davon? Sie und Margret mochten einander durchaus, waren aber keine engen Freundinnen, was an Margret lag, die kein Talent für Frauenfreundschaften besaß, wie sie von sich sagte. Und selbst wenn er wüsste, warum er sich vorhin hatte hinreißen lassen, was würde es nützen? Er musste sich nur vorsehen, nicht wieder in eine vergleichbare Lage zu geraten. Zum ersten Mal seit dem Eintreffen Ludwigs und Margrets suchte sie sein Blick. Sie sah jetzt anders aus, weniger offen, weniger verletzlich. Irgendwann dazwischen hatte sie wohl ihr Makeup aufgefrischt, wahrscheinlich lag es nur daran. Im Unterschied zu den meisten Männern hatte Werner ein Auge für so etwas, was noch aus seiner Schauspielerzeit herrührte. Sie war aus den Hausschuhen geschlüpft, natürlich nicht irgendwelche Schlappen, sondern hübsche marokkanische Pantoffeln in der Farbe ihres Kleides, und legte ihre Füße auf Ludwigs Oberschenkel. Er streichelte beharrlich über ihren

Rist. Manchmal fielen ihm für Sekunden die Augen zu. Werner sah auf die Uhr. Margret erzählte gerade eine Anekdote über einen dummen Kunden, hatte aber Mühe, während des Desserts nicht ständig mit dem Reden aus dem Rhythmus zu fallen. Mit viel Disziplin hatte sie sich langsames Essen antrainiert, aber wenn sie etwas getrunken hatte und entspannt war, schlug die alte Gier wieder durch, die Werner schon vor Jahren an ihr aufgefallen war und die ihn abgestoßen hatte. Er erinnerte sich daran, weil das noch mitten in der ersten Verliebtheit gewesen war, eine Phase, in der man bei der unerwünschten Entdeckung von Mängeln gerade nicht besonders nachsichtig, sondern im Gegenteil besonders enttäuscht ist und Lust verspürt, den anderen dafür zu bestrafen. Zumindest er hatte so empfunden. Natürlich fand man sich ab, damit und mit vielem anderen auch. Es waren schließlich Kleinigkeiten, und man selbst war ja auch kein Heiliger oder auch nur ein Musterbeispiel für irgendetwas. Margret löffelte jetzt in beachtlichem Tempo, besonders bei Süßem konnte sie sich kaum zurückhalten. Er beobachtete, wie sie die Reste der cremigen Masse vom Teller kratzte. Für einen Augenblick hatte ihre Miene etwas kindlich Frustriertes: Wieder war es nicht genug gewesen. So wie es am Ende nie genug war. Er kannte diesen Gesichtsausdruck genau, auch wenn ihn heute Abend seit langem wiedersah. Sollte ihn das beunruhigen? Nachschlag würde sie natürlich ablehnen, wieder ganz die Beherrschte. Margret, die Geberin, Margret, die Stetige, die einen Typen wie ihn ertrug, ihn erdete, wie er es manchmal nannte. Margret, die Praktische, Margret, die Tüchtige, Margret, die Allrounderin, das Organisationstalent. Margret, die Gierige? Nahm sie außer ihm überhaupt jemand wahr? Aber da war sie, wie sie leibte und lebte: Ihr Gewicht schwankte, sieben Kilo hinauf, sieben Kilo hinunter, ein permanentes

Leidensthema. Doch ihre Disziplinschübe waren bewundernswert. Vielleicht nahm sie ja nur zu, um anschließend aller Welt zeigen zu können, mit welch eiserner Konsequenz sie sich wieder in ihre Bleistiftröcke hineinhungerte? Wieso war er heute nur derartig boshaft? Der Alkohol? Werner kannte sich, er wusste, bei einem gewissen Quantum konnte er ungeheuer streitlustig und schneidend werden. Und morgen musste er früh hinaus. Eine bis morgens um drei zeternde oder heulende Ehefrau war nicht drin. Ein paar wenige Vorteile hatte das Älterwerden durchaus: Manches sah man voraus und vermied es. Werner schob nun sein eigenes Glas weg, auf die Höhe von Zeldas noch halbvollem. Sie hatte es offenbar vergessen, unterhielt sich mit Margret, gab ihr vielmehr Stichworte zur Fortsetzung ihrer Geschichte. Mein Gott, was hatte er bloß? Sie hatte ihm doch nichts getan! Woher kam dann die Vorstellung, die Schüssel mit dem Sahnepudding heranzuziehen, Margret mit der anderen Hand im Nacken zu packen und kräftig darin einzutauchen? Oder einen großen Löffel zu nehmen und ihr die weiße Substanz so richtig ins Gesicht zu klatschen, während sie mit gefesselten Händen auf dem Stuhl saß?

Werner spürte einen leisen Luftzug, schrak auf. Könnte man sich vor den eigenen Bildern wegducken, er hätte es getan. Zelda hatte das Fenster geöffnet, setzte sich aufs Sims und blies den Rauch einer Zigarette in die klamme Nachtluft hinaus, die der Wind mit dem Rauch vermischt in den Raum wehte. Als er ihren Blick traf, wedelte sie abwehrend mit der freien Hand: »Bitte bloß keinen Kommentar übers Rauchen, ja?«

»Daran hätte ich gar nicht gedacht«, sagte Werner.

Mit dem Rauch stieß Zelda ein nervöses Lachen aus, das ihn nicht meinte. Die Vertrautheit von vorhin war wie weggeblasen, was ohnehin besser war. Trotzdem empfand Werner ein leises Gefühl von Bedauern. Ludwig war in Schweigen verfallen. Margret hatte endlich davon abgelassen, den Dessertteller abzuschaben, und schwenkte ihr leeres Weinglas zwischen den Fingern, was Ludwig ignorierte. Abwesend fixierte er etwas auf dem Tisch, eigentlich sah es aus, als schaute er hindurch auf irgendetwas Unerhörtes darunter, das ihn zum Erstarren brachte. Es war nun wirklich Zeit zu gehen. Margret angelte nach ihrer Handtasche. Als sie nach den rituellen Beteuerungen über die Güte von Speis und Trank in der Tür standen, fragte Margret Zelda, während sie in ihre Schuhe schlüpfte: »Und, wie macht sich eigentlich Mimi in Oslo?«

Werner sah, dass sich Zelda versteifte. Ludwig tauchte dagegen aus seiner müden Erstarrung auf und antwortete an ihrer Stelle, brachte noch ein paar Sätze über Mimis internationale Wohngemeinschaft, die hohen Preise in Norwegen und die guten Lehrveranstaltungen zuwege, von denen die Tochter berichtet hatte. Zelda sagte kein Wort. Wusste Ludwig doch Bescheid? Ohne es explizit zu sagen, hatte sie Werner vermittelt, Ludwig habe kein Sensorium für derlei, betrachte Zeldas Problem als Überspanntheit. Beim Hinuntergehen legte er den Arm um Margret und zog sie fest an sich, vielleicht aus Reue wegen seiner bösartigen Gedanken von eben, was sie natürlich nicht ahnte, und sie schmiegte sich wohlig in die Berührung.

Dass Zelda und Werner einander in den nächsten Wochen nicht ein einziges Mal im Stiegenhaus begegneten, war einigermaßen überraschend. Um einander absichtlich aus dem Weg zu gehen, kannten sie den jeweiligen Tagesrhythmus des anderen zu wenig, außerdem hatten beide bis auf Werners morgendliche Bürostunden unregelmäßige Arbeitszeiten. Ludwig traf er in diesem Zeitraum mindestens vier oder fünf Mal, eine ganz normale Frequenz. In den folgenden Tagen musste Werner weniger oft an das Gespräch mit Zelda denken als befürchtet. Es war nicht so, dass die Szene in seiner Erinnerung verblasste, dazu wich sie zu sehr vom Gewohnten ab. Vor allem erinnerte er sich an das Körpergefühl, das er gehabt hatte, nachdem er die Geschichte mit dem Fleck erzählt hatte: Leichtigkeit. Er hatte die Last eines Geheimnisses abgeworfen, die ihm gar nicht bewusst war. Zum ersten Mal hatte er ausgesprochen, was geschehen war. Etwas dem Unausgesprochenen zu entreißen, milderte seine Dramatik, und was einen Namen hat, verliert an Macht, der altbekannte Rumpelstilzchen-Effekt. Aber die Wirklichkeit war natürlich tückischer als jedes Märchen, und was den Worten entschlüpfte, trieb als Schar neuer Plagegeister sein Unwesen: Als Werner Ludwig erneut ohne Zelda antraf, drängte es ihn, nach ihr zu fragen, etwas an sich völlig Harmloses, wovor er aber jetzt zurückscheute. Ludwig, augenscheinlich in Plauderstimmung, stellte den Sack mit den leeren Weinflaschen schwungvoll auf einen Treppenabsatz, dass es klirrte, lockerte die Krawatte. Er komme direkt aus dem Büro. Dann begann er von einem Theaterstück zu erzählen, das er kürzlich gesehen hatte. Etwas umständlich schilderte er seine Eindrücke, lobte, formulierte als Fragen getarnte Einwände. Es hatte etwas Rührendes, wie Ludwig sich immer wieder um Themen mühte, die Werner seiner Ansicht nach interessierten, wie er versuchte, zu dem, was er als Werners Terrain bezeichnete, Verbindung herzustellen. Zwar misslang dies in der Sache bisweilen gründlich, aber Werner schätzte diesen Zug an Ludwig, redeten doch selbst freundliche und nicht uninteressante Zeitgenossen, vor allem Männer, am liebsten und beinahe ausschließlich von sich und den Dingen, über die sie Bescheid zu wissen meinten. Alle Abweichungen davon fielen auf und waren Ausnahme. Diesbezüglich unterschieden sich so verschiedene Soziotope wie ein Theater oder eine Versicherungsanstalt wiederum kein bisschen. Wo war Zelda nur? Er hörte mit einem Ohr zu, gerade so genau, dass Ludwig nicht mitbekam, wie unaufmerksam er war.

»Was meinst du, was bringt einen Regisseur dazu, so etwas zu machen? Versucht man mit dem Fernsehen zu konkurrieren? Oder etwa mit Youporn?« Er hatte keine Ahnung, was Ludwig meinte. Den letzten Teil seiner Erläuterungen hatte Werner nicht mehr mitbekommen. Immerhin war es doch möglich, dass Zelda Ludwig etwas erzählt hatte. In dem Fall würden sie wohl gemeinsam zum Schluss kommen, den Kontakt zu ihm und Margret unauffällig abreißen zu lassen und die Freundschaft zu beenden. Werner konnte Ludwig geradezu reden hören, wie er insistierte, dass sie sich nun wirklich nicht mit jeder Verrücktheit abgeben müssten, dass ihre Mitwisserschaft sie vor allem Margret gegenüber in eine völlig unmögliche Situation brachte und dass es das Beste wäre, sich in solch einer heiklen Angelegenheit und so weiter und so fort. Das Schreckensbild zerrann, wie es aufgetaucht war. »Aber ich halte dich auf, du bist mit den Gedanken woanders, nicht?«, sagte Ludwig, nahm den Sack mit den Flaschen wieder auf, schulterte ihn. Etwas bekam er also doch mit.

»Weißt du, ohne Zelda gehe ich ungern zu irgendwelchen Kulturdingern. Es fehlt mir, mich mit ihr darüber unterhalten zu können. Kunst ist eben einfach mehr ihr Terrain.« *Kulturdinger.* Wäre Werner in besserer Verfassung gewesen, hätte ihn Ludwigs Ausdrucksweise amüsiert und seinem Wunsch Nahrung gegeben, sich auf unbestimmte Weise überlegen zu fühlen. Dafür hatte er aber jetzt keine Kraft. Außerdem war nun endlich das Stichwort gefallen, um sich nach Zelda zu erkundigen, ohne Ludwigs Redefluss brüsk zu unterbrechen. Sie sei in Oslo, erfuhr Werner, Mimi besuchen. »Schon wieder!«, rutschte es ihm heraus.

Ludwig zuckte mit den Schultern, wissend, resigniert. Zelda tue sich wirklich schwer, Mimi ziehen zu lassen. Er zögerte einen Moment. Werner hoffte, dass Ludwig keinen Versuch unternehmen würde, das Problem zu erläutern, warf deshalb ein dümmlich-munteres »Das wird schon wieder« ein und schlug Ludwig auf die Schulter, dass die leeren Flaschen in dem Müllsack klirrten. Ob Ludwig enttäuscht oder erleichtert war, ließ sich nicht erkennen. »Naja, diese Gefühlsdinge sind halt mehr weibliches Terrain«, sagte er ungelenk, bevor er sich nun endgültig zum Gehen wandte. »Vielleicht sollte sie wirklich einmal mit einer Psychologin reden. Ich weiß gar nicht mehr, was ich ihr sagen soll.« Schon wieder das *Terrain*, offenbar ein Lieblingsbegriff. Wie musste die Welt eines Menschen beschaffen sein, der Interessensgebiete, Befindlichkeiten oder auch Fähigkeiten als klar voneinander abgegrenzte Gebiete interpretierte, als Terrains eben, die bestimmten Personen zugeordnet waren? Übersichtlicher als seine jedenfalls. Allerdings war Ludwig auch nicht der freundliche Ignorant, der gar nicht registrierte, wie die Menschen in seiner nächsten Umgebung litten, wie Zelda angedeutet hatte. Ludwigs wahrscheinliche Reaktion auf Werners Verhalten in der Rohrbruchsache würde sie hoffentlich voraussehen. Sie würde sich ihre eigenen Gedanken machen und davon Abstand nehmen, ihn einzuweihen. Auch davor befiel Werner die Angst in Schüben: Einmal sah er sie Margret beiseitenehmen, wobei er sich diese Variante in unterschiedlichen Verläufen ausmalte. Ein völlig anderer

Verlauf ergäbe sich, wenn Zelda nichts verraten, ihn aber insgeheim verachten und hin und wieder mit quälenden Andeutungen an ihr Wissen erinnern würde. Sie hätte ihn in der Hand. War er nicht sogar erpressbar? Die Gedanken zogen immer engere Schlingen. Hin und wieder tauchte er daraus auf und war sich vage bewusst, dass die Gefahr, in die er geraten war, viel stärker von ihm selbst ausging als von Zelda, ohne dass er dem etwas entgegenhalten hätte können. Es war entsetzlich, sich in einem Arrangement von Vermutungen zu bewegen, orientierungslos wie in einem Spiegelkabinett. Kein Wunder, dass der Smalltalk mit Ludwig ziemlich schwerfällig geriet. Werner würde Zelda bei nächster Gelegenheit aufsuchen und bitten, seinetwegen sogar inständig bitten – nein, die Vorstellung war zu widerlich.

Währenddessen liefen seine Tage wie am Schnürchen, und gerade weil ihm mehr denn je klar war, dass es gegen wirkliche Gefahren ohnehin keine Versicherung gab, verkaufte er glänzend und hatte, wie wohlwollend bemerkt wurde, eine richtige Erfolgssträhne im Job. Zu allem Überfluss war er auch noch mit einem Fall beschäftigt, bei dem es infolge der Löscharbeiten nach einem Zimmerbrand zu starken Wasserschäden gekommen war. Er stand im Wohnzimmer einer Altbauwohnung nur drei Querstraßen weiter, der ursprünglich mahagonifarbene Schifferboden war mit graugelben Schlieren bedeckt, und unter dem scharfen Geruch nach erkaltetem Brand machte sich allmählich der typische Wasserschadengestank breit, den Werner schon im Stiegenhaus wiedererkannt hatte. Am liebsten hätte er kehrtgemacht. Wenigstens das Wetter war gnädig. Werner fotografierte mehr als nötig, füllte stehend die Formulare an der noch feuchten Wand aus, notierte jedes Detail, trank in einer behelfsmäßig mit Obstkisten als Sitzplatz hergerichteten Ecke, mitten im

Chaos aus Möbeln, Plastikplanen und Putzkübeln, Kaffee mit der Wohnungsinhaberin. Sie war eine sympathische Alleinerzieherin mittleren Alters, die zwar etwas mitgenommen aussah, im Großen und Ganzen aber besonnen und gelassen blieb, eine Haltung, die sich anscheinend positiv auf die beiden Kinder übertrug, die ohne zu murren bei allerlei kleinen Arbeiten mithalfen. Das kleinere, ein acht- oder neunjähriges Mädchen, kam alle paar Minuten, um seiner Mutter strahlend Fotos von einem Geburtstagsfest, einem Ausflug, von der Oma oder der Katze zu zeigen, die es geduldig aus einem Haufen verpappten Papiers gelöst und mit einem Haarfön getrocknet hatte. Werner erinnerte sich, wie rigoros er nach dem Wasserrohrbuch bei sich zu Hause alles weggeworfen hatte, was nur ein wenig feucht war. Er hatte alte Schulhefte, Zeugnisse, Rollentexte und sogar Zeitungskritiken entsorgt, in denen er lobend erwähnt worden war. Das Gefühl der Erleichterung war ganz ähnlich gewesen wie nach seiner vermaledeiten Beichte bei Zelda. Vom Löskaffee, den ihm die Kundin brachte, bekam er Magendrücken. Die Sonne schien Werner durch das geöffnete Fenster ins Gesicht, es war fast Mittag, und er hatte noch nichts gegessen. Eigentlich wollte er eilig zum nächsten Termin, stattdessen ließ er sich eine zweite Tasse Kaffee und Kekse aufnötigen, die nach feuchtem Karton schmeckten. In seinen Eingeweiden gluckerte es schon eine ganze Weile. Als er aufstand, schaute er jäh in die gelben Augen einer schwarzweiß gefleckten Katze, offenbar diejenige von dem Foto, das die Kleine gerade gerettet hatte. Sie war aus dem feuchten Durcheinander in ein Wandregal geflüchtet, thronte auf einem Plastiksack mit Wollresten und blinkte ihn feindselig an. Die Pupillen des Tieres bildeten ein Doppellicht an der Innenseite von Werners Lidern ab, als ihm schwarz vor Augen wurde. Er konnte nicht verhindern, dass er ausrutschte und zu Boden ging, die sorgfältig geordneten Formularblätter segelten über ihm nieder. Weil er im Fallen mit dem Arm nach Halt suchend weit ausgeholt hatte, schlug er sich das Handgelenk an. Ein Blatt landete in einem Putzkübel mit Lauge. Nachdem die Hose abgebürstet und das Papier von der quietschvergnügten Kleinen trockengefönt war, meinte die Kundin noch, wie froh sie darüber sei, dass man sich gegen gewisse Kalamitäten zum Glück doch wappnen könne. Werner sagte nicht, dass er das ganz anders sehe. Seine bisherige Überzeugung, man könne sich gegen echte Gefahren ohnehin nicht schützen und das ganze Versicherungsgeschäft sei ein einziges großes Täuschungsmanöver, musste er dennoch korrigieren. Sie war nur eine Konstruktion gewesen, um ihm die Arbeit erträglicher zu machen. Im Unterschied zur verbreiteten gegenteiligen Überzeugung tat er sich wesentlich leichter damit, etwas zu tun, woran er nicht glaubte und das er als reines Spiel betrachten konnte. Wer würde bestreiten, dass man sich mit Geld und anderen Mitteln gegen alles Mögliche schützen konnte – das Versicherungsgeschäft war ja nur ein kleiner Teil der weitgefächerten Vorsichtsmaßnahmen, die Menschen insgesamt ergriffen, um überhaupt atmen, aufstehen, aus dem Haus treten, mit anderen koexistieren und abends wieder einschlafen zu können. Es erwischte einen aber meist dort, wo man keinerlei Gefahr vermutete. Um ein Haar hätte er der Kundin gegenüber irgendetwas in der Art herausrutschen lassen, und das hätte die arme Frau mit ihrem echten oder überzeugend gespielten Optimismus nicht verdient. Die wahrhaft bedrohlichen Gefahren waren nicht eindeutig definierbar, für jeden schienen sich welche bereitzuhalten und auf ihre Stunde zu warten. Vielleicht war es damit so wie mit dem Eingang, vor dem in Kafkas berühmter Parabel ein Mann sein Leben lang auf Einlass wartet, bis ihm am Ende mitgeteilt wird, dass er einzig und allein für ihn bestimmt war. Hätte es ihm genutzt, dies früher zu erfahren, nicht erst in der Stunde seines Todes? Die Bühnenadaptionen von Kafkatexten, die sie vor Jahren an dem kleinen ambitionierten Vorstadttheater gespielt hatten, kamen Werner vage in Erinnerung. Die Grundstimmung, die damals das ganze Ensemble ergriffen hatte, lag irgendwo zwischen Begeisterung und echter Verstörung. Sie hatten sie für die Arbeit nutzen können und nicht in Hysterie verpuffen lassen, vielleicht war es deshalb so gut gelaufen. Details tauchten auf: In seiner Erinnerung war es wegen des blaustichigen Lichts immerzu kalt auf der Bühne. Sicher, das Gebäude war schlecht isoliert, noch dazu war Winter, aber ihm schien, als strömte die Kälte zusätzlich direkt aus den Worten selbst, nicht etwa, weil es kalte Worte waren, sondern weil sie von Einsamkeit und Wehrlosigkeit erzählten. Nach den Proben und Vorstellungen wurde exzessiver gefeiert als sonst, als wollten die Schauspieler demonstrieren, dass in ihrem wirklichen Leben etwas ganz anderes gespielt wurde: Überlegenheit, Frohsinn, Durchblick. Margret war damals schon eine Weile dabei gewesen. Er erinnerte sich an ihren bestimmten Schritt, wenn sie mit irgendeinem Requisit über die Bühne kam, ihre festen, weißen Waden mit den durchscheinenden Adern. Sie hatte Substanz. Wenn man ihr dumm käme, würde sie es sich nicht bieten lassen. Er hatte sie damals schon ein paar Mal gefragt, ob sie noch mit ihm auf ein Bier bliebe, wenn die anderen fort waren, oder ob er sie nach Hause begleiten könnte. Dabei war er noch keineswegs verliebt in sie. Es war nur so, dass ihn der vordergründige Narzissmus der meisten seiner Kolleginnen langweilte, und Margret war still, fast sperrig und offenbar nicht leicht zu haben. Zudem versprach sie etwas, was er nicht genau erkennen konnte und was ihm fremd war, es hatte etwas mit Festigkeit zu tun. So genau wollte er es gar nicht wissen, das hätte den leisen Kitzel, den sie hervorrief, auch schon wieder vertrieben.

Werner sagte die restlichen Termine des Tages ab, ließ das Firmenauto stehen und ging die paar Querstraßen zu Fuß nach Hause. Er erinnerte sich daran, wie er nach den Vorstellungen spätnachts nach Hause gegangen war, öfters ein wenig betrunken, meist allein, dann immer häufiger mit Margret. Die wohltuende Leere nach der Aufführung war etwas, das ihm die neue Arbeit nie beschert hatte, auch nicht das Gefühl, diese oder jene Einsicht, diesen oder jenen Moment, in dem sich an irgendeiner Stelle der Vorhang einen Spaltbreit auftat, keinesfalls vergessen zu dürfen. An ein umfassendes Verstehen der Welt, gar an quasi erleuchtungsähnliche Erfahrungen, hatte Werner nie geglaubt, an wellen- oder schockartige Zustände des Erkennens sehr wohl. Oft war ihm schon währenddessen bewusst, dass er den Weitwinkel des Blicks nicht würde halten können. Mit Kafka war es so gewesen. Und jetzt irrte er ständig in einem Paralleluniversum aus Erinnerungen umher, das ihn gegenüber den Anforderungen der Gegenwart schwerfällig und renitent machte. Die gesamte restliche Wegstrecke grübelte er über den vermuteten Fehler nach, der in seiner Schlussfolgerung lag, die wirklichen Gefahren würden einem immer verborgen bleiben, zerfaserte vor lauter Anspannung die Papiertaschentücher in seiner Jacke. Kurz vor der Haustür drehte er die Taschen um, leerte sie gründlich. Margret ärgerte sich immer, wenn er die zerfetzten Taschentücher nicht entfernt hatte, bevor sie seine Sachen in die Waschmaschine steckte. Klares Denken schien unmöglich. Egal womit er begann, es lief nach einigen Windungen wieder auf den Ausgangspunkt zu.

Er erkannte sie zuerst an ihrem Gang: Sie machte große, ein wenig unelegante Schritte und drehte das linke Bein eine Spur nach innen. Sie kam von der anderen Straßenseite zügig auf den Hauseingang zu, unter dem Klacken ihrer Sohlen spritzte das Wasser weg. Es regnete stark, mit heftigen Windstößen, sodass sie ihren großen Schirm schräg vor sich hielt und halb davon verdeckt wurde. Die ersten zwei, drei Sekunden einer Begegnung waren entscheidend, das wusste Werner: So schnell konnte man sich nicht verstellen, selbst wenn man Freude heuchelte.

»Wie war es in Oslo?«

»Bestens.« Ihr Lächeln war munter, die Verlorenheit gewichen. Ihre Beschwingtheit, der kirschrote Samthut, den sie mit passendem Lippenstift trug, und ihr gar nicht musternder Blick beruhigten Werner: Das war die vertraute Zelda. Sie sah gut aus, jünger, als hätte sie etwas von Mimi hierher mitgenommen. Intuitiv erfasste er, dass sie wahrscheinlich kaum mehr über ihr Gespräch nachgedacht hatte. Sie beschäftigte etwas völlig anderes, ihre eigenen Dämonen, wenn es denn welche waren. Und ebenso war er selbst seine Bedrohung und sein Gefängnis, aber was half es, das zu wissen? War es unter diesen Voraussetzungen nicht nur noch demütigender, sich nicht befreien zu können? Ganz gegen seine sonstige Art kam er jetzt ohne Umschweife zur Sache:

»Ich habe dich vermisst nach unserem letzten Gespräch, du erinnerst dich?«

Jetzt geriet er doch ins Stocken. Direktheit lag ihm nun einmal nicht. Ach was: Er war ein Feigling, war es immer gewesen.

»Hör zu, plag dich nicht«, sagte sie, ließ ihm den Vortritt in den Hauseingang. »Ich dachte mir schon, dass du dich schwer tun wirst. Das brauchst du aber wirklich nicht.«

Damit hatte er nicht gerechnet. Jetzt ging es ihm auf einmal zu schnell.

»Geht es dir besser?«, fragte er. »Und was macht Mimi? Wie gefällt dir eigentlich Oslo?« Jetzt erschien ihm ein kleiner Aufschub wünschenswert.

»Ja, ja, recht gut«, meinte sie ungeduldig. Darüber wollte sie offenbar nicht reden. »Ich erzähl dir später davon. Komm mit, trinken wir erst einmal einen Kaffee.«

Vor der Wohnungstür entwand sie Werner den Schirm, spannte ihn auf und stellte ihn neben ihrem auf den Boden. Sie hängte die Mäntel auf Bügel ins Bad, bürstete den Hut, rückte die Schuhe gerade. Dass sie pedantisch war, hatte er noch nie bemerkt. Vielleicht brauchte auch sie ein wenig Zeit. Seit sie das Haus betreten hatten, war kein weiteres Wort gefallen.

Während das Wasser geräuschvoll durch die Espressomaschine gurgelte, drehte sie sich zu ihm um und fragte: »Würdest du es gerne rückgängig machen?«

»Ja und nein«, sagte Werner. Einfach bei der Wahrheit bleiben, hatte er beschlossen, keine Spielchen, keine Manöver. Das war im Grunde etwas Neues. Als hätte ich mich bis jetzt durchs Leben geschwindelt, dachte er mit einem Anflug von Trotz oder Selbstbehauptungswillen, »so war es nicht«. Der Verdacht, dass es doch genauso gewesen war, ließ sich aber nicht mehr zerstreuen. Die folgenden Worte kamen stockend. Der Gedanke tauchte auf, dass er wohl eine recht armselige Figur abgab, wie er unbeweglich dahockte, in seine Kaffeetasse schaute, mit dem Löffel spielte. So zu tun, als könne er sich nicht halbwegs elegant und eloquent aus der Affäre ziehen, war beinahe ebenso schwer, wie sich einer physikalischen Grundkraft zu widersetzen.

Dennoch gelang es. Die Pausen, das neu Ansetzen, die

fragenden Blicke, die Verunsicherung, all das war auszuhalten, und sie hielten beide stand. Dass Zelda ihn nicht doch verurteilte, war solange unglaubhaft für Werner, bis er im Laufe ihres Gesprächs zwei Dinge begriff: Zum einen war es zunächst einmal niemand als er selbst, dem er zweifelhaft war, also hatte er sich auch nicht vorstellen können, dass jemand anderer ihn nicht ebenfalls verurteilte oder unter Generalverdacht stellte, schon gar nicht jemand wie Zelda, die er für so klug und wahrnehmungsfähig hielt. Zum anderen war Zelda tatsächlich mit anderem befasst gewesen. Hatte nicht auch er Zeldas Kummer über Mimis Wegzug als Gluckenhaftigkeit und Distanzproblem abgetan und in der Zwischenzeit nur mit ein, zwei peripheren Gedanken gestreift? War er nicht sogar heimlich neidisch auf Zelda gewesen, da ihm ihr Dilemma so gering, so viel weniger schuldbeladen und so viel normaler erschienen war als sein eigenes? Hatte er nicht gemeint, Zelda würde ohnehin auf reichlich Verständnis stoßen, er hingegen durfte nicht damit rechnen. Und Zelda, was ging in ihr vor? Was Werner ihr da erzählt hatte, das war eine richtige Geschichte, etwas, das Stoff für ein Drama bot. Und sie? Sie hatte nur ihre dumme mütterliche Anhänglichkeit, ihre peinliche Unfähigkeit, ihre Tochter erwachsen werden zu sehen und ein für allemal zu akzeptieren, dass sie, Zelda, eben älter wurde. Sie war so, wie sie niemals sein hatte wollen, das war die Wahrheit, mit der sie sich herumgeschlagen hatte. Und natürlich war es noch nicht vorbei.

All das wurde ausgesprochen, nichts ausgelassen. Zu den zwei Espressi kamen eine Flasche Weißwein und doppelt so viel Wasser. Sie redeten, bis ihnen der Mund trocken wurde, bis zur Erschöpfung. Wenig Kommentare, keine Ratschläge. War das das Geheimnis? Oder gar kein Geheimnis: einfach zwei Durchschnittsneurotiker mittleren Alters, miteinander bekannt, die gerade zufällig zur gleichen Zeit in eine Art Midlifecrisis taumelten? Wenn es ein Geheimnis gab, bestand es darin, dass weder Zelda noch Werner sich um mögliche Zuschreibungen kümmerten, auch nicht darum, welche Folgen ihr Gespräch haben würde. Nicht um Gesicht, Ruf, Fassade, nicht darum, was man konnte, durfte, sollte oder nicht: andere mit seinen Problemen belasten, seinen Ruf mutwillig riskieren, sich ausliefern, sentimental sein oder gar weinerlich, anstatt gegenüber den Zumutungen des Lebens souverän und gelassen zu bleiben. All das war erstaunlicherweise außer Kraft getreten. Es war nicht notwendig, zu verstehen warum. Sie saßen in Zeldas und Ludwigs Küche einander gegenüber an dem winzigen Essplatz mit dem Klapptisch, nicht im Wohnzimmer, wo sie sich sonst zu viert zum Abendessen einfanden. Ein Beobachter im Haus gegenüber hätte wahrnehmen können, wie sie sich abwechselnd vorbeugten, die Arme auf die Tischplatte stützten, die Beine übereinander schlugen, die Arme lösten oder verschränkten, einander an- und aneinander vorbeisahen. Zweimal sprang Werner auf und ging die vier Schritte auf und ab, die in dem kleinen Raum möglich waren, redete weiter, gestikulierte heftig. Sie, die sich immer unbewegter, fast starr zeigte, je aufgeregter sie wurde, zog die Knie an, umschlang sie mit den Armen. Einmal setzte sie sich ans geöffnete Fenster, rauchte. Nie berührten sie einander, nicht ein einziges Mal. Sie redeten, waren hin und wieder beschämt, dann erleichtert oder im Gegenteil beschwert, von Erinnerungen eingenommen, und redeten weiter. Zelda weinte eine Weile, woraufhin Werner ihr sagte, wie sehr er sie beneide. Sie lachten lange, ein Beobachter hätte es vielleicht hysterisch genannt. Später, als sie eine Weile schweigend dasaßen, spürte Werner seine Erschöpfung. Sie waren still, als müssten sie dem Nachklang ihres Gesprächs noch die Zeit geben, sich festzusetzen, erinnerbar zu werden. Nichts sollte verloren gehen, darin waren sie sich einig, ohne dass es ausgesprochen werden musste. Er sagte: »Jetzt habe ich mich über zwei Stunden nicht selbst beobachtet. Es ist, als hätte ich mich selber verpasst.« Sie lachten beide, befanden, jetzt sei es wirklich genug. In ihrer Umarmung zum Abschied lag eine Ruhe, die Werner nicht kannte. Er küsste Zelda auf den Scheitel. Sie blickte auf, fragte: »Machen wir weiter?« Er nickte.

Es spielte sich ein, dass sie einander abwechselnd bei ihm oder bei ihr trafen, meist an Dienstagen um die Mittagszeit. Ludwig und Margret waren dann außer Haus. Die Dauer der Besuche, an die zwei Stunden, blieb konstant, worüber sie witzelten. Mit etwas Ironie nannten sie ihre Treffen »unser Arrangement«, darüber hinaus machten sie sie nicht zum Thema. Beide würden sich hüten, etwas zu zerreden, das ihnen als ungeahnte Möglichkeit erschien. Zelda, die etwas mehr Neigung zum Pathos mitbrachte, würde vielleicht sogar den Begriff »Gnade« gebraucht haben. Wenn sie auseinandergingen, räumten sie sorgfältig Gläser, Tassen und Aschenbecher weg, öffneten die Fenster. Ludwig und Margret sollten nichts erfahren. Die unausgesprochene Einigkeit darüber verband sie genauso wie die Gespräche selbst. Ansonsten geschah nichts von dem, was zu erwarten gewesen wäre. In den Zeiträumen zwischen ihren Treffen dachten sie wenig an das Gesprochene und nur kurz aneinander. Beide hätten ohne Zögern gelogen, um fortzusetzen, was sie begonnen hatten, aber sie verliebten sich nicht ineinander. Sie träumten nicht voneinander. Ihre Berührungen blieben sporadisch und waren tröstlichen Charakters, ein Griff nach dem Unterarm, ein zärtlich gehaltenes Handgelenk, ein Schultertätscheln. Eine Umarmung zum Abschied, in der sie manchmal ein wenig verharrten. Sonst nichts, das würde Zelda Ludwig später glaubhaft versichern können. Dass ihn das nicht besänftigte, führte sie auf seine Unfähigkeit zurück, etwas zu begreifen, das außerhalb seines Handlungsspielraums lag. Sie hatte Unrecht, ließ Ludwig aber nicht mehr aus dem Bild entkommen, das sie sich von ihm gemacht hatte. Das war es dann letztlich. Was sollten Worte da noch ausrichten?

»Wäre es denn so platonisch geblieben?«, fragte Ludwig.

»Woher soll ich das wissen?«, sagte Zelda.

Margret machte es Werner um einiges leichter. Sie zeterte nicht, stattdessen fiel sie in eine Art Schockstarre. Sie verbarg ihre Verletztheit und Eifersucht vor ihm und gab sich souverän und ziemlich kalt. Falls sie über seinen ausbleibenden Protest zusätzlich gekränkt war, nachdem sie ihn gebeten hatte auszuziehen, zeigte sie auch das nicht. Es gab Momente, in denen Werner sie liebend gern dazu gebracht hätte zuzugeben, dass doch jetzt genau das eingetreten war, was sie sich beide insgeheim gewünscht hatten, aber den Gefallen tat sie ihm natürlich nicht. Vielleicht war es für sie auch nicht so, und er hatte sie einfach nur schwer verletzt.

Dass er und Zelda sich mit dem simplen Erzählen von Geschichten aus ihren bisherigen Lebensverhältnissen hinausreden würden, hätten sie nicht vermutet. Was man hier nicht bekam, holte man sich eben woanders, so der nicht unzutreffende Vorwurf, den Margret Werner entgegenschleuderte. Die Teilwahrheiten sind aber die gefährlichsten. Werner wusste, dass seine Erklärungsversuche schwach waren und von Margret als weitere Kränkungen empfunden wurden. Vieles war ihm noch unklar, und Margrets Bedürfnis,

Recht zu behalten und das Opfer von Werners Verschlagenheit und subtiler Untreue zu sein, war überwältigend. Seine versteckte Wut auf sie hingegen war völlig verflogen. Er hätte sich zumindest wieder um sie bemühen können, eine kleine Chance bestand. Auch war seine Angst vor dem Alleinsein nicht gering. Es war etwas anderes, das ihn davon abhielt: Wenn er bei Margret blieb, wusste er, was kommen würde. Auch war sein Schuldenstand bei ihr ins Unermessliche gewachsen. Er wäre lebenslänglich zur Dankbarkeit verurteilt. Allein die Vorstellung war mörderisch. Mit den Abhängigkeiten mehrten sich die Tabus, die man im Laufe der Zeit derart verinnerlichte, dass man sich ihrer gar nicht mehr bewusst war. Der einzige, aber entscheidende Nachteil war, dass man bei voller Funktionstüchtigkeit abstarb, etwas, das man jahre- oder jahrzehntelang schlicht übersehen oder leugnen konnte. Man konnte erfolgreich sein, umtriebig, eine Karriere, seine Freizeit und sogar Affären pflegen. Es konnte täuschend echt aussehen, ganz so, als lebte man sein Leben. Allerdings versprach jene andere Lebendigkeit oder Freiheit nichts Greifbares: Nicht einmal ein Freisein von Angst oder Traurigkeit war garantiert, im Gegenteil. Freiheit war keine Angstfreiheit, keine Ekstase, keine Sicherheit, keine Süße. Freiheit war Freiheit, nichts anderes. Werner würde es erfahren und Zelda auch.

Einstweilen aber waren Worte Wundermittel, Heimat, Magie. Das Verblüffendste für Werner und Zelda war die Leichtigkeit, mit der sie sich verständigen konnten. Werner tastete sich allmählich vor, Zelda kannte kaum Rücksicht oder Selbstschonung. Wie lange sie bei einem Thema blieben, war völlig offen. »Ich wusste ja nicht«, »Hätte ich damals gewusst«, »Ich weiß immer noch nicht« waren Satzanfänge, die häufig vorkamen und einfach so hingenommen wurden.

Worüber sie redeten? Da war eine Großmutter mit borkigen Schaufelhänden, in denen Landkarten verzeichnet waren. Sie sprach viel über Wege, die es nicht mehr gab, über einen vereisten Fluss. Sie weinte nachts, kippte tagsüber ihre zornigen Drei- bis Fünfwortsätze in einer fremden Sprache aus. Sie war die erste Tote, die Zelda gesehen hatte. Da war die Klientin des Vaters, ein rötlichbrauner Knoten aus glattem, lackartig glänzendem Haar im Nacken, da war der Moment, in dem der Vater ihr die Hand ins Kreuz legte und das Lächeln aus den Mundwinkeln zwang, als er seinem Sohn, der hinter einem Aktenschrank gespielt hatte, in die Augen sah. Da waren heimlich versteckte Jausenbrote mit der verhassten Ringlottenmarmelade, von der Mutter nach Tagen oder Wochen im Bettkasten gefunden. Da waren auf den Nacken jüngerer Spielgefährten gerichtete Zirkelspitzen, überhaupt die Lust an der Schwäche anderer, der heimliche Terror, der heimliche Verrat, die heimlichen Lustbarkeiten, die ganze riesige Gegenwelt, in der man als Kind existiert hatte. Schon bevor man vierzehn Jahre alt wurde, war man alles gewesen: Verräter, Liebender, Komplize, Held, Diktator, Verführter, Verführer, Opfer und Täter. Ohne viel Federlesens wäre man zum Mörder geworden, wenn man es vermocht hätte. Dann vergaß man fast alles, damit die alten Spiele auf neuen Brettern mit neuen Figuren weitergespielt werden konnten. Da waren zugeschlagene Türen, verquollene Augen, zusammengeknüllte Taschentücher und Kissen, gierige Züge aus vollen Gläsern, immer wieder nachgezählte Münzen. Der eigene Körper war ein erobertes Land, eine Quelle des Entzückens, ein Feind. Da war Diebstahl mit fünfzehn, ein hastig in Taschen gestopftes Kleid und kein Funken der Reue, als sie erwischt worden war, nur Ärger. Da war die Überzeugung, im Grunde ein schlechter Mensch zu sein, und dass dieser finstere Grundton immer wieder durchschimmern würde, egal wie viel Bravheit und Güte man darüberlegte. Da war das kindliche Verlangen, gerettet zu werden, das Männer überraschte und abstieß, wenn sie es hinter ihrer selbstbewussten Fassade aufspürten. Da war Hingabe. Da war das Verlassenwerden, einmal als wahrer Weltuntergang erlebt. Sie war zu schwach, um überhaupt zornig zu sein, ihre Konturen lösten sich auf. Da war Scham. Wie das Wiederzusammensetzen gelang, wusste sie nicht mehr. Da waren das Verführen und die Überzeugung, das stehe ihr zu. Sie stellte Fallen, war besonders gut darin, wenn sie einen nicht liebte. Da war Ludwig, da war ihr fester Vorsatz, die Liebe diesmal nicht entwischen zu lassen. Da waren Mimi und Manuel, die sie schon von Anfang an nicht im gleichen Maß geliebt hatte. Gerade deshalb verwöhnte sie Manuel mehr, gerade deshalb war Mimi felsenfest überzeugt, dass ihr Bruder der Liebling der Mutter sei.

»So weit kann Verstellung gelingen«, sagte Zelda zu Werner. »Gibt es etwas Traurigeres?«

Natürlich gab es vieles, das trauriger war. Aber keiner von ihnen verfiel auf den Irrtum, das, was sie einander erzählten, in eine Hierarchie zu bringen. »Nie habe ich etwas Schrecklicheres erlebt«, »Das war das Schlimmste, was ich je getan habe«, solche Wendungen wurden ausgesprochen, waren aber als rhetorische Mittel außer Zweifel gestellt. Was erzählt wurde, galt und wurde nie durch den Verweis auf etwas anderes relativiert. Nichts brachte den Redefluss zum Stocken, außer die Zeit, die sie zur Verfügung hatten, und die Anstrengung, die das Ganze auch physisch spürbar kostete. Während dieser Zeit liefen die Abende zu viert ohne Unterbrechung weiter, das war etwas, das Ludwig und Margret später besonders aufbringen würde. Dabei waren die

Paarabende, nachdem Werner und Zelda begonnen hatten, einander zu treffen, von einer ausgesprochenen Leichtigkeit. Es fehlte nichts, so einfach war das.

Zelda fiel es zuerst auf, dass Werner sich bei den Themen an sie anlehnte. »Du schaust sehr genau, wie weit ich gehe, und dann rückst du ein Stück nach«, sagte sie. Er schwieg. Eigentlich gab es nur eine einzige Sache, die zu erzählen sich lohnte, außer der Geschichte mit dem Fleck, das wusste er seit dem ersten Treffen. Manchmal überlegte er, wie er es angehen könnte, verwarf die möglichen Einstiege dann aber allesamt als zu inszeniert. Es müsste sich ergeben, dachte er. Aber es ergab sich nicht. Stattdessen kam im Windschatten von Zeldas Geschichten etliches andere zur Sprache, das ihn erstaunte, weil er seit Jahrzehnten nicht mehr daran gedacht hatte: Sein Bruder, der das Album mit den Klebebildern, die er seit Monaten gesammelt hatte, in den Teich zu werfen drohte, wenn Werner petzen würde, dass er ihn mit einem Mädchen rauchen und schmusen gesehen hatte. Das erste bewusste Begehren, ausgelöst durch das alberne, vom Zigarettenrauch etwas aufgerauhte Gekicher dieses Mädchens, das der um vier Jahre Ältere mit seinen öligen Worten und Fingern hinter dem Geräteschuppen betatschte und dessen Namen Werner nicht mehr wusste. Die Mutter, die bei allen möglichen Gelegenheiten mit dem Weglaufen drohte. An Angst erinnerte sich Werner nicht, die Wiederholung hatte der Drohung ihrer Wirkung genommen. Ungehaltene Versprechen, verlorene Kämpfe, ab und an ein Sieg, selten ohne bitteren Beigeschmack. Drohungen aller Art als alltägliche Realität, von Erwachsenen oder älteren Kindern ausgesprochen, was ihm nicht einmal als besonders schlimm und eigentlich normal erschienen war. Man musste damit leben lernen, das hieß, man schlängelte sich immer durch, dazu musste man stets beweglich und wachsam sein, jederzeit bereit, überzeugend zu leugnen, was man wusste, und zu lügen über das, was man dachte und tat. Sobald wie möglich musste man selbst drohen. Da war immer einer, der schwächer war, man musste nur gut Ausschau halten und mit den richtigen Leuten verbündet sein. Auch davon erzählte Werner, trotzdem war es noch nicht das Eigentliche. Es waren Versuchsanordnungen, Tests, inwieweit er Zelda vertrauen konnte. Wahrscheinlich tat sie nichts anderes, hatte aber im Unterschied zu Werner in ihrer Erinnerung nicht dieses eine entscheidende Ereignis, um das sich das gesamte übrige Leben anordnete wie um einen Monolithen. Von der Jugend zu erzählen, davon, als fast alles wirklich Schöne und Aufregende verboten war oder peinlich vor denen, auf deren Urteil es ankam, war wie eine fortwährende Übung, ohne dass sie sagen hätten können, worin eigentlich. Vielleicht darin, die eigene Verteidigungsbereitschaft aufzugeben? Darin, die Gewandtheit zu verlieren, den Witz, die scheinbare Handlichkeit, mit der man sein Dasein zu bewältigen schien, den Durchblick und das wohl nie endende Wissen darüber, was andere – immer andere! – anders machen sollten? Verlieren, verlieren, verlieren: Waren sie denn verrückt geworden, fielen sie einer Art enterotisierten Folie à deux zum Opfer? Sie zeigten einander die verbotenen Stellen, Stück für Stück, wie es Kinder manchmal taten.

Auch wenn Zelda mit ihrer Beobachtung Recht hatte, tastete sich Werner doch voran, oft ohne es überhaupt zu bemerken. Das Problem des Einstiegs löste sich von selbst: Er verzichtete auf jegliche Einleitung. »Ich habe einmal nach einer Vorstellung betrunken einen Menschen angefahren und bin dann geflüchtet.«

Die einzige Sicherheit für Werner war, dass Zelda warten konnte. Er war erstaunt, dass ihr Gesicht auch jetzt nichts verriet. Etwas Besseres als ihren ruhigen und aufmerksamen Blick hätte es nicht geben können. Er hatte keine Ahnung, ob ihre größten Schrecken mit den seinen vergleichbar waren, oder ob es überhaupt etwas gab, dessen sie sich ebenso schämte, aber er wusste, er hatte ihr schon dasselbe gegeben. Das machte ihm Mut. Einander zu beurteilen wäre ihnen ohnehin langweilig gewesen: Es hätte so vieles verhindert. Es wäre das gewesen, was man sonst immer tat, um sich über Wasser zu halten.

»Erzähl!«

Natürlich. Ein Zurück war an diesem Punkt undenkbar.

»Seltsamerweise erinnere ich mich viel genauer an die Stunden davor, als daran, wie es passiert ist. Das Ganze ist so oft vor meinem inneren Auge abgelaufen, dass ich nicht mehr weiß, erinnere ich mich an das Ereignis oder erinnere ich mich an meine Erinnerungen und verändere sie nach und nach.«

»Und was war vorher?«

»Wir haben Kleist gespielt, *Käthchen von Heilbronn*. Alles lief gut, routiniert, vielleicht ein bisschen langweilig. Ich hatte nicht viel zu tun mit meinen zwei Nebenrollen. Margret saß in der zweiten Reihe und trug ein gelbes Kleid, das ich nicht kannte. Ich erinnere mich, dass das Kleid im Halbdunkel richtig leuchtete, alles andere rundherum wirkte, als wäre es schwarzweiß. Es war ein heißer Abend im Juli, wir schwitzten fürchterlich unter den Bühnenscheinwerfern. Damals hatte ich schon einige Nächte mit Margret verbracht. Ich mochte sie, wahrscheinlich war ich vor allem neugierig. Sie war so anders. Aber sie wartete zu sehr, weißt du, was ich meine? Da war etwas verborgen Ergebenes, das mich zögern ließ. An dem Abend hatte ich nicht vorgehabt, nach der Vorstellung in der Kantine hängenzubleiben. Walter, der Kollege, der den

Grafen Friedrich Wetter vom Strahl gab, parodierte seine Rolle und sprang irgendwann auf den Tisch. Wir sangen, lachten. Jemand brachte noch eine Flasche Wodka und Eis, und wir setzten uns auf das Garagendach hinter dem Bühnenraum und schauten dem aufziehenden Gewitter zu. Ich weiß noch, die Wolken waren wunderschön, gefährlich, anthrazitgrau und sahen fest aus wie Stahlwolle. Als der Regen kam, schwangen wir uns nacheinander vom Garagendach, und ich schnitt mich an einer Blechkante der Dachrinne. Ich glaube, erst da bemerkte ich, dass Margret gegangen war. Vielleicht hatte sie sich darüber geärgert, dass ich noch mit den anderen dageblieben war. Ehrlich gesagt, es war mir egal. Ich erinnere mich, dass ich für einen Moment unter dem Vordach stand, Blut tropfte von meinen Fingerkuppen und vermischte sich mit dem Regenwasser. Der Schnitt war aber nicht tief, leider. Wäre es schlimmer gewesen, hätte ich auf der Couch in der Garderobe geschlafen. Der Regen trommelte so stark aufs Autodach, dass es in den Ohren wehtat, dann ließ er plötzlich nach. Es war kurz nach drei Uhr, und ich fühlte mich nicht einmal müde, eher so, als wäre stehenbleiben anstrengender als einfach weiterzufahren, stundenlang, wenn es sein musste. Ich sah den Mittelstreifen unter dem Auto wegflitzen. Die Straßen waren so gut wie leer. Ich glaube nicht, dass ich irgendetwas dachte. In den Sekunden, bevor oder nachdem es passierte, schnurrten die Lichter im nassen Asphalt blitzschnell zusammen, bunt wie auf einem Bild von Jackson Pollock. Einen Moment starrte ich fasziniert darauf und fragte mich, wie so etwas möglich war. Sonst hatte ich nichts gesehen, schon gar nicht jemanden, der die Straße überquerte. Der Schlag an der rechten Seite des Autos war laut. Die vollkommene Stille danach war erst wie ein weiterer heftiger Schlag. Und dann plötzlich wie ein Ausweg, der sich auftat: die Stille und die leere Straße. Was für ein schöner, unschuldiger Glanz. Im Rückspiegel sah ich eine helle Gestalt, einen Mann, vielleicht zwanzig, dreißig Meter hinter mir auf der Straße liegen, auf dem Rücken, die Arme ausgebreitet. Blut war keines zu sehen. Und dann fuhr ich los. Ich hatte nicht einmal Angst, keinen Gedanken, ich fühlte überhaupt nichts, außer diesen wahnsinnigen Fluchtimpuls. Das Ganze hatte sich vielleicht in zwei oder drei Minuten abgespielt. Margret hatte mir vor Kurzem ihren Wohnungsschlüssel gegeben. Ich kroch neben ihr ins Bett, ohne sie zu wecken. Ich lag da, bis es hell wurde. Selbst das Atmen kam mir wie eine verbotene Heimlichkeit vor. Wenn der Mann tot wäre. Natürlich dachte ich daran, jede Sekunde. Ich starrte auf den Schrecken, nichts, keinen einzigen verdammten Augenblick rückgängig machen zu können. Warum ich nicht am nächsten Morgen zur Polizei gegangen bin? Feigheit natürlich, immense, unverzeihliche Feigheit. Mit jeder Stunde wurde es unmöglicher. Und es war Margret, die die Sache in die Hand nahm. Der Unfall mit Fahrerflucht kam als kleine Notiz in die Zeitungen. Sie fand heraus, dass der junge Mann, den ich angefahren hatte, ein Maschinenbaustudent war, anscheinend auf dem Nachhauseweg von einer Party, ein wenig betrunken, ein wenig unter Drogen. Er hatte einige komplizierte Brüche, eine schwere Gehirnerschütterung, einen Milzriss, insgesamt aber noch Glück gehabt, weil ich ihn nicht frontal erwischt hatte. Er hatte die Fahrbahn an einer unübersichtlichen Stelle betreten. Sechs Wochen lag er im Spital. Bleibende Schäden würde es aller Voraussicht nach keine geben, hieß es.«

»Woher weißt du denn das alles?«, fragte Zelda. »Habt ihr recherchiert?«

Werner nickte, zögerte. »Nicht ich. Das hat alles Margret gemacht. Ich war wie gelähmt.«

»Sie hat das alles an sich gerissen?«

»So kann man es nicht sagen. Sie hat sich um mich gekümmert. Ich weiß nicht, was ich ohne sie getan hätte.« Werners Einwand kam kraftlos. Ihm war, als sage er einen Zauberspruch auf, der nicht mehr wirkte. Als fiele er vom Glauben ab. Der zentrale Glaubenssatz war einfach und einprägsam. er lautete: »Ohne Margret wäre ich in dieser Situation zugrunde gegangen.«

»Wie lange ist das her?«

»Sechs Jahre.«

»Weißt du, was aus ihm geworden ist?«

»Er scheint gesund zu sein, sonst weiß ich nichts. Er arbeitet für eine deutsche Firma, ist viel unterwegs in Osteuropa. Vor ein paar Jahren habe ich ihm Geld geschickt. Ich habe darauf geachtet, keine Spuren auf dem Umschlag zu hinterlassen. Margret weiß nichts davon. Ich hoffe bloß, er ist nicht zur Polizei gegangen.«

»Hat es dich erleichtert?«

»Für kurze Zeit, ja. Dann war es wieder wie vorher.«

Sie saßen eine Weile da, tranken noch ein Glas, waren jeder für sich. Im Moment gab es nichts hinzuzufügen.

Zwei Etagen tiefer saß Margret in der Küche und wartete seit etwas mehr als zwei Stunden auf Werner. Ausgerechnet an jenem Tag war sie zu Mittag kurz nach Hause gekommen, weil sie die Überweisung für einen Arztbesuch liegen gelassen hatte. Werner war mit einer Flasche Burgunder unter dem Arm aus der Tür getreten, genau in dem Moment, als sie auf dem Weg nach oben einen halben Stock unter ihrer Wohnung gewesen war. Er ging die Treppe hinauf, ohne Margret zu bemerken. Es passte zu ihr, dass sie ihn nicht einfach ansprach. Sie wollte sich erst Überblick verschaffen. Sie sagte ihren Termin ab, verständigte das Büro, dass sie heute nicht mehr kommen würde, und setzte sich mit einer Zeitung in die Küche. Sie löste zwei Sudokus und ein Kreuzworträtsel, bis sie hörte, dass sich die Wohnungstür öffnete.

Jahre später würden Zelda und Werner hin und wieder noch auf diesen Zufall zu sprechen kommen. Sie waren uneins darüber, ob es überhaupt einer war, stellten fruchtlose Spekulationen über mögliche unbewusste Ahnungen an. Der Zufall räume eben auch das Unwahrscheinliche ein, meinte Werner. Sie waren vertraut genug miteinander, um ihre Was-wäre-gewesen-wenn-Überlegungen gelegentlich mit Lust zu vertiefen. Ein Paar wurde nie aus ihnen, aber ihre Freundschaft blieb bestehen, auch als Zelda anderthalb Jahre später nach Oslo zog, wo sie als Korrespondentin für einige deutschsprachige Medien arbeitete, sich damit ganz gut über Wasser hielt und Mimi unterstützte, die nach der Geburt ihres Babys als alleinerziehende Studentin Hilfe benötigte. Wenn sie jemand darauf ansprach, sagte Zelda, für eine Partnerschaft keine Energie aufbringen zu können. Werner blieb ebenfalls nicht in der Stadt, verließ die Versicherung und bekam ein Engagement an einem kleinen Stadttheater in der Provinz. Paradoxerweise genießt er es, sich ertragen zu können. Der Aufruhr, den Margret noch am selben Abend mit ihrem Anruf bei Ludwig ausgelöst hatte, legte sich zwar, doch Ludwigs Bemühungen, Zeldas Nähe wiederzugewinnen, stießen sie ab, und trotz ihrer Schuldgefühle trennte sie sich von ihm. Ludwig lernte über eine Internetpartnervermittlung eine ebenfalls geschiedene Physiotherapeutin kennen und heiratete bereits anderthalb Jahre später, was Zelda doch kränkte. Ebenso wie Margret behielt er die Wohnung. Er verbringt aber die meiste Zeit im Haus seiner neuen Frau auf dem Land. Margret lebt allein.

EPILOG

So sind sie, ich weiß: Sie vergessen fortwährend. Ganze Gedächtnisgebiete versinken ihnen wie Inseln nach lautlosen Beben. Die Wasseroberfläche kräuselt sich noch eine Weile, schlägt Wellen, und sprudelnd treiben Blasen in die Höhe, die ihnen Angst machen. Meistens sehen sie einfach nicht mehr hin. Aber das Bild ist falsch: Oft genügt eine Kleinigkeit, und das Ganze erhebt sich aus dem scheinbaren Nichts, als wäre es nie weggewesen. Lange war ich überzeugt, es wäre meine Unfähigkeit zu vergessen, die mich von ihnen unterscheidet. Aber das ist nicht richtig: Die Zeit verfügt über mich genauso wie über sie. Meine Risse und Sprünge, die ausgebesserten Stellen, die Durchbrüche und zugemauerten Türen, das zerbrochene und erneuerte Glas, die abgeknickten Rohre, alle meine Schichten aus Stein, Beton, Holz, Verputz und Farbe zeugen vom Gegenteil. Auch ich vergesse, und lenkt der Zufall meine Aufmerksamkeit auf einen abgelegenen Winkel, reißt jemand Tapeten von einer Wand, findet in einem Kellerabteil einen Schuh, einen Puppenkopf, eine Damenhandtasche oder dreht sich irritiert um, weil ihn von einer lautstarken Auseinandersetzung, die Jahre oder Jahrzehnte zuvor stattgefunden haben mag, ein Echo unterhalb der Hörschwelle kitzelt, dann weiß ich, wie es ist, wenn einem das Geflüster der Dinge den Schlaf raubt.

Warum ich überhaupt zu Bewusstsein gekommen bin, ein Haus, gebaut nach Ideen des frühen zwanzigsten Jahrhunderts? Am wahrscheinlichsten scheint mir die Möglichkeit, dass sich die hervorstechendsten Eigenschaften und Wünsche derer, die mich entwarfen, auf mich übertrugen, so ähnlich, wie es in der Folge der Generationen geschieht. Der Rest, nennen wir es der Einfachheit halber mein Ich, mag eine unerklärliche Laune des Kosmos sein, nichts weiter. In den Jahren meines Entstehens war ich ungewöhnlich, schlicht, mit vier gleich großen Wohnungen auf jeder Etage, Treppenhaus, Fenster und Fassade schmucklos. Zuvor war ich eine Idee, in nüchternen Zahlenverhältnissen ausgedrückt: Die Körper aufrichten, Luft und Licht in bestes Einvernehmen setzen, niemanden klein machen. Ich sei hässlich, sagten nicht wenige, kahl und nackt, ohne den Zierrat abgelebter Zeiten, an die sie sich klammerten. Nüchtern bin ich geblieben. Am Anfang waren Neugierde und Einsamkeit. Dann kamen sie, ihre Körper, ihr Geplapper. Sie zupfen einander an den Ärmeln und Krägen, lassen ihre Blicke umherwandern, klopfen mit den Fingerknöcheln hierhin und dorthin, fahren mit den Spitzen ihrer Regenschirme zwischen die Gitterstäbe des Stiegengeländers, erzeugen ein metallenes Vibrato, ziehen Spuren in die dünne Staubschicht auf den Postkästen, machen ihre Begleiter auf ein, zwei an die Wand gekritzelte Wörter aufmerksam, lachen, räuspern sich, klappern über die Stufen. Manche horchen ein wenig auf, aber selten erreicht sie etwas, das nicht aus ihnen selbst kommt. Sie suchen und horchen, aber sie hören nur ihre eigene Gleichgültigkeit, ihr eigenes Zögern, ihre eigene Angst. Selbst die Jüngsten unter ihnen, in denen die Geschichten noch voller loser Enden und beweglich wie ein Schwarm Fische sind. Immerzu sind sie abgelenkt. Immer von irgendwoher, immer irgendwohin, ohne etwas anderes wahrzunehmen als den unaufhörlichen Strom an Geschichten, in dem sie treiben. Wer sie sind, wer sie wären, wenn.

Wer sie fürchten zu sein. Worauf sie hoffen. Und immer und niemals und vielleicht und endlich und dann, später, später, irgendwann einmal. Und hoffentlich, hoffentlich morgen und dann und nächstes Jahr. Immer wieder: hoffentlich. Oder damals, immer damals, immer vorbei. Und immer: Hätte ich, wäre ich, würde ich, könnte ich, dann, ja dann. Und endlich. Aber gestern, vorgestern, vor einer Stunde, vor zwei und vor Jahren, vor einem, vor zehn, damals, als ich Kind war. Und er und sie und wir, ja wir! Und die anderen, immer die anderen. Die da draußen, die da drüben, die da unten und oben, und sich Zusammenziehen und Verschließen. Und du: immer ein Fremder. Und du. Und hättest du damals, und würdest du endlich. Und du, nicht du. Und du: Gib mir. Und du: Komm. Und du: Geh weg. Und: Ich liebe dich. Ich verabscheue dich. Und immer wieder ich. Und ich und ich. Letztlich: ich. Als gäbe es nichts anderes und keine anderen.

Gudrun Seidenauer **Aufgetrennte Tage** Roman

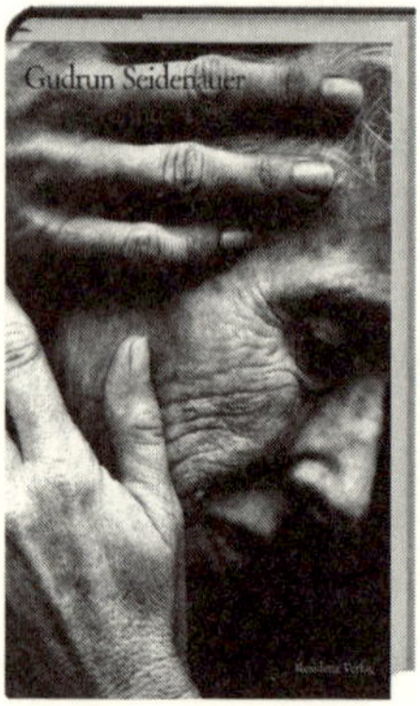

»Hermann ist tot, jetzt weiß sie es wieder ganz genau.« Mariannes Mann ist über die Treppe gestürzt und hat sich das Genick gebrochen – ein Unfall. Sie weiß genau, wann das war: Sie hat es sich auf einem Zettel notiert, um es nicht zu vergessen, wie sie manchmal auf das Mittagessen vergisst oder den Namen der Nachbarin oder ihre Tabletten. Marianne hat Alzheimer, sie verliert ihr Gedächtnis, nun hat sie auch noch ihren Mann verloren. Ein Unfall? Friederike, Mariannes Tochter, hat Zweifel. Ist ihre Mutter zur Mörderin geworden, um sich zu befreien?

Mehr als die Talentprobe einer jungen Schriftstellerin, die mit ihrem virtuosen Debüt »Der Kunstmann« überzeugte.

Frankfurter Allgemeine Zeitung

Aus einem Stoff, der bei anderen Autoren zu einem Krimi geworden wäre, macht Gudrun Seidenauer einen psychologisch feinen und stilistisch überzeugenden Roman.

Ö1 Ex Libris

Gudrun Seidenauer hat einen psychologisch einfühlsamen und stilistisch hervorragenden Roman über Erinnerungs- und Vergessensleistungen geschrieben, der besser als bisher Gelesenes die Macht der Zeit und die Wunden, die sie schlägt, analysiert.

literaturhaus.at

autor**in**residenz

Anna Weidenholzer **Der Winter tut den Fischen gut** Roman

Maria hat Zeit. So sitzt sie tagsüber oft auf einer Bank am Platz vor der Kirche, beobachtet das Treiben dort, ein Kommen und Gehen, Leute, die Ziele haben und wenig Zeit. Die arbeitslose Textilfachverkäuferin kennt sich mit Stoffen aus, weiß, was zueinander passt, was Schwächen kaschiert und Vorzüge betont. In ihrem Fall ist das schwieriger: Welcher Vorzug macht ihr Alter vergessen für einen Markt, der sie nicht braucht? Alt ist sie nicht, sie steht mitten im Leben, vielleicht nur nicht mit beiden Beinen. Aber plötzlich läuft die Zeit rückwärts, an all ihren Träumen, Hoffnungen und an all den Unfällen vorbei, an denen sie zunichte wurden.

Konzentriert baut Anna Weidenholzer einen Spannungsbogen und bietet derart ein Psycho- und Soziogramm, ein literarisch bestechendes Exempel der Weltverengung so vieler Menschen, die heute an den Rand und darüber hinaus gedrängt werden.

Der Standard

Jedes Wort sitzt. Und mit jedem Satz wird der Leser neugieriger und ungläubiger.

taz

autor**in**residenz

Angelika Reitzer **Unter uns** Roman

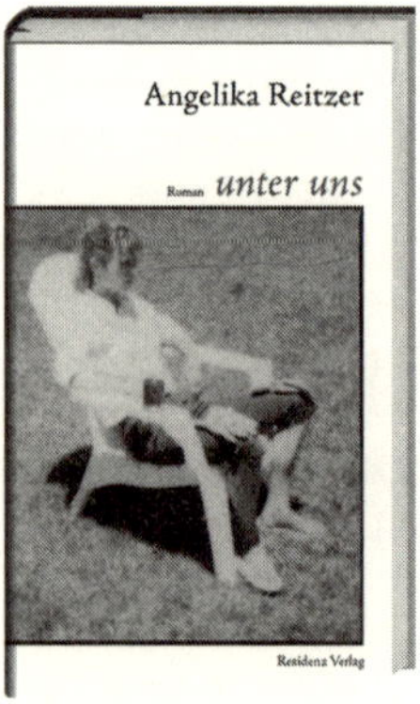

Ein Familienroman ohne Familie, berauschend klar und berührend nüchtern erzählt. Ein großes Panorama der Gegenwart, einer Gegenwart der neuen Lebens- und Arbeitsverhältnisse, in der alles nur mehr auf Zeit ist. Und dieser Roman trifft ihren Nerv.

»Unter uns« gehört zu den besten Neuerscheinungen der letzten Jahre. Großartig ist die sprachliche Präzision, ist der bald fließende, bald insistierende Rhythmus des Ganzen. Großartig sind jene Kapitel, in denen Clarissa in der ersten Person zu Wort kommt. An ihr zeigt Reitzer, wovor ihre anderen Figuren sich fürchten – dass die »Demonstration von Zukunft« eines Tages nicht mehr gelingt und wie das ist, wenn man das eigene Leben nur noch mitmacht, Schwäche mit Intensität verwechselt.

Falter

Angelika Reitzer ist eine unverwechselbare Erzählstimme, sie hat einen neuen Tonfall in die österreichische Literatur gebracht.

Ö1 Ex Libris

Es gibt nur wenige Gegenwartsromane, die so präzise und überzeugend die mentale Grundverfassung einer Generation vermitteln.

Oberösterreichische Nachrichten

autor**in**residenz

Roman Marchel **Kickboxen mit Lu** Roman

»Also, kein Sex, kein Gott, keine Träume«, sonst redet Lu über alles. Den Eltern erzählt sie, sie fahre in ein Trainingscamp, zwei Wochen Kickboxen. Stattdessen nimmt sie sich eine Auszeit, mietet sich ein in der Pension »Zur schönen Gegenwart«. Lu ist 16, Geschichte hat sie noch keine, keine richtige, aber reden kann sie, wie andere atmen. In der Pension trifft sie auf Tulpe Valentin, eine alte Schriftstellerin, acht Romane hat sie geschrieben, der letzte ist lange her. Aber dann kommt Lu und redet, und Tulpe Valentin hört zu und schreibt auf, ihren letzten Roman, weil sie erkennt, dass sie hier das Leben vor sich hat – ein anderes Leben, das weitergeht.

Die Sensationen sind in den Details verborgen. Roman Marchel zeigt sich als sprachmächtiger Schriftsteller, der genau zu beobachten versteht. Dieser Roman ist völlig frei von Geraune und Wichtigtuerei.

Die Presse

Roman Marchel gelingt es, ein Lebensgefühl zu schaffen, das ohne Zeitgeistklischees sehr genau in die Gegenwart passt und trotzdem nicht daran haftet wie ein Abziehbild.

Frankfurter Rundschau

Ein erfrischendes und in seiner Nachdenklichkeit beeindruckendes Debut.

literaturhaus.at